רם אורן

אהבה כואבת

רם אורן

אהבה כואבת

טרילוגיה

חלק ראשון: **שירי**

קשת הוצאה לאור

RAM OREN

PAINFUL LOVE (PART 1)

© כל הזכויות להוצאת הספר שמורות, 2014,
לקשת הוצאה לאור, ת.ד. 53021, תל אביב 61530
טל. 03-6476140, פקס 03-6470458
EMAIL: KESHETPUB@GMAIL.COM

עריכה: יוסף שביט

עיצוב שערים: סטודיו עינהר
הגהה: דפנה נוה
עימוד: סטודיו ע.נ.ע. בע"מ
הדפסה: דפוס ניידט, תל אביב

כל קשר בין עלילת הספר לבין אירועים שהתרחשו במציאות, כמו גם בין
הדמויות הנזכרות בו ושמותיהן לבין דמויות או שמות של אנשים חיים או מתים
– מקרי בהחלט. המקומות הנזכרים בספר כשטחי פעולה של גיבורי העלילה
משרתים רק את העלילה ואין באיזכורם כדי לציין או לרמוז שהמעשים
הנכללים בספר אכן נעשו שם.

מסת"ב: ISBN: 978-965-7130-47-6

פרק א'

עירום

1.

מרסל קושמרו תיעב את העבודה במנסרת העצים הגדולה ליד בוקרשט. אבק המסורים ושבבי העץ שריחפו בחלל המנסרה ביום ובלילה גדשו את ריאותיו וכפו עליו שיעול טורדני. המשכורת הייתה דלה, הנסיעה למקום העבודה ארוכה ומייגעת, והפועלים שעבדו איתו היו גסי רוח ושונאי יהודים. הפעם הראשונה, שבה זרק מישהו כלפיו את הכינוי "יהודון מזוהם", אירעה באחת ממשמרות הלילה, בעטיה של מחלוקת מיותרת על מקום ישיבה בחדר האוכל המזוהם. מרסל רצה להסתער על האיש שהעליב אותו, אבל חשש שחילופי מהלומות יעלו לו ביוקר. מאז הקים המלך קרול השני את ממשלתו החדשה, הפכה האנטישמיות לאחד מסימני ההיכר של הממשל הרומני. יהודים נרדפו, הופחדו ונתבעו לשלם מיסים מוגדלים. המשטרה ששה להשליך לכלא כל יהודי שדבק בו חשד שהוא מחרחר מהומות.

כמו ענן אפל וכבד, שמסתיר את עין השמש, ריחף הייאוש בשמי

הקהילה היהודית בבוקרשט. אזרחי רומניה, ובעיקר היהודים שבהם,
נאלצו להתמודד עם מצב כלכלי מחמיר. מפעלי התעשייה שילמו
מעט, המזון הדל לא השביע. רק למקורבי המלך, לבעלי הקשרים
ולנושאי המשרות הבכירות האירו החיים את פניהם. לגבי כל השאר,
רווחה הייתה מושג שהתרוקן מתוכן.

רחל ומרסל קושמרו התגוררו בשיכוני הפועלים הצפופים שרבצו
על פני הקרקע הבוצית כמו קרונות רכבת ישנים על מסילה
נשכחת. כתמי הגשם שלא התייבשו מעולם נספגו בקירות האפורים
המתבקעים, וכבסים שנתלו לייבוש על מתקנים מאולתרים מחוץ
לחלונות, התנופפו ברוח כמפרשים של ספינות שאיבדו את נתיביהן.
הטמפרטורות צנחו אל מתחת לאפס. בכל רגע עמד לרדת שלג.
בדירות הקטנות של שיכוני הפועלים נאבקו הדיירים כדי לשרוד
בתנאי מחיה בלתי אנושיים. משפחה חלקה בדרך כלל דירת חדר,
שניים או שלושה ישנו במיטה אחת, עשרות השתמשו באותו תא
שירותים עלוב ובאותה מקלחת, שמים חמים זלגו מברזיה רק לעתים
רחוקות. אנשים הפנימו את סבלם בלית ברירה, בשקט, בהשלמה עם
גורלם. הם ידעו, שרק נס או כסף רב יוכלו לחלץ אותם ממצוקתם.
כסף היה חיוני כמו אוויר לנשימה. כסף היה משאת נפש, חבל
הצלה, סולם שבעזרתו אפשר להיחלץ מן התהום. כל מי שהיה מסוגל
לעבוד הקדיש את כל מאמציו לחיפוש משרה נוספת. משכורת אחת
לא הספיקה, ומשרות נוספות לא היו כמעט בנמצא. נשים פרשו
שטיחים מרוטים על הקרקע ליד בתיהן ומכרו כלי בית ישנים. גברים
הציעו את עצמם לעבודות ניקיון שבזמנים כתיקונם לא היו מתקרבים
אליהן כלל.

משפחת קושמרו עשתה מה שתושבים רבים עשו – היא האכילה בדירתה אנשים קשישים שלא היו מסוגלים לבשל לעצמם. בשעות הצהריים של כל יום, באחד משני החדרים של משפחת קושמרו, ישבו כמה גברים ונשים כפופי גו וקמוטי פנים, שאכלו מתוך צלחות המונחות לפניהם. תמורת האוכל הם שילמו לבעלי הדירה בתלושי המזון שלהם ובכמה פרוטות מתוך קצבת הזקנה הדלה. הם לא דרשו יותר מדי, רק אוכל חם ומשביע ומפלט מן הבדידות.

רחל קושמרו בישלה והגישה. בעלה, מרסל, שעבד בעיקר בלילות, עזר לאשתו בהגשה ובשטיפת הכלים. הכסף שאספו מהסועדים שלהם היה מועט, אבל די היה בו כדי לממן מדי פעם קניית בגד או זוג נעליים לעצמם או לשתי בנותיהם.

בלומה הייתה הבכורה והיפה שבין השתיים. לא מכבר מלאו לה שש עשרה, שערה הזהוב עיטר פנים חטובות שמתוכן, כמו שתי אבני חן, נצצו עיניה התכולות. היא הייתה מפותחת מכפי גילה, שדיה צמחו לתפארת ורגליה נמתחו לגובה. נערי הרחוב היו שורקים לעברה כשעברה על פניהם. גברים מבוגרים נעצו בה מבטים רוויי תשוקה אסורה. מודעת לכוח המשיכה שלה, חייכה בזלזול למשמע ההערות שהופנו לעברה, זקפה את ראשה היפה והמשיכה ללכת.

יום יום, גם בעת שירד שלג או ניתך גשם סוחף, השכימה קום ולבשה את מעילה היחיד, שצבעו כבר דהה ושוליו התרפטו. היא יצאה מהבית כשערפילי השחר טרם נעלמו ותלמידי בית הספר עדיין נמו את שנתם. בצעדים מהירים חלפה על פני המדרכות, וכשהגיעה לחנות המכולת או לאטליז כבר הזדנב שם בדרך כלל תור ארוך. בידיה היו תלושי הקיצוב של בני משפחתה ושל הסועדים בביתם,

ובאמצעותם יכלה לקנות לחם, מעט גבינה ולעתים רחוקות גם חלקי
עוף ובשר זול, שנלפת לרוב סביב עצמות עבות. המוכרים גילו כלפיה
יחס מיוחד. הם נתנו לה נתחים נבחרים ושלחו לגופה ידיים מזיעות
שדמו בעיניה לטלפיהן של חיות רעות. היא ברחה מהם, אבל נאלצה
לחזור למחרת כדי לקחת מצרכי מזון נוספים, מקפידה להימלט לפני
שתחוש במגע ידיהם של המוכרים.

לבית הספר התיכון הגיעה כמעט תמיד ברגע האחרון. גם שם
הייתה מוקד של התעניינות. היא התרגלה למבטיהם של הנערים
שהפשיטו אותה בעיניהם. היא שמה לב שגם המורים משהים את
מבטיהם עליה יתר על המידה. אחת ממורותיה יעצה לה פעם
ללבוש בגדים צנועים יותר. "אין לי בגדים אחרים," השיבה בלומה
בחוצפה.

בבית הספר, כמו במוסדות ממשלתיים אחרים, מצאה לה האנטישמיות
דרכי ביטוי שונות ומשונות. מורים העליבו תלמידים יהודים בפומבי,
החמירו את יחסיהם כלפיהם והעניקו להם ציונים גרועים במתכוון.
בלומה התעלמה מכל אלה. היא הייתה יוצאת דופן ביופייה ובפיקחותה,
נסיכה בין צפרדעים אחוזות קנאה. היו שם תלמידות טובות ממנה,
אבל היא בלטה מכולן ביופייה והסתובבה ביניהן בהכרת ערך עצמה,
זקופה וגאה, כמו טווס הדור נוצות הנאלץ להסתופף בתוך להק של
אנקורים אפורים, מכוערים ופטפטנים.

הגברברים בני כיתתה חיזרו אחריה בלהט. היא נענתה רק לאלה
שהזמינו אותה למסיבות הריקודים, שנערכו בבתי תלמידים אמידים
בסופי השבוע. במסיבות אלה היא הייתה הרוח החיה, הפליאה לרקוד
ולסחרר את ראשיהם של הרוקדים. הריקוד סחף אותה למחוזות

אחרים והשכיח ממנה באחת את כל תלאות חייה. היא חוללה בסערה, בתשוקה אין קץ, באיבוד עשתונות.

בצהריים נהגו להתאסף בדירתה הקטנה של משפחת קושמרו חצי תריסר הסועדים — אלמנה קשישה מהקומה הראשונה שגררה בקושי את רגליה, זוג גמלאים מהקומה השלישית, הוא מהנדס לשעבר בעיריית בוקרשט והיא אחות שפוטרה מבית חולים. היו שם גם מובטל בן שישים, שחיפש עבודה ונדחה שוב ושוב בגלל גילו וזמרת אופרה, שאיבדה את קולה והתקיימה מקצבה זעומה. הארוחה בדירת קושמרו הייתה ההזדמנות היחידה שלהם לפגוש אנשים, לשוחח ולהשביע את רעבונם כמו היו משפחה אחת גדולה.

לא אחת חשה בלומה רתיעה מהעובדה שמחצית מדירת משפחתה הופקעה לטובת שירותי ההסעדה של הוריה. אף שארוחת הצהריים לא נמשכה יותר משעתיים-שלוש דומה היה שהיא ממלאת את היום כולו. האם שקדה בדרך כלל על הכנת האוכל לסועדים לפני בואם. לא פעם הכינה תבשילים שונים גם בלילה והלכה לישון רק בבוקר. בשובו מהמפעל היה בעלה ישן בדרך כלל על מיטה מתקפלת במרפסת.

בלומה נאלצה להצטמצם בדלת אמותיו של החדר השני, הקטן יותר, ולחלוק אותו עם אחותה שושנה בת העשר. בלית ברירה הכינה את שיעוריה על שולחן קטן שנדחק בין הקיר למיטה שבה ישנו שתי האחיות. הכורח לוותר על מקום משלה ועל הפרטיות, שכל כך הייתה נחוצה לנערה מתבגרת כמותה, העיק עליה כנטל בלתי נסבל.

2.

יעקב מירצ׳ה, אחיו הבכור של מרסל, אבי בלומה, היה פקיד בכיר בממשלה הרומנית, אחד ממתי מעט פקידים יהודים שלא הודחו על ידי הממשל. הוא למד הנדסה באוניברסיטה של בוקרשט, זכה לציונים מעולים ונשלח לפאריז להשתלמות בבניית גשרים. בהיותו עובד נאמן מובהק של השלטון לא חששו שולחיו שינצל את ההזדמנות ויבקש מקלט בצרפת.

דירת החדר הקטנה שלו שכנה בבניין מגורים גדול ברובע הלטיני של פאריז. באחד הימים, בשובו מלימודיו פגש במעלית את סימה, בתם של בעלי חנות בגדים קטנה. האהבה פרחה, ופעמוני הנישואין צלצלו זמן קצר לפני מועד שובו של יעקב לרומניה. כשהצטרפה לבעלה החוזר הביתה, לא ידעה סימה דבר על בוקרשט ועל תנאי החיים בה. לתומה חשבה, שהיא עוקרת לעיר אירופית טיפוסית עם בתי אופנה, אולמות קונצרטים וחנויות המתפקעות משפע מוצרים. המציאות טפחה על פניה ועוד בטרם הגיעה להחלטה להימלט משם כל עוד נפשה בה, כבר היו לה שני ילדים שלא היה אפשר לנתקם מאביהם ולקחתם לצרפת.

יעקב וסימה התגוררו בדירה אפורה, שהממשלה הקצתה להם בפרברי בוקרשט. סימה קישטה אותה בסרטים צבעוניים, בציורי שמן מפרי מכחולה ובאגרטלים עם פרחים טריים. הוריה שלחו אליה באורח קבע ירחונים פופולאריים וחוברות אופנה צרפתיות. היא תפרה לעצמה שמלות על פי דגמים שפורסמו בעיתוני האופנה, התכתבה עם הוריה וחברותיה ושוחחה בצרפתית עם זוג שכנים קשיש שהיה בקי בשפה.

בלומה העריצה אותה, את נימוסיה, את צליל השפה הזרה שבפיה, את טעמה בלבוש. היא ביקרה אותה תכופות, והייתה מאושרת כשסימה הציעה ללמד אותה צרפתית. לילדה בהירת השיער היה כישרון מולד ללימוד שפות. כעבור כמה חודשים כבר ידעה לפטפט בצרפתית, האזינה בהנאה לשידורי רדיו צרפתיים וקראה בשטף עיתונים מפאריז. למסיבת הסיום של שנת הלימודים בבית הספר תפרה לה דודה סימה שמלה חגיגית בסגנון צרפתי, שגררה מבטי התפעלות ממוריה ומחברותיה של בלומה.

היא חלמה בהקיץ על חיים אחרים, על מקומות שיתאימו לה יותר. לא פעם צעדה ברחובותיה האפורים של העיר המדכדכת כשהיא חולמת בהקיץ. ראשה היה מורם, הילוכה מעכס, עיניה דימו לראות את שדרותיה הרחבות של פאריז, ונחיריה כמו שאפו את ניחוחות הסיינה הזורמת לאיטה.

אילו יכלה הייתה שוגה בחלומות זמן רב יותר, אבל נכפו עליה חובות משפחתיים שתבעו ממנה ציות מלא. לפני הלימודים קנתה מוצרי מזון, אחרי הלימודים היה עליה למהר הביתה כדי לעזור להוריה בבישול, בהדחת כלים ובהגשת מנות לאורחים. היא לא אהבה לשרת את הסועדים ולשמוע את קובלנותיהם על מצב בריאותם. היא התעלמה ממחמאותיהם המגושמות ומידי הגברים שניסו ללטפה. הדירה הדיפה תמיד ריחות בישול כבדים. לא פעם אטמה בלומה את נחירי אפה כדי שלא יגיעו אליה.

החיים היו קשים, כמעט בלתי נסבלים. כמו מרבית התושבים היהודים נדחקה גם משפחת קושמרו אל השוליים חסרי התוחלת. בצד קשיי הפרנסה שררה בבית גם חרדה מתמדת מפני המחר. ההורים גידלו בעמל רב את בלומה ואת שושנה והתקשו לספק להן

את צורכיהן הבסיסיים. בגדיה ונעליה של בלומה המתינו לשושנה לכשתגדל.

בלומה תיעבה את רומניה, את הדלות, את הקור, את הדכדוך ואת הפחד שהיו מנת חלקם של רבים ממכריה, שכניה וחבריה לספסל הלימודים. היא חלמה על חיי עושר ובית מגורים מפואר בארץ חמה וחופשית יותר, שבה לא עוקבים בלשי הממשלה אחרי אזרחי המדינה, ולא מעמידים לדין כל מי שמשמיע הערת ביקורת על המלך או על משטרו. ברומניה היה המלך מנהיג כול יכול, השולט בחיי אזרחיו ומפקח על כל תנועה שלהם. הוא קירב בני משפחה לעמדות בכירות בשלטון וכפה על אזרחיו חיי מחסור רוויי ייאוש.

.3

הגירה הייתה מילת קסם, מטה פלאים שבכוחו להגשים משאלות כמוסות. בדרך כלל נהגתה המילה הזאת בפחד, בלחישה, בחדרי חדרים. מי שהעלה על דל שפתיו שמץ של רעיון לצאת מארץ מולדתו נחשב לאזרח עוין הזומם להפיל את המשטר. אנשים הושלכו לכלא בגלל ביטוי אחד של אי שביעות רצון שנפלט מפיהם במקום הלא נכון.

משאת נפשם של בלומה ושל הוריה, כמו של מרבית התושבים, הייתה להימנות עם מעט בני המזל שהורשו להגר למדינה אחרת. ברומניה של שנות השלושים יכלו לצאת משפחות, שקרוביהן בחו"ל ביקשו לאפשר להן להתאחד איתן והיה ביכולתן לממן את הוצאות

הנסיעה וסכום לא קטן כשוחד לפקידים. הוריה של בלומה הרבו לכתוב לקרוביהם בארץ ישראל, וביקשו שישיגו בשבילם סרטיפיקט משלטונות המנדט הבריטי שיאפשר להם להיכנס לארץ. מכתבי תחינה קורעי לב נשלחו בזה אחר זה, וחודשים חלפו עד שקרובי המשפחה בתל אביב הודיעו שלאחר מאמצים רבים עלה בידיהם להשיג אישור כניסה לארץ. הם הזמינו את רחל, מרסל ושתי בנותיהם להגיע לשם במסגרת איחוד משפחות. משפחת קושמרו מיהרה לנצל את ההזדמנות, מכרה את מיטלטליה, החביאה בכליה כמה תכשיטים שעברו במשפחה בירושה, עלתה על אנייה, הפליגה לנמל יפו והשתקעה בדירה בדרום תל אביב, שנשכרה בשבילם על ידי קרוביה.

ברגע שבו דרכו רגליה של בלומה על אדמת הארץ החדשה דומה היה לה שהוכתה בסנוורים. בלבה ניטעה התחושה שהוטלה לגן העדן. הכול היה שונה כל כך, שטוף באור שמש בהיר, מנבא טובות. תל אביב לא הייתה אמנם עיר מפוארת במיוחד, אבל היא עלתה עשרות מונים על בוקרשט. הבתים נראו נקיים יותר, אנשים היו לבושים היטב, חופשים לומר כל מה שרצו. החנויות היו משופעות במוצרים שברומניה ניתן היה רק לחלום עליהם, ואפשר היה לקנות במכולת ובאטליז ללא תלושי קיצוב.

בלומה בת השבע עשרה נשלחה להשלים את לימודיה בבית ספר תיכון, אבל למגינת לבה, חבריה החדשים לא קיבלו אותה בזרועות פתוחות. היא הייתה שונה מהם במבטאה הזר, בנימוסיה המופרזים ובשם הגלותי שלה.

בניגוד לאחותה שהתאקלמה במהירות ולמדה ללא קושי את השפה החדשה, הצליחה בלומה רק בעמל רב להתגבר על מחסום הלימודים,

אבל לא על המחסום החברתי. מימיה לא חשה עצמה בודדה כל כך, נדחקת לקרן זווית. לא היו לה חברים, לא הזמנות למסיבות, אף לא נפש אחת שבפניה הייתה יכולה לתנות את מרי לבה. פעמים רבות בכתה באישון לילה אל תוך הכר. היא ידעה שהיא יפה, מושכת ופיקחית ממרבית תלמידות הכיתה אך למזלה הרע הייתה בתם של מהגרים, שאינה שולטת בשפה החדשה. היא לא רצתה להיות יוצאת דופן.

בלומה סיימה את לימודיה בקושי רב, מפגרת אחרי מרבית התלמידים. תעודת הבגרות שלה הייתה בעיניה לא יותר מפיסת נייר חסרת משמעות. היא העידה על בלומה שהייתה תלמידה גרועה ולא ממושמעת. בלומה קרעה את התעודה לגזרים והטביעה את הקרעים באסלת בית השימוש. היא התביישה להראות את התעודה לבני משפחתה.

הלימודים הסתיימו ובלומה נשמה לרווחה, אבל תחושת ההקלה שמילאה את לבה הייתה מוקדמת מדי. היא הייתה נערה פיקחית, בוגרת ובריאה. הוריה הציעו לה ללמוד מקצוע כלשהו, אבל היא אמרה להם: "למדתי מספיק. אסתדר לבדי." הם התקשו לעמוד על שלהם והניחו לה לעשות כרצונה.

בוקר בוקר הלכה בלומה לתור אחרי עבודה שתישא חן בעיניה. בלי ניסיון או רקע מקצועי, קשה היה לה לקבל תפקידים שיניבו משכורת נאותה. הציעו לה לעבוד כמלצרית, כעוזרת בית וכמטפלת לילדים. היא עיקמה את פניה ודחתה את כל ההצעות.

עמדו לפניה רק שתי אפשרויות — להתעטף בעצב ולהידרדר לתהום של דיכאון, או להילחם בגורלה כמיטב יכולתה. דרוש היה לה קרש קפיצה שיזניק אותה לחיים חדשים ומבטיחים. היה לה

ברור, שעליה לגייס את כל כוח הרצון שנותר בה כדי לחולל תמורה מהפכנית בחייה. כצעד ראשון, בהינף של החלטה מהירה, החליפה את שמה לשם חדש, ישראלי, שלדעתה יתאים לה יותר. למרות התנגדות הוריה בחרה לעצמה את השם שירי ודאגה שיירשם במסמכי הזהות הרשמיים שלה. היא הייתה מאושרת כשעשתה זאת. מבחינתה סימל השם החדש את ראשיתו של השינוי שהתחולל בה. הוא הפיח בה מרץ ונחישות ותחושה שהיא צועדת בדרך נכונה.

אבל בשם החדש לא היה די. היה לה צורך לעמול קשה כדי לייצר שינויים דרמטיים נוספים שיעצבו את הדמות שבה חפצה. שירי נסעה תכופות לחוף הים בתל אביב והפקירה את גופה לשמש כדי להמיר את חיוורון עורה בשיזוף מושך. היא שכנעה את הוריה למכור צמיד זהב יקר ערך כדי לקנות לה בכסף בגדים אופנתיים. עם בגדים חדשים שהבליטו את יופייה, עם עור שחום וביטחון עצמי שהיתמר מעלה מעלה, משכה אליה סוף סוף כמה מחזרים, שהרבו לקחת אותה למקומות בילוי, לבארים ולמסעדות והמטירו עליה מתנות ומכתבי אהבה. החיים לימדו אותה שאלוהים העניק לה מתנה נדירה – היכולת לסחרר את ראשיהם של גברים ולאלצם לשלם בתמורה לכך. היא חייכה לעצמה בסיפוק כשהבחינה שגברים מסובבים אחריה את ראשיהם בלכתה ברחוב, ואחרים צופרים לה ממכוניותיהם כדי לזכות בתשומת לבה.

אחד הגברים שהיו כרוכים אחריה הציע לה עבודה משתלמת בחנות הנעליים שלו במרכז העיר. הוא חיזר אחריה בלהט, נתן לה נעליים במתנה והצהיר כי יעניק לה כל מה שתרצה אם תסכים לעבוד אצלו. היא תבעה ממנו להכפיל את השכר שהציע לה והוא לא היסס לעשות זאת. כשאיבדה את בתוליה במיטתו חשבה רק על הכסף

שתקבל ממנו. שום דבר אחר לא היה חשוב לה. היא לא חשה דבר כשחיבק אותה ונשק לה. היא רק רצתה שיעצום את עיניו ויירדם.

כעבור כמה שבועות הודיעה למעסיק שלה שהיא זקוקה לכסף נוסף. הוא נאנק ושילם. היא לקחה את הכסף ושכרה דירה מרוהטת בת חדר. שכירת הדירה הייתה שלב חשוב בדרכה לעצמאות. עתה לא הייתה חייבת עוד לגור עם הוריה. היא הייתה חופשייה לצאת ולבוא בכל שעה שתרצה, להתבודד או לארח כל מי שיעלה בדעתה. את יתרת הכסף נשאה אל הבנק ופתחה חשבון משלה. כשיצאה מהבנק חשה כאסיר שיצא לחופשי. מלחמת העצמאות שלה הוכתרה סוף סוף בהצלחה.

שגרת העבודה בחנות הנעליים עלתה כצפוי על עצביה. התנהלותם של הדברים באותה מתכונת, כמו חזרה מייגעת על מחזה נדוש, נמאסה עליה מהר מאוד. היא הייתה שאפתנית ותוססת מדי. הכסף שקיבלה לא פיצה אותה על תחושת שעמום שהלכה וגברה. העבודה נמאסה עליה, הלקוחות מיצו את סבלנותה, היא רצתה ללכת בגדולות והאמינה שיופייה יפלס לה את הדרך אל הצלחה גדולה מזו שחוותה בחנות הנעליים.

חודשים אחדים לאחר שהחלה לעבוד הגישה את התפטרותה. מאהבה הבטיח לה כסף נוסף, אבל היא הפנתה לו עורף והלכה לחפש את המקום שיתאים לה יותר מחנות נעליים.

בשוק העבודה לא היו אפשרויות רבות. היא הסתובבה ברחובות תל אביב ועיינה במודעות שנתלו בחלונות ראווה או על קירות בתים. היה ביקוש מסוים לזבניות, לפקידות מתחילות, או למטפלות לפעוטות. שום הצעה לא נראתה לה, אבל היא לא אמרה נואש. מדי

בוקר יצאה למסע חיפושים וחזרה עם ערב. יום אחד קנתה גלידה בחנות של ויטמן בלב העיר. היא ליקקה את המעדן הקפוא ועיניה נתקלו במודעה שהוצמדה לפתח הבניין.

לבית הספר לריקודים של סמי דרושות רקדניות.

היא לא שמעה מימיה על בית הספר של סמי, אף שזה היה אחד המוסדות המפורסמים בעיר, אבל המודעה קרצה לה. היא עלתה לקומה השנייה ופתחה דלת לרחבת ריקודים גדולה. על הרחבה רקדו רומבה כמה גברים צעירים ומבוגרים בזרועותיהן של רקדניות, שלימדו אותם את כללי הריקוד. בעל המקום ניגש אל שירי ושאל לרצונה.

"ראיתי את המודעה שלכם," אמרה.

"את רקדנית מקצועית?"

"לא, אבל אני יודעת לרקוד."

הוא משך אותה לרחבת הריקודים ונע איתה לצלילי הריקוד. "את בסדר גמור," החמיא לה כשתם הריקוד, "אוכל לקבל אותך לעבודה."

הוא פירט את הנדרש ממנה: אורך רוח, נימוסים טובים, יכולת הדרכה. השכר שהציע לה לא עלה אמנם על מה שקיבלה בחנות הנעליים, אבל התפקיד נראה מעניין ומהנה יותר.

"מתי עליי להתחיל?" שאלה.

"תבואי מחר בבוקר בבגדים קלים ובנעליים נוחות. תביאי בחשבון שתצטרכי לעמוד הרבה זמן על הרגליים."

העבודה בבית הספר לריקודים של סמי הייתה קשה פחות מכפי

שתיארה לעצמה. התלמידים היו גברים בלבד. ביניהם היו אנשי עסקים, פקידים בכירים וגם כמה תלמידי תיכון, שהאמינו כי צעדי ריקוד נכונים ישמשו להם כרטיס כניסה לחוגים חברתיים חדשים. שירי רקדה בחן טנגו ופאסודובלה והוליכה בקלילות את תלמידיה על פני רחבת הריקודים. היא הייתה יפה וחטובה מכל הרקדניות האחרות, מגע ידיה רך ונעים, וחלק ניכר מן הגברים העדיפו להחזיקה בזרועותיהם יותר מאשר כל מדריכה אחרת. הם החמיאו לה, חיזרו אחריה, לרוב באורח מגושם, וסיפרו לה בגילוי לב על עצמם. לא אחד מהם חלם עליה בלילות.

גילויי החיבה של תלמידיה לא היו בעיניה תופעה חדשה. היא ידעה שגברים מתקשים לעמוד בפני קסמיה, היא האמינה שלא ירחק היום שאחד מהם יחצה את הגבול ויציע לה קשר הדוק של ידידות משתלמת. זה קרה מהר משחשבה. תלמיד ותיק, שהרבה לספר לה בגאווה על עסקיו המשגשגים, הזמין אותה לארוחת ערב. היא לא ראתה כל סיבה לסרב. נראה היה לה שיזמין אותה למסעדה יוקרתית. תחת זאת הביא אותה לבאר בירה קטן שהגיש גם כמה מאכלים יהודיים אופייניים. שני זוגות שתו בירה ליד שולחנות עץ גסים, וליד דלפק המשקאות פטפטו כמה גברים לבושים בפשטות. האוויר היה דחוס ומהול באדי אלכוהול. מלצר עוטה סינר מרובב בכתמים הסתובב בין האורחים ודיבר איתם ביידיש. הגבר שהזמין את בלומה לארוחה הסתפק בבחירת המאכלים הזולים ביותר בתפריט. שירי הזדרזה לסיים את הארוחה כדי שתוכל לצאת סוף סוף החוצה, אל האוויר הצח. המארח שלה השאיר תשר עלוב וליווה אותה לאוטובוס. כששאל אם יוכל לפגוש אותה שוב, השיבה בשלילה.

"אמא שלי חולה," בדתה תירוץ, "אני צריכה לטפל בה."

זה היה ערב מבוזבז בחברת אדם שלא חשה כלפיו מאומה ושלא

הצליח להתגבר על קמצנותו. הלקח שלמדה נחרט היטב בתודעתה: היא לא תצא עוד לבילוי עם גברים שישמרו את כספם לעצמם.

ימים חלפו. מעמדה של שירי בבית הספר לריקודים התחזק. השמועה על המדריכה היפהפייה של סמי עשתה לה כנפיים ותלמידים נוספים הגיעו כדי שתדריך אותם. היא התרגלה לראות פרצופים חדשים מדי שבוע, לשמוע מחמאות נוספות, לחוש בזרועות בלתי מוכרות שגיפפו אותה. ערב אחד, בתום עבודתה, המתין לה גבר מחוץ לבניין. היא התקשתה לזכור מי הוא.

"הייתי אצלכם היום בפעם הראשונה," אמר, "באתי מרחוק כי שמעתי עלייך."

"מה שמעת?"

"שאת בחורה מאוד יפה, וזה נכון. מה שמך?"

"שירי."

"תרשי לי להזמין אותך לכוס קפה?"

היא בחנה אותו ברפרוף. הוא היה כבן חמישים, כסוף שיער, ממושקף. הוא נראה לה איש אמיד.

"בסדר," אמרה.

כששתו את הקפה הציג עצמו כג'ק סמואל, תושב טבריה, מארגן אירועי בידור.

"חיפשתי הרבה זמן בחורה יפה כמוך," אמר, "הסתובבתי בהרבה להקות ריקוד ובבתי ספר לריקודים. עכשיו, כשמצאתי מה שחיפשתי, אני רוצה להציע לך הצעה שלא תוכלי לסרב לה."

"למה אתה מתכוון?"

"אני מחפש רקדנית. זו עבודה קלה והמשכורת יפה."

"אני מרוויחה לא רע אצל סמי."

הוא צחק.

"באמת? כמה כבר הצלחת לחסוך? חשבת על מה שמחכה לך בבית הספר לריקודים בעוד שנה, בעוד שנתיים? כל הסיכויים שתמשיכי להיות אחת מצוות של מדריכות אפורות, כל הסיכויים שתמשיכי להרוויח מעט ושהעבודה תימאס עלייך."

היא חשבה על מה שאמר. הייתה מידה רבה של היגיון בדבריו.

"מה אתה מציע?"

"זה לא כל כך פשוט. בואי למשרד שלי בטבריה ונדבר שם."

הוא נתן לה לירה אחת לכיסוי הוצאות הנסיעה לטבריה, עצר מונית, שילם לנהג ושלח אותה לדירתה השכורה.

לא היה לה מה להפסיד. היא ביקשה חופשה ליום אחד ונסעה למשרדו בטבריה. בהגיעה לשם, אחרי שעות של טלטולים מייגעים באוטובוס, חשה כאילו חזרה לרומניה. לא היה דבר אחד בעיר הזאת שמצא חן בעיניה. הבתים הדהויים, המדרכות הרעועות, השווקים המגובבים והתושבים רכוני הראש עוררו בה שאט נפש. היא רצתה להסתלק משם ללא דיחוי, אבל חבל היה לה על סיכוי שילך לאיבוד. היא חיפשה את הכתובת שרשמה על פיסת נייר.

ג'ק סמואל גהר על כמה מסמכים במשרד מחניק בלב העיר. הוא עישן ללא הרף ועיניו הקטנות בחנו אותה בקפידה. הוא קם וסגר את הדלת מאחורי גווה.

"בת כמה את?" שאל.

"תשע עשרה."

"כמה זמן את עובדת אצל סמי?"

"כמה חודשים."

"את שולטת בשפות זרות?"

"כן, בצרפתית וברומנית."

"מה מצבך המשפחתי?"

"אני רווקה."

"את בתולה?"

"כבר לא."

"או קיי, תתפשטי," פקד.

4.

שירי עמדה זקופה ואדישה מול האיש הזר שפגשה בפעם הראשונה רק
ימים אחדים קודם לכן. היא הייתה עירומה כביום היוולדה והוא בחן
במבט ענייני את איברי גופה. אף לרגע לא חשה מבוכה, אי־נוחות, או
רצון לחזור וללבוש את בגדיה. הגוף היה כרטיס הביקור שלה, אמצעי
בטוח להצלחה. היא הייתה גאה בכל איבר, בשדיה הגדולים ובישבנה
העסיסי. היא ידעה שאם תרצה תהיה מסוגלת בנקל, ללא כל מאמץ,
להוציא את האיש הזה משלוותו.

הוא אמנם אמר לה קודם לכן שהוא זקוק לרקדנית. אבל אולי הוא
רוצה ממנה יותר? מה תעשה אם יבקש לשכב איתה? איך תגיב אם
יציע לה כסף בתנאי שתיכנס איתו למיטה? היא בחנה אותו במבט
גלוי, מוכנה להתמודד עם כל מה שיציע, אבל להפתעתה הוא השרה
סביבו לא יותר מאווירה עניינית ורוגעת. נראה היה לה כאיש עסקים
שכל מעייניו נתונים לרווחים שיפיק, לא לכיבוש גופה של הנערה
הניצבת לפניו במערומיה.

"רקדת פעם באופן מקצועי?" שאל.

"רק במסיבות."

"או קיי. תתלבשי."

הוא חיכה בסבלנות עד שעטתה עליה שוב את בגדיה.

"אני עומד לפתוח מועדון לילה בטבריה," אמר, "זה יהיה המועדון היחיד באזור, משהו שעוד לא היה בגליל. דרושה לי חשפנית שתרקוד בעירום ואני חושב שאת יכולה להתאים. נראה לך שתהיי מסוגלת לעשות את זה כל ערב, שבע פעמים בשבוע?"

כן, היא חשבה שתהיה מסוגלת, אבל רצתה לשאול מדוע דווקא בטבריה. דומה שהאיש קרא את מחשבותיה.

"את ודאי שואלת את עצמך למה שלא אפתח מועדון לילה בתל אביב," אמר, "חשבתי על זה הרבה. בתל אביב יש לא מעט מועדונים, אבל כאן, בצפון, אין אפילו מועדון אחד. יש המון ערבים עשירים באזור. מסביב לעיר שוכנים גם מחנות צבא בריטיים ולקצינים אין מה לעשות בשעות הפנאי. אני חושב שמועדון בטבריה הוא הדבר שהכי יתאים להם."

היה עניין דחוף אחד שרצתה לברר בטרם תשיב בחיוב.

"אמרת שתהיה לי משכורת טובה," הזכירה לו.

הוא חייך: "אני רואה שאת בחורה מעשית. אשלם לך שתי לירות לכל הופעה."

זה היה הרבה מאוד כסף. אצל סמי היא קיבלה בסך הכול עשר לירות פלשתינאיות לחודש, קצת יותר משתי לירות לשבוע עבודה. כאן, על פי חשבונה, היא תקבל עשרת מונים יותר. אף על פי כן לא הסתפקה בהצעה שקיבלה. היה לה הרבה מה להציע והיא לא התכוונה למכור את עצמה בזול.

22

"יהיו לי הוצאות," התמקחה, "שכר דירה, מזון..."

"הדירה מעל המועדון שייכת לי. אתן לך לגור שם ולא תצטרכי לשלם."

"אחשוב על זה," הגיבה. למרות שרצתה מאוד להשיב בחיוב, נראה היה לה שתוכל לקבל ממנו יותר אם תעשה עליו רושם של קשה להשגה. היא חשה שזו הזדמנות של פעם בחיים.

חיוכו נעלם ומבטו הסגיר מורת רוח נוכח היסוסיה.

"למה את מחכה?" שאל, "כל בחורה אחרת הייתה חוטפת את ההצעה שלי."

"תנאי העבודה אינם נראים לי," העזה.

הוא גרד את סנטרו וחשב על מה שאמרה. אכן יכול היה לשכור נערות אחרות במחיר נמוך יותר, אבל הוא רצה שהכוכבת שלו תהיה יפהפייה אמיתית, חשוב היה לו שהיא תהפוך לשיחת היום, למקור משיכה ללקוחות.

"לא אוכל לשלם לך יותר," אמר לבסוף, "אבל קחי בחשבון שתוכלי להרוויח הרבה גם מהצד. למשל, תקבלי אחוזים מכל משקה שתשתי עם הלקוחות במועדון, ככל שישתו יותר תקבלי יותר. חוץ מזה תוכלי לארח גברים אצלך בדירה. את נראית נהדר ואני מעריך שיהיו יותר מעוניינים ממה שתרצי. לא אכפת לי מה תעשי איתם. העיקר שתשלמי לי חצי מכל מה שתקבלי מהם."

ההצעה שהציע הייתה נדיבה מאוד. חישוב מהיר שעשתה במוחה העלה שתוכל לצבור במהירות כסף רב. כשהתייגעה בנסיעה לטבריה לא העלתה על דעתה שדווקא בעיר שכוחת האל הזאת תוכל להשיג את מה שרצתה יותר מכול: כסף.

"בסדר," אמרה, "אני מסכימה."

"עוד עניין קטן," אמר בעל המועדון, "השם שלך לא מספיק אקזוטי לטעמי. נצטרך למצוא לך שם במה מתאים יותר."

"על מה חשבת?"

הוא הריץ במוחו שמות שונים.

"חשבתי על השם איזבל," הציע.

היא משכה בכתפיה. לא היה אכפת לה.

הוא לקח אותה לביקור במועדון. פועלים בסרבלים מוכתמים בכתמי סיד עסקו עדיין בשיפוץ רעשני של האולם הגדול, בבנייה, בסיוד, בהתקנת זרקורים. במרכז האולם ניצבו שתי במות, על האחת אמורה הייתה להתמקם התזמורת. האחרת נועדה להופעותיה של שירי. במת התזמורת הייתה מוארת בלבן. במת הריקוד – באדום.

אחר כך עלו לקומה השנייה של הבניין, לדירה שהייתה מיועדת למגוריה של שירי. המנעול חרק והדלת נפתחה בבעיטה. היו שם שני חדרים מאובקים וריהוט ישן. ריח כבד של עובש עמד בחלל.

ג'ק פתח את החלון ורוח קלה חדרה פנימה ואיווררה את החדר.

"תראי איזה נוף נפלא," התפעל, "כל הכינרת פרושה לפנייך."

היא עיוותה את פניה.

"הנוף בסדר, אבל הדירה נראית נורא," אמרה, "והריח... כמו באורווה."

"אני אנקה אותה בשבילך, אחליף את הריהוט על חשבוני," מיהר בעל המועדון להרגיע אותה, "תוכלי להיכנס לגור כאן כבר בשבוע הבא."

היא לא הניחה לו לשוב לענייניו.

"מה עם מקדמה?" שאלה.

באי־רצון שלף כמה שטרות מארנקו ומסר לה.

"רק שלא תברחי לי עם הכסף," הזהיר אותה.

"אתה לא מכיר אותי," השיבה, "אני בחורה הרבה יותר רצינית ממה שאתה חושב."

.5

לוטננט תומאס ג'ורדן ניעור משנתו מוקדם מן הרגיל. מחלון חדרו בבסיס הצבא הבריטי הגדול בחיפה ראה את היום החדש מפציע לאיטו ופורש יריעה של אור בוקר בהיר על הכרמל. ג'ורדן התקלח והתגלח בקפידה. לבו הלם בהתרגשות. זה לא היה אמור להיות יום ככל הימים.

הוא חשב על הפגישה שאליה זומן בשעה תשע. מרוט עצבים סבב בדירתו, פתח וסגר את מקלט הרדיו, הציץ מהחלון. כדי להעסיק את עצמו הקדים להגיע לחדר האוכל של הקצינים כבר בשבע. הוא ישב לבדו ליד אחד השולחנות באולם הריק, שתה תה ואכל צנימים בריבה. במטבח לא היה עדיין מישהו שיוכל להכין לו ארוחת בוקר של ממש.

מה הם, לעזאזל, רוצים ממנו, שאל את עצמו פעמים רבות מאז קיבל את הזימון לפגישה במשרדו של הבריגדיר. לא היה לו שמץ של מושג, אף רסיס של רמז. הוא העביר במוחו את שלל האפשרויות, הרעות והטובות כאחד. לא ייתכן, חשב, שהממונים עליו אינם מרוצים ממנו. לא פעם חלקו לו שבחים על שמילא כהלכה את תפקידו כחוקר

פשעים צבאי. תומאס השקיע בתפקיד הזה את כל כולו. לעתים תכופות הקדיש גם את לילותיו לחקירת חיילים שהפרו את החוק ולחיבור דוחות ממצים שהביאו להעמדת האשמים לדין. מפקדיו לא זימנו אותו מעולם אליהם לפגישה אישית. למה אם כן הם קוראים לו עכשיו? הייתכן שעשה משהו שאינו כשורה, או אולי הם רוצים בכלל להחמיא לו ולהציע לו קידום?

הוא חזר לחדרו והוציא מארון הבגדים שלו חליפת מדים מגוהצת למשעי. הוא לבש אותה ובחן את דמותו בראי, בודק אם אין בהופעתו כל רבב. מן הראי נשקפה לעיניו דמות של קצין זקוף שעיניו מביעות נחישות. הוא הלך לבניין המפקדה והתייצב בלשכת הבריגדיר.

תומאס הצדיע והמפקד החזיר לו הצדעה.

"שב בבקשה," אמר הבריגדיר. נימת קולו ומראה פניו העידו על קורת רוח. זו הייתה התחלה מבטיחה.

"עשית עבודה טובה, לוטננט," אמר המפקד, "עזרת לעקור עשבים שוטים שצמחו במערכת. הצבא מוקיר מאוד את פועלך."

"תודה, אדוני."

הוא תהה מה יקרה עכשיו. אחרי ככלות הכול, לא זימנו אותו כנראה רק כדי לשבח את עבודתו.

"החלטנו לקדם אותך בתפקיד ובדרגה," בישר הבריגדיר.

תומאס ג'ורדן חש גל של סיפוק גואה בקרבו. הוא חלם אמנם על קידום אבל לא חשב שזה יגיע מהר כל כך.

"זה יהיה תפקיד רציני, אחראי מאוד," אמר המפקד, "אבל זה לא יהיה קל."

"אני רגיל לתפקידים קשים," השיב ג'ורדן.

הוא הופתע לא מעט כשהתבשר כי יהיה עליו לעזוב את משרדו הנוח בבסיס ואת העניין הרב שעוררה בו חקירת פשעים, ולקבל על עצמו תפקיד שמילא עד כה קצין העומד לשוב לאנגליה בתום חוזה השירות שלו.

"אני סבור שתתאים לתפקיד של מפקד יחידת הסיור במחוז הצפון," אמר הבריגדיר. הוא הסביר, כי לאחר שיועלה לדרגת קפטן יהיה על תומאס ג'ורדן לשוטט עם חיילי יחידתו ברחבי הגליל, לסייר באזורי המריבה שבהם התכתשו יהודים וערבים, לאתר את האחראים להתקפות ולשפיכות הדמים, למנוע פשיטות על יישובים יהודיים וערביים, לגלות מצבורים סודיים של אמצעי לחימה, ולעצור אנשים הנושאים נשק שלא כחוק.

הוא קיבל על עצמו את התפקיד ברצון. עוד באותו יום הצמיד לכותפותיו את הכוכב השלישי, המסמל את דרגת הקפטן. נחוש למלא את התפקיד החדש באופן הטוב ביותר, אסף קפטן ג'ורדן את אנשי הסיור במגרש המסדרים ופירט לפניהם את משימותיהם. הוא אמר שהתפקיד קשה ומאתגר, ציין שיהיו הרבה סיורים, מפגשים מתוחים בשטח ומחסומי דרכים מסוכנים. הוא הסביר שהסיור שלו ינוע בשתי שריוניות ובשני טנדרים אל מקומות שבהם מתרחשות תקריות, והזהיר שאל להם לאנשיו להשתתף בשום תקרית שיהיו עדים לה. ג'ורדן גם אסר עליהם להשתמש בנשקם אלא אם נשקפת סכנה לחייהם. הוא הסביר כי יצירת קשר אישי עם יהודים או עם ערבים וקבלת מתנות או כסף – אסורות בהחלט על פי החוק.

תחילה נראה לו התפקיד מסעיר ומאתגר. העבודה במרחב הפתוח הייתה בגדר שינוי מרענן. הנסיעות בשטחים בלתי מוכרים שהדיפו

ניחוחות של עשבי בר, המפגשים עם יהודים וערבים זעופי פנים וחיפושי הנשק היו שונים תכלית השינוי מהחקירות ומכתיבת הדוחות שבהם הורגל. אבל בחלוף הזמן התברר לו שעשה מקח טעות. מה שנראה על פניו תחילה כקידום רב אפשרויות היה בעצם תפקיד בלתי אפשרי, לא יותר מגלולה למניעת כאב־ראש לחולה אנוש. המאבק בין יהודים לערבים היכה שורשים במשך דורות. הניסיון לעצור את הדם, להשכין שלום ולהבטיח שקט לאורך זמן נראה אפשרי בעיקר בעיניהם של ראשי הצבא הבריטי, ששלטו בארץ ישראל ופיתחו תורת מניעה שנראתה היטב רק על הנייר. יעברו שנים, אמר לעצמו, עד שהשליטים האוהבים מסיבות תה ומדי שרד יבינו שהתאוריות שבנו דינן להתמוטט בזו אחר זו כבנייני קלפים.

קפטן ג׳ורדן היה בן ארבעים וארבע, צנום ככפיס עץ, דק שפתיים ודליל שיער. הוא ביקש לשרת בארץ ישראל משום שחשב שיהיה לו שם מעניין יותר מכל מקום עיסוק אחר. כך זה אכן היה בראשית השירות שלו בארץ, כשהתמנה לחוקר ביחידה למניעת פשעים בצבא. היה לו מעניין לחקור גניבות נשק, אונס של נשים חסרות ישע על ידי חיילים בריטים וחשדות על קבלת שוחד. הוא נעזר בחוקרים בעלי דרגות נמוכות משלו, העיד בפני שופטים בריטים חמורי סבר ובילה את שעות הפנאי שלו בשתיית בירה בחברת קצינים אחרים.

בתפקידו החדש כמפקד הסיור באזור הגליל שוטט ג׳ורדן ימים תמימים ברחבי השטח, מדיו ספוגי זיעה ופניו אדומות משיזוף יתר. הוא עקב אחרי פעילותן של כנופיות טרור ערביות ואחר אנשי מחתרת יהודים ועצר לא מעט תוקפים ונתקפים. את חלקם ביקר

בבתי החולים. שם, כבולים למיטותיהם ונתונים תחת משמר צבאי, אושפזו אחרי שנפצעו בתקריות שבהן השתתפו.

תומאס ג׳ורדן למד להכיר את האזור כאת כף ידו, ביקר ביישובים רבים, שוטט בדרכים והציב מחסומים כדי לעצור מבוקשים. אבל כל אלה לא עוררו בו התרגשות כלשהי. לא פעם עלתה העבודה על עצביו. הוא מצא עצמו בלב לבו של סכסוך עתיק יומין שלא היה לו כל חלק בו. הוא תיעב ערבים בגלל חמימות המוח שלהם ושנא יהודים שאגרו נשק במחסנים נסתרים כדי להילחם בערבים, להשתלט על אדמותיהם ולמרר את חיי הבריטים עד שייאלצו לעזוב את הארץ.

קשים במיוחד היו חייו כרווק. הוא עבר כבר את הגיל שבו אפשר עדיין להתלהב משירות מעבר לים, וחלם עתה על הפנסיה ועל אישה שיאהב ושתביא לו ילדים. בארץ ישראל לא היו לו אפשרויות רבות למצוא אישה. מרבית הנשים ששירתו בצבא הבריטי בארץ היו רווקות כעורות שמילאו בעיקר תפקידים משרדיים. יהודיות שניסה לחזר אחריהן בבתי קפה ובמועדוני הריקודים של הצבא הפנו לו עורף. קצינים בריטים לא היו אהודים בקרב היישוב היהודי. הדעה הרווחת הייתה שהם נוטים יותר לטובת הערבים.

בחופשת המולדת הראשונה שלו, הגיע ג׳ורדן למנצ׳סטר, עיר הולדתו, כשהוא חדור בתקוות למצוא שם סוף סוף אישה כלבבו. הוא נמנע מלבקר קרובי משפחה. תחת זאת פקד בזה אחר זה את משרדי השידוכים בעיר מולדתו, הרבה להסתובב בבארים של רווקים והפציר בחבריו שימצאו לו בת זוג מתאימה. הוא נפגש עם כמה נשים, רווקות, גרושות ואלמנות. הן השתוקקו להתחתן, עשו

מאמצים להתייפות למענו, אבל בכל אחת מהן גילה פגמים שהפריעו לו לממש את חלומו.

כשחזר לארץ, עדיין רווק, חש עצמו ג׳ורדן שפל רוח מתמיד. הוא הרבה להסתגר בחדרו בבסיס, הלך לזונות רחוב שגדשו עם ערב את מדרכות העיר התחתית של חיפה והמתין חסר סבלנות לפגישה עם האישה האחת והיחידה שתאהב אותו, תגיש לו תה כשישוב מעבודתו, תטפל במסירות בילדים שייוולדו להם ותסעד אותו לעת זקנתו.

.6

ביום שבו פתח מועדון הלילה ״ספלנדיד״ את שעריו לא דיברו בטבריה כמעט על שום דבר אחר. לעיר המשועממת, שהתפרנסה בעיקר מכספם של חולי שיגרון שנהרו לטבול במעיינות הגופרית שלה, נוסף מוקד משיכה חדש, יוצא דופן, מסקרן ומעורר מחלוקת. מרבית התושבים בטבריה לא היו מימיהם במועדון לילה. רק מעטים ידעו בכלל את משמעות המושג הזה. רובם ניזונו מסיפורים על מועדוני לילה בערים ידועות בעולם. הם שמעו על נשים מפוקפקות הפושטות את כל בגדיהן בפני הקהל, על משקאות אלכוהוליים הנשפכים כמים ועל אווירה מופקרת אפופה בעשן סמים.

בעיצומן של שלהי שנות השלושים, לא היו שמועות ששלהבו יותר את הדמיון בטבריה. הן הרגיזו במיוחד רבנים ותושבים דתיים שהוקיעו את המועדון אף שמימיהם לא דרכה כף רגלם במקום דומה.

די היה בשמועות שרווחו בעיר כדי להגביר את התחושה ששומרי
מצוות עלולים חלילה לסטות מן הדרך הנכונה אם יאזרו אומץ,
ייכנסו למועדון ויחשפו עצמם בפני פיתוייו.

דומה שכל תושבי טבריה צבאו על "ספלנדיד" בליל הפתיחה. נשים,
גברים וילדים בני כל הגילים עמדו בחוץ בליל שרב טברייני אופייני,
הגירו אגלי זיעה אבל לא אבו לוותר. נערים בעלי יזמה הקימו דוכנים
שבהם מכרו לקהל לימונדה קרה.
תושב מן המניין, גם אם רצה, לא היה יכול בדרך כלל להרשות
לעצמו את הביקור במועדון. מחירי הכניסה והמשקאות התאימו רק
לכיסיהם של לקוחות אמידים, שיכלו להוציא כל סכום שיידרש
מהם כדי לקבל הנאה בתמורה. אף על פי כן התגודדו התושבים ליד
המועדון בערב הפתיחה בתחושה שיחמיצו משהו חשוב אם יקדימו
לעלות על משכבם באותו ערב. בעיניים כלות עקבו אחרי מכוניותיהם
של אילי ההון הערבים ואחרי מכוניות הקצינים הבריטים, שחנו משני
צדי הרחוב לאחר שבעליהן נבלעו בתוך המועדון. מה קורה שם
בפנים, שאלו איש את רעהו ונותרו ללא תשובה.
המועדון היה מלא מפה לפה. מאווררים פעלו במלוא עוצמתם
אבל לא הצליחו לגבור על החום הכבד. מתחת לחליפות ההדורות של
בעלי ההון הערבים ומדיהם הבוהקים של הקצינים הבריטים ניגרה
זיעה דביקה. מלצריות חשופות רגליים הגישו משקאות חריפים, ועל
הבמה פיזזו כמה רקדניות בבגדי ים שזכו למחיאות כפיים פושרות.
באוויר הדחוס, בינות לתמרות העשן שהיתמרו מהסיגריות
והסיגרים, עמדה ציפייה מורטת עצבים. מפה לאוזן עברה ההודעה
שבחצות יחל המופע המרכזי, אף שלא היה ידוע מה בדיוק יקרה אז.

עוד ועוד משקאות אלכוהוליים הוזמנו עד שעלה ג'ק סמואל, בעל המועדון, על במת ההופעות.

"יש לי הכבוד והעונג," הכריז בפנים סמוקות מהתרגשות, "להציג בפניכם את האחת והיחידה, את הרקדנית היפה שהגיעה אלינו היישר מפאריז. קבלו את איזבל." לקול תרועת חצוצרה הגיחה מאחורי הקלעים צעירה יפה, לבושה מכף רגל ועד ראש והחלה להתערטל לצלילי המוסיקה. כעבור זמן מה היא נותרה עירומה כביום היוולדה. עורה היה מתוח, שדיה גדולים וזקורים, חמוקיה חטובים. כל הגברים באולם עצרו את נשימתם כשביצעה כמה תנועות ריקוד ארוטיות, כאילו היה הריקוד בעירום התגשמותו של משאת נפשה. הנשים המעטות שנכחו באולם לכסנו אליה מבטי שטנה כשהבחינו בתגובות של בני זוגן למראיה. כשתמה ההופעה מתחה הרקדנית את שפתיה האדומות בחיוך רחב, והצופים הגיבו בתשואות סוערות.

שם הבמה שלה – איזבל – התאים לה כמו כפפה ליד. היה לו צליל זר של מקומות רחוקים ושל אווירה אקזוטית. הוא הזכיר ניחוחות של נשים נחשקות, מיטות אהבים סתורות ולחישות מפתות בלילות ירח. בערב הופעתה הראשון צבאו גברים על דלת חדר ההלבשה שלה. הם הציעו לה את עצמם ואת כספם בכל רגע שתרצה. היא לא מיהרה להיענות, שיחקה עד תום את הדמות שציפו ממנה להיות, סיגלה לשפתה מבטא זר, לבשה בגדים מפתים ושלחה לכל עבר חיוכים רבי משמעות.

איש לא העלה בדעתו שפעם קראו לה בלומה.

מהר מאוד השתכנעה בלומה-שירי-איזבל שטבריה זימנה לה את מקומה הנכון. עבודת החשפנות הייתה קלה ומשתלמת. מועדון

הלילה "ספלנדיד" על הטיילת בטבריה היה מלא מפה לפה למן היום הראשון להפעלתו. לא היה כל צורך לפרסם ברבים את דבר קיומו. הסיפורים על רקדנית העירום שבאה מפאריז, עברו במהירות מפה לאוזן. בכל אזור הצפון לא היה מועדון כמותו. "ספלנדיד" היה העתק כמעט מושלם של מועדוני הלילה הידועים לשמצה בפאריז ובלונדון.

מועדון הלילה הטברייני סיפק לשירי הזדמנות להיווכח עד כמה היא אוהבת כסף. מאז ליל הפתיחה עשתה כל מה שהיה יכול להזרים ממון לכיסיה. תמורת תשלום נוסף הופיעה לפעמים אפילו פעמיים בערב, פיתתה גברים לשתות הרבה אלכוהול, רקדה איתם תמורת כסף וניאותה לקבל מהם פרחים ומתנות. היא הייתה מוקפת מחזרים שראו בה טרף קל. את רובם דחתה לא בגלל חזותם הלא־מרשימה, אלא משום שסברה שלא יוכלו לשלם תמורת שירותיה את המחיר הגבוה שתבעה.

יותר משנה חלפה מאז איבדה את בתוליה ולא היה עוד טעם לנהוג כאישה חסודה ושומרת מוסר. היא פיתחה קשרים הדוקים עם מחזרים שלא ידעו בדרך כלל איש על רעהו. היא הביאה אותם לדירתה הקטנה מעל למועדון הלילה והשתדלה לנהוג בדיוק כפי שציפו. שירות טוב במיוחד העניקה לאלה שארנקם היה מלא ונדיבות לבם לא ידעה גבול. הנדיבים בלקוחותיה היו ערבים עתירי הון. הם הפיצו ריחות של בשמים יקרים, ידעו לחזר, להתנות אהבים ולפזר כסף כשרוחם הייתה טובה עליהם. היא הרגישה טוב בחברתם.

בטבריה לא העריכו די הצורך את העובדה ששירי קושמרו הייתה רקדנית העירום היחידה בצפון. תושבים מיררו את חייה והצביעו עליה כמו הייתה מצורעת. ילדים רצו אחריה ברחוב וקראו אחריה קריאות גנאי ונכבדי העיר הדירו רגלם מהמועדון שבו הופיעה. אבל

היה לה עור של פיל. שום דבר לא היה יכול לרפות את ידיה כל עוד החזיקו בעטינים שהגירו כסף.

7.

לבעליו של מועדון "ספלנדיד" בטבריה הייתה שירי קושמרו מכרה זהב. הופעותיה משכו מדי ערב קהל רב שבזכותה חזר וביקר במועדון שוב ושוב והשאיר שם את כספו. אבל "ספלנדיד" גם היה מכרה זהב בשביל שירי. עוד לפני שמלאו לה עשרים כבר השתכרה יותר ממרבית בנות גילה. היא לא הסתפקה באחוזים ממכירת אלכוהול ללקוחות שחיזרו אחריה ורקדו בזרועותיה במועדון, היא דרשה וקיבלה מענקים מיוחדים גם כאשר רווחי המועדון עלו על הצפוי.

בכל בוקר נהגה שירי ללכת לבנק כשחבילת שטרות מוצנעת תחת בגדיה. היא נהנתה להפקיד את הכסף ובדקה אם הפקידים רושמים כהלכה את הסכומים שהפקידה. עד מהרה היה ברשותה סכום שהיה יכול להספיק למילוי מאוויה של כל אישה. אחת לשבוע נהגה לנסוע לחיפה, שם לא הכיר אותה איש, ולערוך קניות בחנויות המהודרות של העיר. פרט לבגדים, לא היה לה צורך בדבר. היא לא רצתה לקנות דירה, לא התעניינה במכוניות חדשות. את ההנאה הגדולה ביותר שאבה מהעובדה שהיה לה כסף שהצטבר בבנק. חיי העוני של ימי ילדותה חלפו לבלי שוב.

הכסף נסך בה תחושה של כוח וביטחון. היא חשבה על ההווה שמסביר לה פנים, ולא הקדישה אפילו מחשבה אחת לעתיד, ליום

שבו יחרוץ בה הגיל את אותותיו ובעל המועדון לא ימהר אולי לחדש איתה את החוזה. ככל שנהנתה מעבודתה במועדון התגנבו למוחה לא אחת מחשבות על העבר, על הדירה הדחוסה בבוקרשט, על האורחים הקשישים ששילמו להוריה פרוטות תמורת ארוחת צהריים, על אמה שרק לעתים רחוקות קנתה לעצמה בגד חדש. היא הייתה נחושה לא לשוב לעולם לחיי המצוקה והמחסור ולנתב במו ידיה את גורלה. החיים היטיבו איתה סוף סוף, מקום העבודה העכשווי היה טוב ומשתלם מכל שיכלה למצוא. אהבו אותה, פינקו אותה, מילאו את כיסיה בכסף. למה עוד יכלה לצפות?

עבודתה הפגישה אותה עם גברים שלא הכירה כמותם קודם לכן: קציני צבא בריטים במדים נעדרי רבב, המדברים בשקט ובנימוס ושולחים פרחים לאות הערצה, אילי הון ערבים שחיזרו אחריה באבירות ופתחו למענה את ארנקיהם ועשירים יהודים שציפו ממנה לשעה קלה של אהבה תמורת סכומים שבעבר יכלה רק לחלום עליהם. רובם ככולם יכלו להרשות לעצמם להגדיל את הונה תמורת מין מזדמן או סתם שיחת נפש שבה שפכו בפניה את לבם. שירי לקחה בשמחה את הכסף וגילתה עד מהרה שהיא יכולה בנקל לחמוק מהתחייבותה לדווח לבעל המועדון על כל רווחיה. די יהיה לו אם יקבל רק חלק מהם, והוא אמנם הסתפק בסכומים שבהם נקבה, גם אם היו נמוכים ממה שקיבלה באמת.

שירי העדיפה מחזרים מבוגרים ומבוססים ולמדה להיענות לכל גחמותיהם. היא הייתה לגביהם כאוצר שלא יסולא בפז: צעירה, חטובה, זנותית ואלגנטית גם יחד. היא האזינה בסבלנות לסיפוריהם על יחסיהם הרעועים עם נשותיהם, על עסקים שלא צלחו ועל תוכניות עסקיות לעתיד. רובם רצו רק אוזן קשבת, ליטוף חם ולפעמים גם זיון

חפוז – ושירי ידעה לספק את כל אלה. זה היה קל, מהיר וחסר סיכון. לא היה בחייה גם אדם אחד שהייתה חייבת לו דיווח על ענייניה הפרטיים, או שלבה יצא אליו. היא שכבה עם מחזריה אחרי העבודה בדירתה שמעל המועדון ועוררה בהם את החשק לבוא שוב. לרבים מהם העניקה את ההרגשה שהם הגברים היחידים בחייה ולגלגה עליהם בלבה כשהאמינו לה.

ערב ערב, למן הרגע שבו התייצבה במועדון, נהגה לבחון בקפידה את הקהל המתאסף. היא אהבה לנחש מי מהגברים המשתדלים לתפוס מקום סמוך לבמה משופע בכסף רב יותר. הם הגיעו לרוב בגפם, ורק לעתים רחוקות עם נשותיהם או עם בנות זוגם. המועדון סיפק להם שעות גדושות באלכוהול ובגעש יצרים. אלה שלא היה כסף רב בכיסם יכלו רק לדמיין מה היו יכולים לעשות בחברתה של איזבל העירומה אילו יכלו להרשות לעצמם לשלם לה את המחיר המתאים. האחרים חיכו לרגע שבו תסיים את הופעתה ותתפנה לשקול את הצעותיהם. היא לא בחרה יותר מגבר אחד לבלות איתו את הלילה וידעה שהתחרות על חסדיה תהיה תמיד קשה וסוערת.

לשומר בפתחו של מועדון הלילה "ספלנדיד" הייתה טביעת עין מיוחדת בכל הקשור לבאי המועדון. הוא זיהה בנקל את הקצינים הבריטים גם כשהגיעו בלבוש אזרחי. הוא הכיר אישית רבים מהאורחים הערביים ומנע את כניסתם של אנשים שלא נראו לו בעלי אמצעים.

צעיר שחום עור שסיגריה נעוצה בזווית פיו יצא ממונית וקרב בצעד בוטח אל המועדון. השומר עצר אותו לפני שהגיע אל הפתח.

"לא ראיתי אותך כאן אף פעם," אמר.

"לא הייתי כאן אף פעם," השיב הצעיר ביובש.

השומר בחן אותו היטב. פניו של האורח היו רגועים, לא מבשרים רעות.

"אתה מבין כמובן שלא כל אחד יכול להרשות לעצמו לשלם את המחירים במועדון," אמר השומר.

במקום תשובה שלף הצעיר מכיסו חבילת שטרות ונופף בה מול עיניו של השומר.

"אל תדאג, אני יכול לשלם," גיחך בהבעת עליונות.

לא הייתה כל סיבה נראית לעין שיכלה למנוע את כניסתו של הבחור אל המועדון. השומר פתח את הדלת.

"תבלה בנעימים," אמר.

הצעיר נכנס פנימה ותחב שטר כסף לידו של רב המלצרים כדי שיושיב אותו בסמוך לבמה. הבחור תפס את מקומו והמתין להופעה של שירי. כל הזמן עמד לרשותו. הוא לא מיהר לשום מקום ולא גילה שום סימן של קוצר רוח. מה שהביא אותו אל המועדון לא היה הרצון לבלות שם. הוא בא למטרה אחרת.

מחמוד אל באדר היה בן תשע עשרה, שערו שחור כפחם, עורו חום כהה כצבעם של רגבי אדמה אחרי הגשם. עיניו היו חודרות ופניו נחושים. הוא היה בנם של רופא הכפר עין מג'דל, ד"ר עבד אל באדר, ושל אשתו פאטמה, מורה בבית הספר המקומי, אבל שום קווי דמיון לא איחדו אותו עם הוריו. הם היו אנשים צנועים ונעימי הליכות. הוא היה שחצן, בוטה וממהר לריב. הם קיוו שבבוא היום ילך בעקבות אביו וילמד רפואה באוניברסיטה האמריקנית בביירות. אבל מחמוד לא הראה כל סימן שלימודים קוסמים לו. הוא נעדר תכופות מבית הספר והסתובב בחברת צעירים מפוקפקים מכפרו ומהכפרים הסמוכים.

הם הראו לו את הדרך אל כנופיות הטרור הערביות ומחמוד מצא שם כר נרחב לפעולה. הוא נסחף אחרי אורח חייהם הפרוע של מי שכינו עצמם "לוחמי חופש" והתיימרו לשאת את בשורת השחרור של ערביי הארץ. הוא התפתה להצטרף אליהם כשהציבו מארב לנוסעי אוטובוס בכביש נידח בגליל. מחמוד ירה והרג רבים מהם וכשחזר לכפרו זכה לקידום רב משמעות בכנופיית הטרור. הוא התמנה לסגנו של מפקד יחידה ששמה לה למטרה למרר את חייהם של יהודי הגליל ולסלק אותם מהאדמה שעליה ישבו, בתואנה שהיא שייכת לערבים מדורי דורות. מעמדו של מחמוד בקרב הלוחמים הערבים התחזק במהירות. הוא הוזמן למחנות אימונים חשאיים של ותיקי הכנופיות, קיבל נשק ותוכניות פעולה. כשהיה בן תשע עשרה כבר מונה לראש כנופיית הגליל, אחרי שמפקד הכנופיה נהרג בקרב עם יהודים.

מלצרית נאה ניגשה אל מחמוד והציעה לו משקה אלכוהולי.

הוא דחה אותה בתנועת יד נמרצת.

"אני מוסלמי," אמר, "אסור לי לשתות יין."

ללא אומר הביאה אל שולחנו קנקן לימונדה וניסתה לגרור אותו לשיחה שבמהלכה תפתה אותו להזמין משקאות נוספים, אבל הוא לא היה מעוניין לדבר איתה. הוא רק רצה שתסתלק.

סמוך לחצות עלתה שירי על הבמה. בעיניים תאבות בחן מחמוד כל איבר בגופה המעורטל, אבל הוא זכר שלא בא אל המועדון כדי לחזר אחריה. היה ברור לו שלגברים שישבו בסמוך יש כוונות אחרות. הם נראו עשירים דיים כדי לקנות את חסדיה והיא לא נראתה לו כמי שתדחה הצעה כספית נדיבה. הוא חשב שתהיה מוכנה לתת תמורת כסף כל שירות שתידרש.

8.

לא כל מה שנראה על פניו מושלם הוא באמת כזה. עד מהרה הבינה
שירי שלא תוכל לצפות שלבה יתמלא באושר ובתחושה מתמדת
שחייה מושלמים. היא לא השלתה את עצמה לחשוב שהיא מאושרת.
היא הבינה שאושר לא קונים בכסף, אבל היה לה נוח להתנהל כפי
שהתנהלה, לעמוד במרכז תשומת הלב, להרגיש רצויה, מחוזרת
ומבוקשת. היא עשתה את עבודתה בעיניים פקוחות, בהכרה שלא
תוכל למצוא מקום עבודה שבו תידרש לעשות כה מעט תמורת כסף
רב כל כך. אמנם לא תמיד חיבבה את האנשים שהתגודדו סביבה.
השיחות עם מרביתם היו צפויות ורוויות שיעמום, ורק בקושי עלה
בידה להבליע פיהוק למשמע וידוייהם של לקוחותיה. לא תמיד
נהנתה להביט בפניו של הקהל המשולהב כשרקדה לפניו עירומה, לא
תמיד נכנסה למיטה עם אלה שעוררו בה תשוקה, אבל זה היה חלק
מהמשחק, חלק מחייה. היא למדה להתגבר על סלידתה.

רק את בדידותה התקשתה לשאת. לא אחת חשה כפרח נדיר בשדה
קוצים, כציפור בכלוב של זהב. אחרי חצות, כשהייתה עייפה מכדי
להיענות לחיזוריו של לקוח, הייתה משתרעת על מיטתה, עוצמת
את עיניה, והשקט הלם בה עד כאב. שעות התהפכה במיטתה, חשה
בחסרונה של נפש קרובה שתוכל לשפוך בפניה את לבה. הקשר החולף
עם הגברים שסבבו אותה וסיימו את הלילה במיטתה לא השלה אותה
להאמין שהייתה זו ידידות אמת. היא לא אהבה איש מהם, היא רצתה
רק את כספם ושמחה כשהלכו בבוקר לדרכם.

לא היו לה חברים בטבריה. גם לא יכלו להיות. היא לא קיימה

39

כל קשר עם שכניה לבניין, ובוודאי שלא עם החוגים החברתיים של אצולת העיר שממילא לא רצו להיראות בחברתה. בלית ברירה הסתפקה בשיחות סתמיות עם הספרית שאותה פקדה מדי שבוע, בפטפוטים עם בעל המועדון שהזמין אותה מדי פעם לקפה בבית קפה סמוך ועם הרקדניות האחרות שחלמו על היום שבו יגיעו למעמדה. בנסיבות אלה היה זה רק טבעי שהתעוררו בה געגועים עזים למשפחתה. הקשר איתם לא היה אף פעם חם ומסור. לא אחת, עד שבגרה ויצאה מרשותם, התלקחו בינה לבינם ויכוחים נוקבים, שגלשו לעתים למריבות סוערות. אבל הם לא היו אנשים רעים. הם רק לא השלימו עם עצמאותה היתירה. בהכירם את מזגה הסוער ואת תשוקתה להרפתקאות פחדו שתלך בדרך שאין ממנה חזרה ועשו הכול כדי למנוע ממנה לסטות לנתיבים מסוכנים. היא טענה כנגדם שהם חודרים לתוך חייה יתר על המידה.

עכשיו, בטבריה, בדירה מול האגם, כשהייתה מנסה להתמודד עם שעות ארוכות של בטלה עד שיגיע מועד הופעתה בערב, חשבה שהייתה שמחה אילו יכלה לדבר מדי פעם עם הוריה ועם אחותה, אילו יכלה להחזיר לעצמה את אותו חלק מחיי המשפחה שניטל ממנה. היא כתבה להם מכתב ונזהרה מלגלות את עיסוקה האמיתי.

הורים יקרים,

אני מצטערת שעברו ימים רבים כל כך עד שמצאתי זמן לכתוב לכם. אני עובדת קשה במשרד של מתווך דירות מבוקר עד ערב, אבל אני שבעת רצון מהעבודה ומהאנשים שמנהלים את המשרד. אין צורך לדאוג לי. אני בריאה, מרוויחה לא רע, גרה בדירה קטנה אבל נוחה במרכז העיר, ואפילו מצליחה לחסוך מעט. טבריה היא עיר עלובה

שאנשיה משעממים אותי ולא קורה בה שום דבר מעניין. לפעמים אמנם אפשר לשוט בסירה בכינרת, או להתרחץ במרחצאות החמים, אבל זה כל מה שיש. פשוט משעמם.

כתבו לי מה קורה אצלכם, איך הבריאות, האם אתם מסתדרים עם הכסף שמכניסה לכם המסעדה, ומה עם שושנה. איך היא לומדת? מה התוכניות שלה לעתיד?

אוהבת אתכם ומתגעגעת,

שירי

היא לא חששה לציין על המעטפה את כתובתה. אין סיכוי, האמינה, שהוריה או אחותה יגיעו אליה לטבריה באורח פתאומי ויגלו את האמת על עיסוקה.

אחרי שבוע הגיע מכתב תשובה מאחותה.

שירי אהובתי,

התרגשנו מאוד לקבל את מכתבך. ההורים כבר חשבו שניתקת את הקשר עם המשפחה אבל אני אמרתי להם שזה לא ייתכן כי את אוהבת אותם כמו שתמיד אהבת. אמרתי שאת בוודאי עסוקה ושתכתבי כשתתפני. צדקתי.

החיים לא קלים, אבל הרבה פחות מדכאים מכפי שהיו ברומניה. ההורים עובדים הרבה שעות במסעדה שלהם, והם מרוויחים פחות ממה שקיוו. אנחנו חיים עדיין בצמצום, נזהרים מלהוציא כסף, קונים רק מה שצריכים.

נשארו לי עוד שנתיים לסיום הלימודים בבית הספר התיכון ואני חושבת הרבה על העתיד שלי. אני רוצה ללמוד משפטים ולהיות

עורכת דין. יש לי ציונים מצוינים ולא יהיה לי קשה להתקבל ללימודי משפטים. הבעיה היא, שאני רוצה ללמוד בבית הספר למשפטים בירושלים ואני יודעת שאם אלמד שם יהיו לי הוצאות נוספות, כמו שכר דירה והוצאות שוטפות אחרות. דיברתי עם ההורים והתברר לי שלא יוכלו להרשות לעצמם את ההוצאה הכספית. חבל מאוד. לא הייתי רוצה לוותר על החלום שלי, אבל כנראה שלא תהיה לי ברירה ואצטרך לחפש עבודה כשאסיים את התיכון.

האם יש לך חבר? לי עדיין אין.

תכתבי הרבה,

אחותך האוהבת

שושנה

.9

קפטן תומאס ג'ורדן מחה את אגלי הזיעה שבצבצו על מצחו וניגרו אל תוך עיניו. חולצתו הלחה דבקה לגופו והוא נשם בכבדות. אף ששהה בארץ ישראל כבר שלוש שנים, עדיין לא התרגל לשרב הכבד. החום הלוהט בימי הקיץ העיק עליו יותר מכול. איזו ארץ ארורה, חשב והתגעגע למזג האוויר הצונן באנגליה, למרחבי האחו המוריקים, לשלוות החיים.

מולו השתרעו שדותיו של קיבוץ תל יוסף. הוא שכב עם חמשת אנשיו מאחורי ציבור סלעים במורדות הגלבוע והצמיד את עיניו אל משקפת השדה הכבדה. כמה דמויות דילגו בין ארגזים שבתוכם נאגרו ראשי כרוב ועגבניות. בידיהן היה נשק. הן רצו, נפלו וזחלו. מדי פעם

גם לחצו על ההדק וקולות נפץ בודדים הפרו את דממת הצהריים.

קפטן ג'ורדן לא היה צריך לייגע את מוחו יתר על המידה כדי
להגיע למסקנה שהוא צופה באנשי מחתרת יהודים, הנמצאים
בעיצומו של אימון צבאי. הוא איתר אותם שעה קלה קודם לכן
במהלך סיור שגרתי באזור, הסתיר את כלי הרכב שלו בחורשת עצים
דלילה והמתין בסבלנות לרגע הכושר שבו יוכל לעצור את החבורה.
כשנאספו להפסקה קלה בצלו של עץ חרוב זקן הרים ג'ורדן את אנשיו
ממקום רבצם, עלה איתם לשריוניות ודהר לעבר החבורה המחליפה
כוח. כשקרבו אליהם ירו הבריטים באוויר. הבחורים לא הגיבו. הם
ידעו שלא יהיה זה נבון להתגרות בגלוי בצבא הבריטי. כמה מחבריהם
נורו בעת שניסו להתנגד למעצר.

קפטן ג'ורדן ניגש אליהם באקדח שלוף. "מה אתם עושים כאן?"
תבע לדעת. הם לא השיבו. הוא הורה לאנשיו לכפות אותם באזיקים
והפקיד כמה מהם לשמור עליהם.

אחר כך נסע לתל יוסף. חברי הקיבוץ שהבחינו בו מיהרו להסתגר
בבתיהם. הוא הכיר את תגובותיהם של היהודים למראה חיילי הסיור
שלו. הם נהגו להיעלם ברגע שהבחינו בהם. רובם היו קשורים
לפעילות מחתרתית. איש מהם לא רצה ליפול בידי לובשי המדים
הבריטים ולמצוא עצמו ניצב בפני שופטים צבאיים.

קפטן ג'ורדן הסתובב בקיבוץ כבתוך שלו. הוא ואנשיו ערכו
חיפושים בצריפי המגורים, חיטטו בארונות ובדקו מתחת למיטות
בעוד חברי הקיבוץ צופים בהם בשנאה. אחר כך סרקו את מחסני
המזון הצמודים לחדר האוכל, את מחסני הבגדים, את חדרי החליבה
ברפת ואת הבניין שבו נמצאה המשאבה שהעלתה מים מן הבאר.

הם לא מצאו נשק נסתר, אף שהיו בטוחים שכמו בכל קיבוץ גם כאן קיימים מאגרים מלאים ברובים, מקלעים, אקדחים ותחמושת.

אחר הצהריים, זמן קצר לאחר שהעבירו את העצורים לחקירה יסודית בבסיס הצבאי בחיפה, שבו ג׳ורדן ואנשיו לחדריהם. ג׳ורדן היה מאוכזב. הוא האשים את עצמו על שהחיפוש אחרי מצבורי נשק לא העלה דבר. היה עליו, חשב, להזעיק תגבורת ולא לעזוב את הקיבוץ עד שימצא שם נשק.

הוא כתב דו״ח קצר לממונים עליו. אחר כך שתה בירה צוננת בקנטינה של הבסיס, שב לחדרו, התקלח והפעיל את המאוורר מול מיטתו. הערב נועד למנוחה. שום תוכנית עבודה לא חיכתה לו, אבל אף פעם לא ידע אם השקט הזה יימשך. תמיד הייתה יכולה להתפתח תקרית כלשהי שתחייב אותו לוותר על כל עיסוק של פנאי.

קפטן ג׳ורדן השתרע עירום על מיטתו, עיניו נעצמו ונטול כוח שקע בשינה עמוקה. לעת ערב הגיעה לחדרו חבורת קצינים צוהלת, העירה אותו משנתו והציעה לו להצטרף לבילוי לילי. מפקד הבסיס אישר לכולם חופשה עד חצות.

״לאן אתם מתכוננים לנסוע?״ שאל קפטן ג׳ורדן.

״לטבריה,״ השיב אחד הקצינים בחיוך של הנאה, ״סיפרו לי שיש שם מועדון לילה אמיתי ורקדנית מדהימה.״

״או קיי,״ הגיב ג׳ורדן באדישות, ״אבוא איתכם.״ ממילא לא היה בדעתו לעשות משהו אחר.

הטנדר שבו יצאו לטבריה נסע במהירות גבוהה מן הרגיל, כדי שנוסעיו לא יחמיצו אף רגע משעות החופשה היקרות.

ג׳ורדן וחבריו התיישבו ליד הדלפק במועדון הלילה הטבריייני. לא הרחק ממנו ישבה צעירה יפהפייה בחברת גבר קשיש שהביט בה בהערצה ורוקן במהירות בקבוק של ויסקי סקוטי יקר. תוך זמן קצר ראה אותה ג׳ורדן מתפשטת על הבמה וגל של חום הציף את איבריו. הוא חשב שלא ראה צעירה יפה כל כך מימיו.

בעודה מחוללת עירומה מול הקהל המזיע והמעשן, התעוררה בג׳ורדן תשוקה עזה להכיר אותה. בדרך כלל לא הייתה לו כל בעיה לגשת אל אישה ולפתוח איתה בשיחה. הוא היה חדור ביטחון עצמי, בעל נימוסים ולבוש מדים ששיוו לו הופעה מרשימה. על אף זאת לא היה בטוח כלל שיוכל ליצור קשר עם הצעירה ממועדון הלילה. הוא לא ידע אם היא מדברת בשפתו, ואם השיחה איתה תעורר בו עניין כלשהו. אף על פי כן דחף בלתי נשלט משך אותו אליה. אחרי ההופעה פנה אליה והציע שתצטרף אליו למשקה. היא נעצה בו מבט אדיש והנהנה. ג׳ורדן הזמין וודקה ומיץ אשכוליות. היא הזמינה וודקה וקיבלה מים. זה היה הסידור: הלקוחות שישבו בחברתה צרכו אלכוהול במחירים מלאים, היא צריכה הייתה להסתפק במים שנראו כמו וודקה. ממה ששילם הלקוח הייתה שירי מקבלת את האחוזים שלה.

כפי שציפה, היא ידעה מעט מאוד אנגלית ואילו העברית שלו הייתה בסיסית בלבד. היא הציגה עצמה כאיזבל, הוא אמר לה את שמו, דרגתו ואת תפקידו בצבא. ככל שיכלו, שוחחו בעברית על עבודתו ועל הקשיים שבהם נאלצה לפעול יחידת הסיור שלו. היו לה שאלות שהעידו על אינטליגנציה גבוהה. גם לו היו שאלות שרצה לשאול: מהיכן הגיעה? למה בחרה דווקא בעיסוק של חשפנית? האם אינה מושכת אליה סוטים למיניהם? האם יש לה ידיד קבוע? אבל

הוא לא העז לשאול. לפחות לא בשלב זה. עם זאת, יותר מכל דבר אחר היה להוט להדק איתה את הקשר. אילו היה לו הכסף הדרוש היה מציע לשלם לה עבור הזמן שתבלה בחברתו, אבל ארנקו היה כמעט ריק, חסכונותיו דלים ואפשרויותיו מוגבלות. לכל הרוחות, חשב, היא קרובה אליו כל כך ועם זאת רחוקה ממנו מרחק רב. השיחה שקלחה ביניהם, השאלות, התשובות והקרבה עוררו בו לרגעים את האשליה שיוכל להשיג אותה בקלות, אך עד מהרה התפכח והבין כי הדמיון שלו היה פעיל מדי. בעודו משוחח איתה, ייגע את מוחו במחשבות על הדרך שבה יוכל להתקרב אליה למרות מגבלותיו הכספיות. רעיונות שונים עלו במוחו אבל הוא דחה אותם בזה אחר זה. שעה ארוכה חלפה עד שצץ במוחו רעיון אחד שנשא חן בעיניו.

"אני רואה שהרבה קצינים בריטים באים לכאן," אמר לה, "יש לך ודאי קשר עם רבים מהם..."

"נכון."

"לא מפריע לך שאת לא שולטת מספיק באנגלית?"

"מפריע לי מאוד," הודתה, "רציתי לשפר את האנגלית שלי, אבל לא מצאתי עד עכשיו מורה מתאים."

היא קרבה במהירות אל המלכודת שהטמין לה.

"אם תרצי אוכל ללמד אותך," הציע.

"אתה ודאי מאוד עסוק. יש לך זמן ללמד אותי?" הופתעה.

"אמצא זמן."

"אלמד ברצון," אמרה, "אבל עליך להביא בחשבון שלא אוכל לשלם לך הרבה."

הוא חייך.

"אני לא רוצה שום תשלום," אמר לה.

עיניה הביטו בו בסקרנות. היא הבינה שאינו משופע בכסף, ועל כן לא יוכל להרשות לעצמו להציע לה קשר מהסוג שגברים אמידים מציעים לה. היא שאלה את עצמה אם הוא מנסה ליצור אצלה, באמצעות שיעורי החינם, מחויבות לקיים איתו יחסים ללא תשלום.

"למה אינך מוכן לקחת ממני כסף?" שאלה.

הוא נבוך.

"השיעורים איתך יגרמו לי הנאה רבה," אמר, "זה לא יהיה הוגן אם תשלמי בשביל זה."

היא לא חשה בנוח. משהו בטוב הלב שלו נראה לה חשוד. היה לה חשוב להניח את כל הקלפים על השולחן, כאן ועכשיו.

"תראה," אמרה, "אני רוצה שיהיה ברור שלא אוכל לתת לך שום תמורה שאולי אתה מצפה לה."

הוא הבין.

"זה לגמרי ברור," אמר.

"אני שמחה שאמרת את זה. אהיה מוכנה לשיעור הראשון מתי שתרצה."

"אוכל לפגוש אותך בשעות הערב, אלא אם כן יקרה משהו בשטח. את מבינה ודאי שאני כבול קודם כול לתפקיד שלי."

"בוודאי. אם תהיה פנוי נוכל להיפגש לפני שפותחים את המועדון. בשש או בשבע בערב."

"אם כך, ניפגש מחר בשש?"

"מצוין."

"אם לא אגיע, תביני שקרה משהו בלתי צפוי."

קפטן תומאס ג'ורדן חזר לבסיסו במצב רוח מרומם. בילוי הלילה לא היה לשווא. הוא פגש אישה נאה ומעניינת, והצליח להבטיח

שהקשר ביניהם יימשך לאורך זמן. העובדה שהיא מתפרנסת מעיסוק מאוס למדי לא הטרידה אותו בשלב זה. היה לו נעים לדבר איתה, לשהות בחברתה ולהאמין שגם לה נעים איתו. הוא ציפה בכיליון עיניים לפגישתם הקרובה.

.10

המזל שיחק לתומאס ג'ורדן: יום העבודה הבא היה רגוע מראשיתו ועד סופו, והוא חזר אל הבסיס בשעה מוקדמת.

כשהגיע לשיעור הראשון, בדיוק בשש, הושיט קפטן ג'ורדן לשירי ורד אדום. היא הודתה לו בחיוך. "אתה ממש אביר," אמרה בעברית, ונזקקה לכמה דקות כדי להסביר לו בעל פה ובתנועות ידיים את משמעות המילה אביר.

הוא התנצל שאינו מורה מקצועי, ואמר שילמד אותה שפת יום יום באנגלית תוך כדי שיחה ולא על פי ספרי לימוד. שירי הנהנה לאות הסכמה.

הוא פתח במשפטים בסיסיים כמו "בוקר טוב" ו"לילה טוב" ועד מהרה עבר למשפטים מורכבים יותר. היא שיננה בביטחון את המשפטים שבחר ולא טעתה אפילו פעם אחת. המבטא שלה היה זר. היא התחמקה מלימודי אנגלית בבית הספר ולא זכרה כמעט דבר ממה שלימדו מוריה, אבל עכשיו היה המצב שונה. היא השתוקקה ללמוד, האנגלית הייתה יכולה להיות כלי־עזר חשוב בחייה, ועל כן קלטה מהר מאוד כל מה שג'ורדן לימד אותה. בתום השיעור הראשון

כבר יכלה להשתמש בחלק מהמילים שלמדה כדי לנהל שיחה קלה.

עיניו של תומאס ג'ורדן ברקו כשהחמיא לה על התקדמותה. "לא האמנתי שתקלטי כל כך מהר," אמר.

לפני שהלך ביקשה בכל זאת לשלם לו, אבל הוא דחה אותה בתנועת יד אילמת.

היא ליוותה אותו אל הפתח ונשקה קלות על לחיו לאות תודה. הוא חש את מגע שפתיה כל אותו לילה רצוף נדודי שינה ורווי במחשבות עליה.

תומאס ג'ורדן לא הצליח להגיע אליה בכל פעם שקבעו פגישה. האירועים האלימים באזור פעילותו רבו מיום ליום. אנשים קיפחו את חייהם בתקריות יזומות. יהודים תקפו ערבים, ערבים תקפו יהודים. הנסיעה בחלק מהכבישים שוב לא הייתה בטוחה. נהגים הצטיידו בנשק, ולא פעם נאלצו להפעיל אותו כדי להגן על חייהם ועל חיי נוסעיהם או על מטענם.

שירי חיכתה בכיליון עיניים לשיעוריו של תומאס. היא התאכזבה כשלא הגיע ושמחה כשעמד בפתח דירתה. בכל פעם הביא עמו פרח ומאור פנים. היא חשה ששליטתה באנגלית משתפרת בזכותו. זה עזר לה בשיחותיה עם קצינים בריטים אחרים ליד דלפק המשקאות במועדון, או במיטתה.

תומאס ג'ורדן הקדיש את כל שעת פגישתם ללימוד ולא עשה אפילו צעד נוסף אחד לקראת הידוק הקשר איתה. הייתה זו הפעם הראשונה שגבר לא ביקש ממנה במפורש לשכב איתו. היא חשה הערכה רבה כלפי הבריטי שהבטיח וקיים.

אט אט גלשה שיחתם גם לפסים אישיים. היא סיפרה על ילדותה

הקשה ברומניה וגילתה לו את שמה האמיתי. הוא סיפר על הוריו שנפטרו ועל הווי העיר מנצ׳סטר שבה גדל בצפון אנגליה. לא פעם דיבר על עבודתו, סיפר לה על החיילים הכפופים לו, על חשודים שעצר ועל כלי נשק שהחרים. הם התנהלו כמו שני ידידים המשיחים לתומם על עצמם ועל סביבתם. היא מצאה עצמה נהנית מכל רגע בחברתו.

פעם העז לשאול אותה אם יש לה חבר. היא שלחה אליו חיוך מסתורי: ״יש לי הרבה חברים. מה לעשות? גברים מחזרים אחריי בלי סוף. זהו כנראה חלק בלתי נפרד מהחיים שלי כחשפנית.״

״יש לך מישהו קבוע?״

״לא תמיד,״ אמרה והסיטה את הנושא.

הוא לא הוסיף לשאול והיא לא דיברה עוד על הגברים בחייה. הם נפגשו לפחות פעם אחת בשבוע ושיחותיהם נסבו על השפה האנגלית בלבד. לא פעם הביא תומאס קטעים שגזר מתוך ה״פלשתיין פוסט״ וביקש שתקרא אותם. היא עשתה זאת כמעט ללא קושי.

אחרי כל שיעור היה תומאס ג׳ורדן נשאר בדרך כלל במועדון כדי לצפות בהופעה שלה. אף שהעמיד פני ידיד בלבד קשה היה לו שלא ללכת שבי אחריה. הוא התפעל שוב ושוב מיפי גופה, מקומתה הזקופה ומהליכתה הבוטחת, חשב על דרכים שבהן יוכל להתקרב אליה יותר, אך גזר על עצמו זהירות רבה. טעות אחת שלו, צעד לא נבון, ושירי עלולה להבין מה הוא באמת רוצה לעשות ותסרב להמשיך להיפגש איתו. בשלב זה ידעה כבר מספיק אנגלית כדי לשוחח בחופשיות רבה עם כל קצין בריטי. היא תוכל להסתדר גם ללא השיעורים שלו. בינתיים, כמחווה קטנה, דאגה שתומאס ישתה בירה חינם ככל שירצה. היא מימנה את משקאותיו בהכרה שזה המעט שבמעט שהיא יכולה לעשות עבורו בתמורה לשיעורי החינם שלו.

בדרך כלל נשאר קפטן ג'ורדן במועדון עד לשעת הנעילה. אז
היה נפרד משירי בלחיצת יד וחוזר למכוניתו. הוא תהה מה היא
עושה בשעות הלילה. פעם כשהשתהה מעט, ראה בחלון דירתה שתי
צלליות. כאב חד פילח את לבו כשחשב על האפשרות שגבר אחר
נהנה מחברתה שעה שהוא נאלץ לשוב לבסיסו בגפו.

.11

בעיניו של יעקב גוטליב, מנהל הרובע היהודי בצפת וראש פרויקט
התכנון של השיכונים היהודיים על הר כנען, הייתה מנוחת הצהריים
בבחינת מנהג שגבל כמעט בקדושה. בדיוק בשעה אחת, כמו על
פי פקודה נסתרת, היה מניח בהחלטיות את העט או את שפופרת
הטלפון, קם מכיסאו ויוצא בצעדים איטיים ובוטחים מהמשרד שלו
בלב העיר. עובדיו ותושבי העיר היהודים ידעו שאין כל סיכוי שיוכלו
להיפגש איתו, יהיה עניינם דחוף ככל שיהיה, לפני שישוב למשרדו
בדיוק בשעה שלוש.

מזה שנים לא עשה יעקב גוטליב את מנוחת הצהריים בביתו. יחסיו
עם אשתו יוכבד היו מעורערים כבר זמן רב. מריבות פרצו בביתם על
כל עניין של מה בכך. היא הטיחה בו צלחות וכוסות וקריאות גנאי,
הוא סטר לה לא פעם ולא פעמיים ואלמלא ביקשו לשמור על מראית
עין של זוגיות תקינה, למען המשפחה ולא פחות מכך למען התפקיד,
היו מתגרשים כבר מזמן.

בדרכו אל מנוחת הצהריים היה גוטליב עובר בסמטאות הצרות

של העיר העתיקה, חולף על פני בתי המדרש ובתי המגורים העשויים אבנים מסותתות ומחליף ברכות שלום עם עוברים ושבים. אחר כך היה פותח את הדלת בבית קטן בשולי העיר, שאותו שכר לשימושי הצהריים בלבד, מגיף את החלונות וממתין. שעה קלה לאחר מכן הייתה נשמעת אוושה בדלת, כמו היה שם גור חתולים המבקש להפנות אליו תשומת לב. גוטליב היה ממהר לפתוח ומזכירתו הנאמנה מרים הייתה נופלת אל תוך זרועותיו וממלמלת משהו כמו "היה לי קשה בלעדיך."

גוטליב לא נראה ככוכב קולנוע רומנטי. הוא היה בן חמישים ושתיים, נמוך קומה, בעל שפם דליל וכרס קטנה, אבל הוא ידע לכבוש לבבות בקולו הצרוד למחצה ובגינוני הנימוס שהפגין במשך שלוש תקופות כהונה פוריות. מרים עבדה איתו כבר שנתיים, ובמהלכן הייתה תקופה ארוכה אהובתו. מאוהבת הייתה בו עד למעלה מראשה. את הפסקות הצהריים שלו בילתה איתו, באה ויוצאת בחשאי, הרחק מעיניהן של הבריות.

היא הייתה כמעט בת גילו, נשואה ללא אושר, נאה, מאהבת מושלמת, צייתנית ומשתוקקת לרצות. היא לא לחצה עליו להתגרש והוא לא הבטיח לעשות זאת. די היה לה באהבה החפוזה שהרעיף עליה בכל יום בצהריים ובהתרגשות הכרוכה במפגשי הסתר. היא לא העזה לבקש יותר.

פרט למפגשי הצהריים החשאיים השקיע יעקב גוטליב את כל מרצו ויזמתו בפיתוח הרובע היהודי בעיר הקטנה במרומי ההרים ובהנחת תשתית לשיכונים בהר כנען הסמוך. הוא שכנע קבלני בניין לבנות דירות בנות השגה לזוגות צעירים כדי לעודדם להשתקע באזור. הוא חלם על צפת כעיר תיירות מרכזית בגליל. באחד מימי הקיץ

אף הצליח להביא לשם קבוצת משקיעים שגילתה עניין בתוכנית לבנייתו של מלון מפואר. גוטליב סייר איתם בעיר, המליץ על אתרים מתאימים ופירט את תוכניות הפיתוח שלו. הוא שהה במחיצתם שעות רבות בכל יום, הזמין אותם למסעדות ובערב האחרון לשהותם, בטרם חזרו לבית המלון, לקח אותם לבילוי במועדון הלילה החדש של טבריה ששמו יצא למרחוק.

החבורה נהנתה שם מכל רגע. הגברים החנוטים בחליפות פרמו את עניבותיהם ושתו כמה כוסיות יותר מדי בחברת הרקדניות הצעירות, שהזמינו אותם אל הדלפק. גוטליב שתה אט אט כוס בירה וקיווה שהמשקיעים שלו יסיימו את ביקורם במצב רוח טוב ויחליטו לבנות את המלון שעליו חלם.

עיניו התמקדו על הבמה כשעלתה עליה נערה שהוצגה בשם איזבל. היא הייתה יכולה להיות בתו, אבל למן הרגע שבו הניח עליה את מבטו לא חשב על הפרש הגילים ביניהם. עיניו בחנו אותה בהערצה והוא חש שמעולם לא נמשך לאישה כפי שנמשך אליה. היא עוררה בו תשוקה בלתי נשלטת, וכשמבטה חלף עליו כברק רתח דמו. אלמלא היה כבול לחבורת המשקיעים שלו, היה ניגש אליה ומנסה ליצור איתה קשר. הוא רצה להאמין שלא הייתה משיבה את פניו ריקם.

קבוצת המשקיעים עזבה את צפת למחרת בבוקר, מותירה אחריה הבטחות עסקיות מחייבות למדי. יעקב גוטליב נפרד מבני החבורה בלחיצות ידיים חמות, אבל מחשבותיו נדדו אל הנערה במועדון. באותו יום, שלא כמנהגו, העדיף להקדיש את שעות הצהריים לעבודה. לפתע חדלה מרים לעורר בו עניין.

.12

תחושות חדשות החלו להציף את לבו של קפטן תומאס ג׳ורדן ולא נתנו לו מנוח. מה שהחל כידידות לא מחייבת, כביטוי של חיבה, כשיעורי חינם בליווי ורד אדום בכל פגישה, לבש במרוצת הזמן אופי אחר לגמרי. קפטן ג׳ורדן היה מאוהב עד למעלה מראשו.

רגשותיו הסוערים התעצמו בעקבות כל פגישה שלו עם שירי. האווירה בפגישות האלה הייתה אמנם תמימה למראה, שלווה לכאורה, אבל מתחת לפני השטח, בעמקי לבו, געשה אהבתו כים סוער. בקושי רב עלה בידו לשבת מולה כמורה סבלני ולנהל איתה שיחות של מה בכך באנגלית. הוא הגה בשירי בכל שעה ובכל רגע, בסיורים המייגעים בדרכי העפר של הגליל, בלילות של כוננות מבצעית, בעת שאכל ובעת שעלה על משכבו. הוא נמנע מלצאת עם חבריו לבילוי במועדוני הלילה של חיפה וחדל ללכת לזונות. עצביו היו מתוחים עד קצה גבול היכולת, והוא השתוקק שמחוגי השעון יחלפו מהר יותר בין פגישה לפגישה.

החשש הגדול שלו היה שיום אחד, ככל הנראה בקרוב, תודיע לו שירי שלמדה אנגלית די הצורך ושאינה מעוניינת בשיעורים נוספים. הוא השתדל כמיטב יכולתו לדחות את רוע הגזירה, יזם שיחות על נושאים פוליטיים, על ספרים ועל הכתוב בעיתונים וחששו גבר כשהצליחה לקרוא ספר פשוט באנגלית בשטף מעורר התפעלות.

לפני כל פגישה איתה נהג ג׳ורדן להתקלח בקפידה, להתגלח ולהזות על עצמו בושם שקנה במיוחד. את הפרח שהביא לה קנה

בחנות הסמוכה לבסיסו. שם כבר התייחסו אליו כאל לקוח קבוע והושיטו לו את הפרח עוד לפני שביקש.

לא פעם רצה להביע את רגשותיו האמיתיים בפני שירי, לספר לה על אהבתו ולקוות שתבין ללבו ואולי תגלה סוף סוף סימן כלשהו של רצון להסב את הידידות שלהם לקשר זוגי. עם זאת חשש שהדברים שיאמר רק יגרמו לה לסגת ולהסתגר מפניו. היא הרי הבהירה לו שאינה מצפה להעמקת היחסים, לכן הבין שלפי שעה יהיה זה מסוכן מדי לגלות לה את לבו. אבל אף שהצליח לגלות איפוק, לא עלה בידו למנוע מלבו לסעור כל אימת שפגש אותה. היא הייתה שונה מכל אישה אחרת שהזדמנה בעבר אל חייו. היא הייתה יפה, חכמה, אשת שיחה נעימה והיה בה כל מה שרצה למצוא באשת חיק.

בד בבד, קיננה במוחו מחשבה מדאיגה שחייה הפרטיים עדיין נסתרים ממנו בחלקם הגדול. כמו קרחון שחלקו הגדול מצוי מתחת למים נסתרו מעיניו כל מעשיה בשעות שאינו נמצא איתה. הוא צייר בדמיונו כל מה שעלול לקרות ברגע שהיא מסיימת את עבודתה ועולה אל חדרה, וזעם על הגברים שצרו עליה במועדון. קשה היה לו להתעלם מכך שלחלק מהם הייתה עדיפות ברורה עליו. הם נראו עשירים יותר, נאים יותר, נועזים יותר ומנוסים יותר ביחסם עם נשים. בכל כוחו התאמץ לשכנע את עצמו, שהיא לא מסוג הנשים שכסף עומד בראש מעייניהן, אבל כל ההסברים שניסה לתת לעצמו לא הועילו. הצלליות שנעו בחלונה באישון לילה סיפקו הוכחה חותכת לכך שהוא טועה.

הוא התגעגע לשמוע את קולה ולחוש את נשיקת התודה המרפרפת שליטפה את לחיו בכל פעם כשנפרד ממנה. ככל שאהבתו גברה חש ביתר שאת תסכול וחוסר אונים. פעם או פעמיים אף עלה בדעתו לכתוב

לה מכתב שבו יחשוף את אהבתו. אולי זה יעורר בלבה משהו כלפיו, אולי זה יעלה את יחסיהם האפלטוניים על נתיב חדש. הוא כתב ומחק, כתב והשליך לסל ולבסוף ויתר על הרעיון. מוג לב, נזף בעצמו.

.13

הרגע שממנו חשש קפטן ג׳ורדן יותר מכול הגיע מהר מכפי שציפה. שירי כבר שלטה באנגלית די הצורך, וחשבה שדי לה בכך. באחר צהריים נעים של סוף הקיץ היא הניחה את העט, סגרה את המחברת ואמרה לתומאס: ״זהו זה. תודה רבה על כל מה שעשית בשבילי. באת כמלאך משמיים והענקת לי מתנה נהדרת. השליטה שלי באנגלית, גם אם אינה מושלמת, עוזרת לי מאוד. כרגע לא נראה לי שיש טעם שתוסיף להתאמץ.״

היא שלחה אליו חיוך לבבי והוסיפה:

״יש לי בקשה קטנה, תומאס. תן לי לשלם לך ולו גם באופן סמלי. אני רוצה לשלם כדי שתרגיש שלא עבדת לשווא.״

ההצעה שלה חלפה במוחו כענן נישא ברוח ונמוגה מיד. הוא היה טרוד במחשבות על משהו אחר שקשור בה, משהו משמעותי הרבה יותר. הוא חשב על כך ששוב לא תהיה לו כל סיבה לפגוש אותה, לכן זוהי ככל הנראה ההזדמנות האחרונה שלו לדבר אליה.

״חבל,״ אמר, ״אצטער מאוד אם לא ניפגש עוד.״

״גם אני,״ הגיבה שירי, ״נהניתי מאוד מהפגישות איתך, אבל איני רוצה להמשיך לבזבז את זמנך.״

"אוכל לבקר אותך לפעמים?"

"בוודאי."

זהו הרגע המתאים. גלה לה מה שאתה מרגיש, הפציר בו לבו. הזדמנות אחרת לא תהיה.

ואז נפרץ מעיין המילים שלו כמעיין שופע.

"במהלך הפגישות שלנו," התוודה, "למדתי להעריך אותך, להתפעל מכישרונותייך, להשתוקק להישאר איתך יותר גם אחרי השיעורים."

היא התייחסה לכך כאל מחמאה טבעית. "אני שמחה שככה אתה מרגיש," אמרה.

הוא נעץ בה את עיניו. הנה זה מגיע, עכשיו הוא יגיד לה, עכשיו או לעולם לא.

"הביטי עליי," ביקש, וכשעשתה זאת, לקח את ידה ולחש: "אני מאוהב בך, שירי. אני חושב עלייך בלי סוף. אני רוצה שתהיי שלי, רק שלי, תמיד שלי. אני רוצה שתהיי אשתי."

היא באה במבוכה. אף פעם לא חשבה על הקצין הזה כעל בן זוג, אף פעם לא הביעה בפניו רגשות של אהבה, אף פעם לא נמשכה אליו או רמזה לו על האפשרות שיבלה איתה את הלילה.

"נוכל להישאר ידידים," שיוותה לקולה נימה צוננת, "אל תצפה ליותר מזה."

"למה?"

היא הקדישה רגע למחשבה.

"תראה," אמרה, "אתה בחור נחמד, חכם ורגיש. המון בחורות יכולות בקלות להתאהב בך. לצערי, אני לא אוכל להיות אחת מהן."

הוא לא ויתר.

"אהבה היא משהו שצריך להבשיל, שירי. אנחנו יכולים לנסות, אולי זה בכל זאת יצליח."

היא קמה ממקומה, ניצבה ליד החלון המשקיף אל הכינרת, מחפשת בקדחתנות תירוץ שיאפשר לה להימנע מלהיכנס אל הסבך שיצר.

"אתה לא מכיר אותי, תומאס," אמרה לבסוף, "אתה לא מודע לצרכים שלי, להרגלי החיים שלי ולשאיפות שלי. אתה מציע לי נישואין, ואני שואלת האם אתה מאמין בכנות שתוכל לפרנס אישה כמוני מהמשכורת שלך?"

"כקצין נשוי אקבל בוודאי העלאה במשכורת..."

היא סבבה ופנתה אליו. "אני חייבת לומר לך משהו חשוב. כפי שכבר סיפרתי לך, שנות ילדותי עברו עליי בעוני קשה. נאלצתי לישון במיטה אחת עם אחותי, לא קיבלתי דמי כיס ולא יכולתי לקנות כל מה שנערה צריכה. נשבעתי לעצמי שככל שזה יהיה תלוי בי לא אשוב לעולם לחיים האלה. אם אתחתן, זה יהיה רק עם בעל שיוכל לתת לי הכול: חיי רווחה, כסף, פינוקים. אני לא בטוחה שאתה תוכל להבטיח לי את אלה."

היא חשבה שהדברים שאמרה יגרמו לו להירתע, אבל הוא לא הראה כל סימן שבדעתו לסגת מהצעת הנישואין.

"ואם יהיה לי כסף?" שאל.

"הרבה?"

"הרבה."

"לא יודעת. נדבר אז שוב."

היה לה ברור שבכך הסתיים העניין, שלעולם לא ישובו לדבר על כך. בכך נסתם מבחינתה הגולל על הצעת הנישואין שלו. היא פגעה בנקודת התורפה שלו. הבהירה לו שלא תסתפק בכסף שיש לו, והשאירה אותו במצב של חוסר אונים.

כרגיל נפרדה ממנו בנשיקה קלה על הלחי, המתינה עד שהלך וירדה אל המועדון, מנערת את מוחה מכל מחשבה עליו. הוא נסע לבסיסו וחשב כל הדרך על מה שאמרה ובעיקר על מה שלא אמרה לו. היא לא אמרה שאין סיכוי לאהבתם, היא רק דיברה על הנושא הכלכלי, על הכסף שדרוש לה לכינון נישואין של ממש. קפטן ג'ורדן עשה חשבון מהיר. לא היה לו רכוש שיוכל לממש, בבנק היה מצוי כסף שחסך במהלך שירותו, אבל זה היה מעט מדי. הוא ידע שכדי לזכות באהבתה של שירי יהיה עליו להציע לה סכומים גדולים מאלה שהיו ברשותו. הוא לא ידע מאין ימצא את הכסף הדרוש, אבל היה נחוש להשיגו.

.14

יעקב גוטליב ישב בלשכתו והעביר את אצבעותיו בפיזור דעת בשיערו. הוא היה נסער וחלם בהקיץ. מחשבותיו הסתחררו במוחו במערבולת מהירה, וכשמזכירתו נכנסה לחדר כלל לא השגיח בה. היא הביטה בו בדאגה. אחרי זמן כה רב יחד ידעה להבחין גם בתנודות הקלות ביותר במצב רוחו.

"מה קורה לך?" שאלה.

"אני לא מרגיש כל כך טוב."

"אתה באמת נראה שונה מתמיד. ניפגש היום בצהריים?"

"לא היום," התחמק, "אקח כדור נגד כאב ראש ואני מקווה שאתאושש."

היא התרפקה עליו ונשקה לו בחום, אך שלא כדרכו גוטליב לא
החזיר לה אהבה. כל הגיגיו היו נתונים לנערה שהסעירה את חושיו
במועדון הלילה. הוא השתוקק לפגוש אותה הערב והאמין שימצא את
העוז להתגבר על מעצוריו וליצור איתה קשר.

במקום לצאת להפסקת צהריים העדיף לטייל בגפו בסמטאות
העיר. הוא פסע בין הבתים הישנים, התחמק ממגע עם עוברים ושבים,
התיישב על ספסל בגן הציבורי וחיכה שם עד שהיום דעך והחשכה
ירדה.

הנסיעה לטבריה בכביש הצר היורד אל הכינרת נמשכה כשעה. גוטליב
החנה את מכוניתו הרחק ממועדון הלילה ועשה דרכו בזהירות כדי
שאיש לא יזהה אותו. במועדון התיישב ליד שולחן צדדי, הזמין עראק
מהול במים והמתין בקוצר רוח להופעתה של שירי. ברגע שעלתה על
הבמה והחלה להתפשט נעלם כלא היה העולם שרחש סביבו. הוא לא
ראה דבר ולא חשב על מאומה פרט לרקדנית העירומה שחוללה לפניו.
עיניו השוקקות טיילו על פני חזה החשוף וחמוקיה המסעירים. הוא
רצה אותה כפי שנער משתוקק לחוות את חווייתו המינית הראשונה.
הוא חלם על הרגע שבו ישכב לצדה עירום ומתאווה והעלה בדמיונו
את תחושת ההנאה שיחוש כשיחדור לתוכה.

בתום ההופעה מיהר לחדר האיפור שלה. היא קידמה את פניו
בחיוך מבטיח. הגבר הקשיש ששיערו החל להכסיף הביט בה בעיניים
נוצצות והתנצל שהפריע לה.

"לא הפרעת," אמרה תוך שהיא מסירה את האיפור מעל פניה,
"במה אוכל לעזור לך?"

היא הכירה היטב טיפוסים כמוהו, שהשתוקקו לקנות את אהבתה

כאילו היה זה שיקוי פלא שיחזיר להם את עלומיהם. היא פגשה אותם כמעט בכל ערב. חלקם השפילו את עיניהם כשעברה על פניהם, חלקם העזו לבקש ממנה לארח אותם בדירתה. לא היה לה אכפת אם הם צעירים או מבוגרים. השאלה היחידה שהעסיקה אותה הייתה, אם יש להם מספיק כסף.

"תסכימי להזמין אותי לשיחה פרטית?" העז גוטליב. קולו רעד. הוא הניח שהיא מבינה למה התכוון.

"הזמן שלי יקר מאוד," אמרה בשוויון נפש.

"כמה?" שאל.

"עשרים לירות לשעה."

הוא נשנק מתדהמה. עשרים לירות היו כמעט מחצית משכורתו החודשית. זה היה לא מעט תמורת זמנה. ניסיונה אמר לה שהאיש הקשיש הזה יזדקק להרבה פחות משעה.

"עשרים לירות? בסדר," התעשת.

"או קיי," אמרה, "תבוא לדירה שלי, בקומה השנייה, אחרי שהמועדון ייסגר."

הוא יצא מהמועדון ושוטט בטיילת הריקה. בעלי המסעדות סגרו את עסקיהם בזה אחר זה. הירח האיר את חלקת המים הרוגעת, שדגים נועזים זינקו מתוכה מדי פעם וצנחו מיד בחזרה. יעקב גוטליב חיכה בקוצר רוח שהזמן יעבור.

בשתיים אחר חצות יצא אחרון האורחים מהמועדון. האורות כבו. גוטליב המתין זמן מה, אחר כך חמק אל בניין המועדון ועלה אל הקומה השנייה. ביד מהססת נקש על הדלת שנשאה עליה את השם "איזבל".

"יבוא," נשמע קולה מבפנים.

הוא נכנס וסגר את הדלת מאחוריו. מולו, שרועה על מיטתה, לבושה בחלוק שקוף, המתינה שירי.

"אל תעמוד שם ככה סתם," אמרה בקול מתפנק, "התקרב אליי."

הוא עשה כדבריה. במבוכה גלויה שלף את ארנקו והניח על שולחנה את שטרות הכסף. היא מנתה אותם ותחבה את הכסף למגירה.

"מה מביא אותך אליי?" שאלה כאילו לא ידעה.

"סיחררת לי את הראש," אמר.

"מי אתה?"

"אני מצפת."

"מה אתה עושה שם?"

לא היה מנוס. יהיה עליו לומר לה את האמת. זה לא יזיק לו, קיווה. היא ודאי לא תספר אודותיו לאיש.

"אני מנהל את הרובע היהודי."

"מה זה?"

"בצפת יש רוב ערבי אבל גם לא מעט יהודים. אני מנהל את הרובע ששייך ליהודים."

"וואו," קראה בהתפעלות, "אתה ממש מנהל חשוב."

הוא לא שש להאריך בשיחה, והיא הבינה שלא הגיע אליה כדי לשוחח על תפקידו.

היא הסירה את חלוקה והמתינה לו עירומה. הוא התפשט בתנועות גמלוניות ונותר בתחתוניו.

"אתה תמיד נשאר בתחתונים?" צחקה.

"לא תמיד," מיהר להסירם.

הוא לא זכר סערת נפש כה גדולה כפי שחווה ברגע שבו חיבק אותה והצמידה לגופו. אף פעם, גם ברגעי הסערה הגדולים ביותר

עם מזכירתו, לא שכב עם אישה כה נחשקת, כה מבינה וכה נכונה להיענות לו. הוא גמר מהר משציפה אבל כל שנייה וכל רגע מהתייחדותו איתה, היו בלתי נשכחים. היא בחנה בחיוך את פניו שהאדימו מהתרגשות.

"אוכל לבוא גם מחר?" שאל כשהתלבש.

"תוכל להרשות לעצמך את המחיר?"

"כן... כן... אני אשלם לך כל מה שתרצי."

"אם כך, תבוא באותה שעה."

"אבוא, בוודאי שאבוא."

הוא נשק לה בלהט על שפתיה, על שדיה ועל ירכיה המוצקים.

"תודה," לחש, "היית נהדרת."

.15

מוסטפה עלאמי התפלל שייוולד לו בן זכר. הוא חלם על הימים שבהם יתבגר יוצא חלציו, שיצא עם אביו לציד, ייקח לידיו את ניהול האחוזה ואת הפיקוח על הפועלים ויירש בבוא היום את כל הרכוש המשפחתי. אבל הוא השתוקק לבן גם מסיבה נוספת. הוא רצה שבנו יירש גם את תפקידו כמפקד תנועת ההתנגדות הערבית בארץ ישראל. ההערכה שלו הייתה שהסכסוך עם היהודים לא יבוא על פתרונו גם כשיגיע בנו לבגרות. הוא רצה בבן כליל המעלות, שיידע להנהיג התקוממות אלימה בכל רחבי הארץ כאשר ייתש כוחו של מוסטפה לעשות זאת.

מוסטפה עלאמי, צאצא למשפחה ערבית מיוחסת וותיקה בארץ ישראל, הקדיש לכאורה את מירב זמנו לגידולים חקלאיים בשטחי הקרקע העצומים, הצמודים לאחוזתו בעכו. אבל הגבר גדל הגוף, שהקפיד להתהלך בחליפות מחויטות, לא טיפח רק קשרים עם סיטונאי ירקות. הוא קיים קשרים נוספים שנסתרו אפילו מעיניהם של מרבית מכריו. הקשרים הנוספים לא הכניסו כסף, אבל הם הביאו איתם הרבה כבוד.

בהתכנסות חשאית של מנהיגי הערבים בארץ, ראשי הכפרים והחמולות הגדולות, הלוחמים הוותיקים ואנשי הדת המרכזיים, הם בחרו במוסטפה עלאמי כמנהיג שיוכל להשליט סדר בפעולותיהן המפוזרות של כנופיות, שעסקו ללא תיאום בתקיפות של יעדים יהודיים. עלאמי היה מקובל על כולם, איל הון ידוע, חכם ורב תושייה, בעל קשרים מצוינים עם השלטון הבריטי, שונא יהודים ומצדד בגירושם מן הארץ. הוא הסכים למלא ברצון את התפקיד, הודיע כי אין לו עניין לקבל תשלום, והבטיח לנהל נגד היהודים מלחמה מתוחכמת לא פחות משניהלו הם עצמם נגד הערבים.

מוסטפה עלאמי חיכה בכיליון עיניים להולדת בנו הבכור וסמך על אללה שימלא את מבוקשו. שבועיים לפני המועד שבו אמורה הייתה פארידה עלאמי ללדת, נעלמה השלווה הרוגעת מחדרי האחוזה הגדולה בעכו. משרתות צררו את בגדיהם של בעלי הבית בתוך מזוודות, הנהג מילא את מכל המכונית בדלק ומוסטפה עלאמי נתן הוראות אחרונות למנהל הבית שנועד למלא את מקומו בהיעדרו. נהגה הפרטי של משפחת עלאמי התיישב ליד הגה ה"קדילאק" הענקית, המתין עד שהמשרתים יכניסו את מזוודות העור הגדולות

לתא המטען ועד שבעלי הבית, מוסטפה ואשתו פארידה, יתיישבו במושב האחורי.

"סע," פקד מוסטפה.

רחש החצץ של כביש הגישה אל הבית עלה מבין גלגלי המכונית. ה"קדילאק" חצתה את שערי האחוזה ועלתה על הכביש הראשי לירושלים. מקץ שעות אחדות הותירה מאחוריה את מעלה שער הגיא ואת חורשות האורנים הריחניות, חלפה על פני בתי הכפר של אבו גוש והחלה לטפס בהר. ברחובותיה הסואנים של ירושלים עמדה כבר צינת הסתיו. פארידה התכרבלה בצעיף הצמר העבה שלה ונתמלאה התרגשות כשחשה בתנועת העובר הנע בבטנה.

המכונית עצרה בפתח מלון "המלך דוד", ומנהל המלון בכבודו ובעצמו ליווה את האורחים אל הסוויטה שנשמרה למענם. חפציהם הובאו לשם מיד לאחר שנכנסו לחדרם.

מוסטפה עלאמי שכר את הסוויטה עד שאשתו תלד. הוא חשש להישאר באחוזתו כשיאחזו הצירים את אשתו. הנסיעה מעכו לבית היולדות של ד"ר אריה סדובסקי בירושלים ברגע האחרון עלולה הייתה לעלות ביוקר. זו הייתה אמורה להיות הלידה הראשונה של פארידה עלאמי, ובעלה לא רצה להסתכן.

ד"ר אריה סדובסקי, המיילד עתיר המוניטין, טיפל בפארידה מאז ראשית הריונה. הוא ביקר באחוזת המשפחה אחת לשבוע והבטיח להיות צמוד לאישה כשתכרע ללדת. ביום שבו הגיעו למלון "המלך דוד" בירושלים בדק אותה ד"ר סדובסקי שוב. הוא הביע שביעות רצון מתוצאות הבדיקה, צפה שהאישה תלד בתוך ימים אחדים ואיחל לה לידה קלה.

מוסטפה עלאמי הקדיש את זמנו הפנוי בירושלים להידוק הקשרים

בין הפלגים שהרכיבו את ארגון ההתנגדות הערבי. הוא חמק מן המלון אל העיר העתיקה ועשה דרכו בסמטאות המפותלות אל כוכים נסתרים שבהם המתינו לו מנהיגי כנופיות שסרו למרותו. הם שמעו מפיו דברים רבים שביקשו לשמוע: עלאמי דיבר על יישובים יהודיים ועל דרכים מרכזיות שיש לפגוע בהם, על אספקת נשק ותחמושת, על מימון, על עזרה משפטית לאלה מאנשיו שייעצרו בעת מילוי תפקידם ועל סיוע לאלמנותיהם של ההרוגים. הנוכחים התייחסו אליו בכבוד ובצייתנות. גם הם הבינו שאם רצונם להצליח, יהיה עליהם לקבל על עצמם מרות של מנהיג. עלאמי ענה על כל דרישותיהם.

ימים אחדים חלפו. פארידה טיילה הרבה בגינת המלון, האזינה לשירים שהושמעו ברדיו רמאללה, אכלה מזון בריא והמתינה בסבלנות עד שפקדו אותה צירים. היא הובהלה לבית היולדות של ד"ר סדובסקי ברחוב הלל וצוות של אחיות מנוסות הופקד על הלידה. סדובסקי עצמו פיקח על התהליך, וזמן קצר לאחר שנכנסה פארידה לבית היולדות היא ילדה בת בריאה שצרחה במלוא כוח ריאותיה הקטנות.

מוסטפה עלאמי ניצב ליד מיטת היולדת ובלע את אכזבתו. "אני יודעת שרצית בן," אמרה לו אשתו, "מצטערת שגרמתי לך עוגמת נפש."

עלאמי שילם לרופא המיילד סכום כסף גדול וחזר לעכו עם אשתו והתינוקת. בבית, שאת מספר חדריו לא זכר מעולם, כבר המתין חדר לתינוקת. שתי מטפלות נשכרו כדי להיות צמודות אליה יומם ולילה, ותפקידה של האם הסתכם בהנקת בתה ובנשיאתה על זרועותיה כשחפצה בכך.

"נקרא לה באשירה," הציעה פארידה. באשירה פירושו שמחה.

מוסטפה עלאמי הגניב מדי פעם מבט אל יוצאת חלציו. הוא ראה יפהפייה קטנה, בהירת שיער וסמוקת לחיים ששלחה אליו חיוך שובה לב.

"אילו רק היית בן זכר," מלמל.

16.

מחמוד אל באדר הקפיד לבוא בכל ערב למועדון "ספלנדיד" ולתפוס מקום מול הבמה. הוא לא ניסה ליצור קשר עם שירי, לא הזמין אותה למשקה, לא החמיא לה על הופעתה. האיש השותק עורר בה סקרנות מסויגת אבל היא לא עודדה אותו בשום דרך, לא במבט, לא ברמז ולא בהזמנה ישירה. היא לא ידעה אם הוא איש עסקים מצליח או סתם צעיר שמשלם את פרוטותיו המעטות כדי לצפות במערומיה. זה לא היה אכפת לה. ההבדל היחיד בינו לבין גברים אחרים שבאו למועדון היה בכך שהגיע מדי ערב ולא ביקש ממנה דבר.

היא חשבה שיוסיף להסתפק בלטישת עיניים ועל כן הופתעה כשניגש אליה לפני אחת מהופעותיה, הציג עצמו בשמו ואמר בקול חרישי בעברית שנילווה לה מבטא ערבי: "שלחו אותי לקחת אותך אל מישהו שיש לו הצעה שלא תוכלי לסרב לה."

זו הייתה גישה שלא הורגלה לה. עד כה פנו אליה גברים בדרך כלל באורח ישיר. היא תהתה מדוע אותו איש שרוצה לפגשה צריך לשלוח אליה שליח במקום להגיע ישירות אל המועדון ולומר לה בעצמו את מה שעל לבו.

"מי האיש הזה?" שאלה בחשד.

"אני לא יכול להגיד לך."

"למה הוא לא בא לכאן?"

"כי הוא לא יכול להרשות לעצמו שיזהו אותו," אמר הצעיר, הוציא מכיסו חבילת שטרות ומסר אותה לידיה, "אם תבואי איתי תקבלי עוד."

גם מבלי שמנתה את השטרות ידעה שהיה שם הרבה כסף.

"איפה הוא רוצה לפגוש אותי?"

"זה לא חשוב כרגע. אני מבטיח לך שלא תצטערי אם תסכימי לבוא."

שירי חככה בדעתה. היא העריכה שהפגישה המסתורית תניב לא מעט כסף, אבל הפעם כסף לא היה הכול. ביטחונה האישי היה מוטל עתה על כף המאזניים. היא פחדה שתפגוש סוטה מין מסוכן. לבדה, מול חיית טרף כזאת, לא יהיה לה שום סיכוי.

"אני פוחדת," אמרה בפשטות.

"תיארתי לעצמי שתגיבי כך," אמר הצעיר, "אני יכול רק לומר לך שהאיש ששלח אותי הוא אדם רציני וחשוב מאוד. הוא רוצה רק לדבר איתך. עשר דקות, עשרים דקות. לא יותר. האמיני לי שאין לו שום כוונות רעות."

"אני יכולה לצרף אל הפגישה הזאת ידיד טוב שלי?" היא חשבה על בעל המועדון.

"בשום אופן לא. את חייבת לבוא לבדך. האיש שלי רוצה שאף אחד לא ידע על הפגישה שלכם."

היא נאנחה. האם תדחה את ההצעה או תיקח את הסיכון? היא תהתה מה רוצה לומר לה האיש המסתורי? אם היה רוצה לשכב איתה,

היה יכול להעביר לה את המסר בחשאי. אם הוא לא מעוניין לשכב איתה, במה בכל זאת הוא מעוניין? מה היא תוכל לתת לו פרט לגופה?

"או קיי," אמרה לבסוף, "אבל אני לא רוצה להיפגש איתו בלילה. מחר בבוקר יתאים לי יותר."

הצעיר היסס.

"מחר בבוקר או אף פעם לא," פסקה שירי.

הוא נכנע.

"אבוא לקחת אותך מחר בבוקר. אני יודע שאת גרה בבניין המועדון. אחכה לך למטה, ברחוב, בשעה עשר."

הוא חיכה בדיוק בשעה שקבעו, מעשן סיגריה, נשען על מכונית פיאט שחורה.

היא לבשה בגד צנוע ולא מרחה איפור על פניה. בארנקה הטמינה סכין מטבח חדה כאמצעי ביטחון.

הם נסעו צפונה, לאורך הכינרת. סירות דייגים אחרונות החלו לשוב אל החוף עם יבול דגים שנאסף בשעות שלפני עלות השחר. מי האגם זהרו בקרני השמש שטיפסה אל לב השמיים וענן שחור של ציפורים התרומם מעצי האקליפטוס כלמשמע פקודה נעלמה.

איש מהם לא החליף מילה. המכונית טיפסה אל הכנסייה בהר האושר, על גבעה תלולה בקצה האגם. היא נכנסה בשער הפתוח וחנתה בגן עתיר עצי פרי. שירי הביטה סביבה. לא היה שם איש מלבדם.

"נצטרך לחכות קצת," אמר הבחור, "האיש שלנו יגיע רק כשיהיה בטוח שלא עקבו אחריו."

הם נשענו על מעקה המרפסת של בית התפילה הנשקף אל

הכינרת. הבחור הציע לה סיגריה. היא דחתה אותה. סבלנותה החלה פוקעת.

בדיוק אז הבחינו עיניה במכונית מהודרת העושה דרכה מהשער אל הגן. מהמכונית יצא גבר במלוא שנותיו, גבוה וחסון בחליפה מהודרת. הוא קרב אל המרפסת וקד קלות לעבר שירי.

"נעים מאוד," אמר בעברית ללא מבטא.

הוא ביקש מהבחור להמתין להם במרחק מה.

"אינני רוצה לגזול הרבה מזמנך היקר," אמר לשירי כשנשארו לבדם, "ואני מבקש שתסלחי לי אם לא אגלה לך את זהותי. אני יכול רק לומר שאני איש עסקים ידוע וחלק מהפעילות שלי קשור בסכסוך היהודי־ערבי. את בוודאי מבינה על מה אני מדבר."

"לא הבנתי כלום," אמרה במבוכה. חששותיה נמוגו. האיש התנהג כאדם מן השורה, מנומס ונעים הליכות. בשום פנים לא יכלה לתארו כסוטה מין.

"היהודים," אמר, "גזלו מאיתנו את האדמה שלנו. אנחנו רוצים להחזיר אותה אלינו. היהודים מבינים רק שפה אחת – כוח. אנחנו מפעילים כוח כדי לסלק אותם מכאן."

"מי זה אנחנו?"

"אנחנו, הערבים, הקמנו ארגון גדול שנלחם ביהודים. יש לנו כסף ויש לנו נשק, אבל חסר לנו מידע על היהודים, מה הן תוכניות הלחימה שלהם, מי הם המפקדים שלהם, ממי הם מקבלים נשק, איפה הוא מוחבא."

"איך זה קשור אליי?" תמהה.

"אני מבין שאת נמצאת במקום שאליו מגיעים אנשים עם הרבה מידע, יהודים חשובים, קצינים בריטים. חלק מהם בוודאי קשור

לסכסוך שלנו. אני רוצה שתוציאי מהם כל מה שתוכלי ותעבירי את המידע אלינו. כמובן שלא תעבדי בחינם."

זה יהיה לבטח כסף גדול תמורת עבודה של מה בכך, חשבה. אכן, יש לה קשרים לא רעים עם יהודים בעמדות בכירות ועם קצינים בריטים. היא תוכל לעשות זאת בקלות.

"בסדר," אמרה, "למי אעביר את החומר?"

"למחמוד, האיש שלי. הוא יעמוד איתך בקשר. הוא גם יעביר לך הוראות ממני."

הוא שלף את ארנקו ומסר לה כמה שטרות בערכים של חמש ועשר לירות. זה היה הרבה מאוד כסף.

"וזו רק ההתחלה," אמר, קד שוב והסתלק.

מחמוד החזיר אותה לטבריה. היא חשבה על החוויה שעברה. היה לה כבר לא מעט כסף משלה, אבל עכשיו, לדעתה, מצפה לה עושר של ממש. אם תפעל נכון, תהיה אישה אמידה מאוד.

בכביש היורד לעכו נהג מוסטפה עלאמי במכוניתו, זחוח ושבע רצון. הפגישה הותירה במנהיג המרי הערבי תחושה של הישג. הוא שמע לא מעט על רקדנית העירום מטבריה, ועל כן שלח תחילה את מחמוד כדי שיתרשם ממנה. היא לא דחתה את ההצעה שהעלה לפניה. היא מוכנה לעשות כל מה שירצה, היא בוודאי תספק את הסחורה שהייתה דרושה לו.

17.

את אימוני הלחימה שלה נהגה הכנופיה של מחמוד אל באדר לערוך בגבעות הטרשים המשקיפות על רצועת כפרים ערביים מדרום לעין מג'דל. הגבעות השוממות בלעו את קולות הירי והציעו מקומות מסתור לאימוני הקרקע. כמה מאנשיו של מחמוד היו ותיקים ממנו, מנוסים יותר בהתקפות על יהודים. אבל למחמוד היה מה שלא היה להם – כושר מנהיגות. הוא ידע להנהיג, להשפיע, לסמן מטרות ולדבוק בהן. הוא הבטיח להם לצאת להתקפות חדשות ללא דיחוי.

בלילה צונן ונטול ירח הצטופפו אנשי הכנופיה במשאית שהושאלה לאחד מהם על ידי אביו ושימשה אותם לנסיעה לשטח האימונים. הם נסעו על כביש צפת-חיפה בדרכם חזרה לכפריהם. יום האימונים היה קשה וגדוש מטלות מפרכות. הם ירו לעבר דמויות קרטון של בני אדם, תרגלו התקפות על יישובים ולמדו כיצד לסגת בהצלחה. העייפות ניכרה על פניהם.

באחד מעיקולי הדרך הבחינה החבורה במאוחר בשריונית של הצבא הבריטי החוסמת את דרכם. לא הייתה כבר כל אפשרות להסתובב ולהימלט בלי לעורר חשד. שני חיילים מזוינים אותתו להם לעצור ולרדת מהמשאית.

קפטן תומאס ג'ורדן בחן בעיניים קרות את בני החבורה ובערבית רצוצה, אותה למד מאנשי הכפרים שבהם סייר, שאל מאין הם מגיעים.

"אנחנו באים ממסיבה אצל חבר," השיב לו מחמוד בנימה של ביטחון.

72

"איפה הייתה המסיבה?"

"בכפר עראבה."

הבריטי ביקש לבדוק את תעודות הזיהוי שלהם, ורשם בפנקסו את שמותיהם ואת כתובותיהם.

"יש לכם נשק?"

זו הייתה שאלה צפויה. מחמוד הבין שלא יוכל להכחיש. כלי הנשק נמצאו במשאית. הם הוצאו ממחסן נסתר בעין מג'דל. למחמוד ולחבריו לא היו רישיונות לשאתם.

"יש לנו רק נשק להגנה עצמית," אמר.

קפטן ג'ורדן הורה לאנשיו לערוך חיפוש במשאית. לאחר דקות אחדות הם שבו עם ארבעה אקדחים.

"הגנה עצמית?" שאל הקצין בנימה צינית, "מפני מי אתם מתגוננים?"

"מהיהודים, כמובן. הם רודפים אחרינו לכל מקום, מתקיפים את הכפרים שלנו, הורגים מי שרק יוכלו."

ג'ורדן פקפק בהסבריו של הערבי. הוא ידע שהנשק נועד ללחימה, לא להגנה. תפקידו של ג'ורדן היה למנוע כל התנקשות מזוינת. בנסיבות כאלה, על פי תקנות הצבא, היה עליו להחרים את האקדחים ולעצור את החבורה.

"נצטרך להחרים את הנשק," אמר.

"בסדר," הסכים מחמוד. הוא כבר השלים עם העובדה שהבריטים ייקחו את הנשק. מה שהטריד אותו עתה היה החשש שאנשיו והוא עצמו יילקחו למעצר ויועמדו לדין. השופטים הבריטים לא גילו רחמים כלפי לוחמים ערבים ויהודים כאחד, שנעצרו בעת לחימה או אימונים ונשאו בידיהם נשק לא חוקי.

"אף פעם לא היו לנו עניינים עם הצבא," ניסה מחמוד לדבר על לבו של ג'ורדן, "אנחנו בחורים פשוטים, עובדים ומתפרנסים בקושי. אין לנו קשר עם שום כנופיה."

ג'ורדן לא הגיב. פניו נותרו חתומים גם כשמחמוד הגניב לידו חבילת שטרות. הייתה זו הפעם הראשונה שמישהו ניסה לשחד אותו. הוא ידע שקבלת שוחד היא עבירה חמורה הגוררת עונש כבד.

תחילה ביקש הבריטי להחזיר את הכסף לידי הערבי, אבל במחשבה שנייה החליט להשאיר את השטרות ברשותו. איש מאנשיו לא ראה כשקיבל את הכסף, איש מהם לא יוכל להעיד נגדו. הוא לא ידע כמה כסף הועבר לידיו, אבל התרשם שהיה זה סכום נכבד שהגיע אליו בדיוק בזמן. הכסף הזה, קיווה, יהיה מקדמה על חשבון הסכום שיסלול את הדרך ללבה של שירי. בבת אחת חש שמעמדו השתווה למעמדם של הגברים האמידים, שביקרו במועדון הלילה הטבריייני והשתמשו בכספם כדי לזכות בחסדיה של הרקדנית הנאה.

"אסתפק הפעם באזהרה," אמר למחמוד לאחר הרהור קל, "האקדחים יישארו אצלנו ואתם תחזרו הביתה, אבל היזהרו לא לעשות שטויות. הקצין הבריטי הבא שיפגוש אתכם יהיה הרבה פחות סלחני ממני."

פרק ב'

מארב

.1

הם נראו כמו כל זוג אוהבים צעיר אחר שטייל להנאתו באותה שבת על גדות נחל הקישון. ידיהם אחזו זו בזו, עיניהם נצצו ופניהם קרנו מאושר. כמה דייגים, שישבו על שרפרפים בצל העצים, השליכו חכות לתוך המים וקיוו שיצליחו להעלות מספיק דגים לארוחת הצהריים. ילדים שיחקו בכדור בעת שהוריהם צלו בשר על מחתות של גחלים לוחשות. היה יום שלו, מוצף בשמש מלטפת שהתפנקה ברומו של רקיע כחול. ציפורים קיפצו על הקרקע וחיפשו תולעים לאכילה. כלבים שובבים דלקו זה אחר זה.

יוסי אברך שכר סירת משוטים קטנה, נכנס לתוכה ותמך ברינה שקפצה מהגדה אל תוך זרועותיו. שניהם אחזו במשוטים וחתרו בנתיב הנחל הצר, בין הגדות המעוטרות בעצים ובשיחי פרא. הם היו מאוהבים מאז נפגשו לראשונה לפני כשנה. מדי פעם הייתה רינה נוסעת מביתה בצפת לחיפה, ויוסי עצמו נסע אליה לעתים תכופות.

לפעמים היו יוצאים לסרט, הולכים לטייל, קונים פלאפל וחוזרים
הביתה בנסיעה מטלטלת באוטובוס איטי.

היא הייתה ילידת צפת, אחת משתי בנותיו של יעקב גוטליב,
מנהל הרובע היהודי בעיר. יוסי היה בנו של זוג מוותיקי חיפה,
ועבד ככבאי בתחנת הכיבוי של העיר התחתית. הוא כיבה שריפות
ביום ובלילה, הציל לכודים באש, אהב את המתח, את הסכנה ואת
דברי התודה הנרגשים של האנשים שחש לעזרתם. הוא קיווה שיזכה
לקידום בקרוב.

יוסי עצר את סירת המשוטים מתחת לענפיה של ערבה בוכייה
שהשתפלו אל פני המים. הוא נשק לרינה והיא נצמדה אליו בשקיקה.

"יש לי הפתעה בשבילך," אמר חרש.

מכיס מכנסיו הוציא קופסה קטנה.

"תפתחי," ביקש.

היא עשתה כדבריו. בתוך הקופסה נחה לה טבעת כסף בוהקת.

"זו טבעת האירוסין שלך," בישר יוסי. רינה החזיקה בטבעת כמו
לא ראתה כמותה מעולם. היא הייתה המומה עד כדי כך שלא הצליחה
להוציא הגה מפיה. "נתחתן בסוף הקיץ?" הציע יוסי והיא הנהנה
באושר.

הם היו עניים מרודים. משכורותיהם הדלות כיסו בקושי את הוצאות
מחייתם, אבל האהבה גישרה על כל מכשול. הם האמינו שעתידם
המשותף יהיה קל יותר.

לאחר שנקבע מועד החתונה הם הפרישו מתוך חסכונותיהם
המעטים את דמי השכירות לבית ישן בן שלושה חדרים בשכונת בת
גלים, קרוב לחוף הים של חיפה. הם צבעו את הבית במו ידיהם במשך

76

שבועיים ואספו רהיטים וכלי מטבח משומשים מקרובי משפחה. בעל הבית השאיר להם לול תרנגולות בחצר. בכל בוקר אפשר היה לאסוף משם שלוש או ארבע ביצים טריות לארוחת הבוקר.

מטעמי חיסכון בחרו את חצר הבית כמקום שבו תיערך מסיבת החתונה. רשימת המוזמנים הייתה מצומצמת. תקציב הכיבוד, שמומש בעזרת הלוואה מהבנק, לא אפשר להגיש יותר מכריכים ומשקאות קרים.

שבועות אחדים לפני החתונה קיבל יעקב גוטליב שיחת טלפון מבתו. הוא הופתע לשמוע את קולה הרחוק של רינה, שעקרה מצפת לחיפה.

"אבא, אני מתחתנת!" הודיעה לו.

הוא לא ידע כלל על כוונותיה של רינה להינשא ומעולם לא ראה את חתנו המיועד.

"מי הבחור?"

"ילד טוב ממשפחה טובה. כבאי."

"ואת אוהבת אותו?"

"מאוד."

לא היה לו ספק שייענה להזמנתה.

"כולנו נבוא כמובן לחתונה," אמר לה, "אמא ואני, אחותך ובעלה, וגם הילד שלהם."

לפני החתונה רקמה רינה קישוטים ססגוניים לחולצה לבנה ותפרה במו ידיה חצאית בד פשוטה שתלבש בטקס. יוסי הצליח לשכנע דוד קשיש להשאיל לו לערב אחד חליפה ועניבה. הוא קיבל חופשה בת יומיים מתחנת הכיבוי שלו והביע צער שלא יוכל להזמין את כולם לחתונה. "החצר שלנו קטנה מדי," הסביר, בהעלימו את האמת

שמספר המוזמנים הקטן נובע מקשיים כספיים. בני הזוג גם לא יכלו להרשות לעצמם לנסוע לירח דבש.

.2

מנהל הבנק בצפת התנצל בפני יעקב גוטליב על שזימן אותו למשרדו. "אני מבין שאתה איש עסוק מאוד," אמר, "אבל אין לי ברירה אלא לגזול כמה דקות מזמנך."

גוטליב הציץ בשעונו. סדר היום שלו היה עמוס במיוחד.

"במה העניין?" שאל.

"זה נוגע לחשבון שלך," השיב המנהל, "בזמן האחרון משכת ממנו הרבה כסף. רציתי רק להביא לידיעתך שעכשיו החשבון כמעט ריק."

פניו של גוטליב נותרו אטומים.

"אני יודע," אמר.

"לבנק יהיה הרבה יותר נוח אם תכניס בהקדם קצת כסף לחשבון."

"אשתדל," הגיב גוטליב, "זה הכול?"

"כן, זה הכול."

מנהל הרובע היהודי לא היה יכול לוודא שהחשבון שלו יתמלא בקרוב, וכשיצא מהבנק נמוגה העמדת הפנים הבוטחת שהפגין מול המנהל. לפתע חש חוסר אונים. הכסף ששילם לשירי רוקן את כל מה שהיה לו בחשבון הבנק, ולמרבה צערו לא היו לו מקורות הכנסה נוספים. יותר משהצטער על החשבון הריק, הוא חשש שאולי יקשה עליו לשלם לשירי בעתיד את הסכומים שהייתה רגילה לקבל ממנו.

מה יקרה כשכיסיו יתרוקנו? הוא לא העז לחשוב על זה. המנהל הקפדן, שמרבית שנות חייו עברו עליו בשמירת סדר ובדבקות בלוח זמנים מאורגן היטב, היה לאיש אחר מאז הכיר את הרקדנית ממועדון הלילה. דמותה מילאה את מוחו והוא חש געגועים עזים אליה. אחת לכמה ימים נהג במכוניתו לטבריה, ביקר את שירי בדירתה והתלהב עד עמקי נשמתו מכל רגע של הנאה שהסבה לו הצעירה החטובה. היא לא גילתה כל עניין במקורותיו הכספיים. למעשה, גם לא היה אכפת לה שחשבון הבנק שלו מתרוקן בגללה. מבחינתה הקשר ביניהם היה עסקי גרידא. כל עוד שילם לה, העניקה לו את עצמה. ברגע שלא יוכל לשלם, היא תנתק איתו את יחסיה.

היא ניסתה להניע אותו לספק לה מידע על מצב הביטחון בצפת. הוא לא מיהר לעשות זאת, אף שבטח בה שלא תעשה כל שימוש לרעה במידע הזה. שירי שילבה את שאלותיה על אמצעי ההגנה בעיר בתוך סדרת שאלות אישיות על חייו ותחביביו של גוטליב. היא תירצה את התעניינותה בתירוץ בדוי שבדעתה לרכוש דירה בצפת ועל כן חשוב לה לדעת אם העיר בטוחה די הצורך. תחילה סיפק לה גוטליב מעט מידע, לא כל מה שידע, אבל כמעט כל אמצעי הזהירות נשכחו ממנו כאשר שכב במיטתה, עירום ומשתוקק. כשהיא נתונה בתוך זרועותיו, קל היה לה יותר לדובב אותו, והוא לא חש שגרמה לו לומר דברים שאסור היה לו לומר. הוא סיפר בקצרה על סידורי הביטחון של צפת, דיבר באופן כללי על פעילותם של אנשי המחתרת היהודים, על התוכניות לפעול בכפרים ערביים שמתוכם יצאו מחבלים שתקפו אוטובוסים בדרך לצפת.

שירי סחטה בעורמה פרטי מידע נוספים גם מפיהם של קצינים בריטים בכירים, שאותם אירחה בלילות שבהם גוטליב לא הגיע. היא

דיברה איתם על עבודתם, על הבעיות המקצועיות שנתקלו בהן, ועל פעולתם לחיזוק החוק והסדר בכבישים. בלהט תשוקתם גילו סודות שאותם העבירה שירי עם המידע שסיפק לה גוטליב, למחמוד אל באדר, שליחו של מוסטפה עלאמי. היא קיבלה בתמורה מענקי כסף גדולים.

עלאמי השתמש באורח יעיל במידע שהועבר לידיעתו. במקרים רבים יכלו אנשיו לקדם בהפתעה את פניהם של חברי ההגנה שהיו בדרכם לתקוף כפרים ערביים. תודות לשירי ידעו חברי ארגון ההתנגדות הערבית מראש לפחות על חלק מהמארבים שתוכננו, על כלי הנשק שבהם התכוונו היהודים להשתמש ועל נוכחותו של הצבא הבריטי באזור. גילוי הסודות הסב מידה רבה של תסכול בקרב היהודים שהתקשו להבין מדוע משתבשות לפתע מרבית פעולותיהם.

מצפונה של שירי לא נקף אותה אף לרגע. הסכסוך בין היהודים לערבים כלל לא עניין אותה. היא ניהלה את חייה כבתוך בועה, לא קראה עיתונים ולא האזינה לחדשות ברדיו. האפשרות שהמידע שלה יגרום גם לקורבנות בנפש לא עלתה כלל על דעתה. כל שעניין אותה היה הכסף והפקדת שטרות נוספים בחשבון הבנק שלה. היא הייתה מרוצה, מנהל הבנק שלה היה מרוצה.

הופעות העירום שלה על במת "ספלנדיד" משכו עוד ועוד קהל, ומנהל המועדון הרחיב את האולם והעלה את שכרה. שמה עבר מפה לאוזן ואנשים הגיעו מכל הגליל כדי לצפות בה. היא נהגה ככוכבת, שלחה אל הקהל מבטים מתנשאים ולא היססה להעליב גברים שלא היו מוכנים לבזבז את כספם ללא הבחנה. היא נמנעה מלהתרחץ בכינרת משום שלא הסכימה שגברים יצפו בגופה ללא תשלום.

כל חייה סבבו סביב הזוהר המלאכותי של המועדון, סביב האנשים שהעריצו אותה, שראו בה לא רק כוכבת נחשקת, אלא גם אישה שלא הייתה יפה ממנה בכל טבריה.

.3

מלחמת העולם השנייה לא פסחה על הצבא הבריטי בארץ ישראל. חיילים וקצינים לא מעטים קיבלו בשמחה ובגאווה את ההחלטה להוציא אותם מהארץ ולשבצם ביחידות קרביות בחזית. אניות עמוסות אנשי צבא הפליגו מנמל חיפה אל יעדי הלחימה באירופה ואלפים מצאו את מותם במהלך קרבות הדמים. תומאס ג'ורדן לא רצה להשתתף בלחימה. הוא עשה כל מאמץ כדי להוכיח שתפקידו חיוני וניצל את קשריו כדי להתחמק מהגיוס. הוא לא היה מוכן לעזוב את הארץ ולהשאיר מאחוריו את הנערה שאהב כל כך.

ביום שטוף שמש נכנס ג'ורדן לחנות תכשיטים גדולה ברחוב המלכים בחיפה. זבנית מטופחת קידמה את פניו בחיוך מקצועי.
"במה אוכל לעזור לך?" שאלה באנגלית.
"אני מחפש טבעת יפה לבחורה צעירה."
היא הציגה לפניו עשרות תכשיטי כסף וזהב. הוא בחר בטבעת זהב עבה ושילם חלק ניכר מכספי החסכונות שלו. הזבנית הניחה את הטבעת בתיבת תכשיטים מצופה בקטיפה אדומה.
"תרצה להוסיף פתק ברכה?" שאלה.

הוא הניע בראשו לשלילה.

"מה שיש לי להגיד," חייך, "אגיד לגברת בעל פה."

הוא היה עסוק בפעילות מבצעית כל אחר הצהריים ויצא לטבריה רק בשעת ערב חשוכה. בשלוש אחר חצות התדפק על דלת חדרה של שירי. היא ניעורה בכעס. לא היה לה כל חשק לקדם את פניו של אחד ממחזריה. הלילה היא רצתה לישון.

"מי זה?" שאלה מבעד לדלת.

"תומאס."

באי־רצון עטתה מעיל על כתונת הלילה שלה ופתחה לו. הוא הביט בה בעיניים מוצפות אהבה, שאף לריאותיו את ניחוח הבושם שעלה מגופה ודימה לראותה במערומיה מתחת לכיסוי הלבוש.

"מצטער על השעה המאוחרת," אמר בקול רך, "פשוט רציתי להביא לך מתנה."

הוא הושיט לה את הקופסה הקטנה. היא פתחה אותה וחשפה את הטבעת. היא שיערה שהקצין שילם עבורה כסף רב.

"מה עשיתי כדי להיות ראויה לזה?" שאלה בתמיהה.

"סתם. התחשק לי לתת לך מזכרת ממני," השיב, "תרשי לי לענוד לך אותה?"

היא הושיטה את ידה והוא השחיל את הטבעת על אחת מאצבעותיה.

"מתאים לך," לחש.

היא רצתה שילך, אבל לא ידעה כיצד לומר לו זאת מבלי שייעלב. לבסוף שאלה אם ירצה לשתות תה בחברתה.

"ברצון."

היא שפתה את הקומקום ומזגה תה לשתי כוסות.

"ספר לי משהו מעניין," ביקשה.

הוא סיפר לה שבמסגרת תפקידו חקר תקריות דמים בין ערבים ליהודים, עצר חשודים שהחזיקו בכלי נשק שלא כחוק וניסה להשכין שלום במידת האפשר. הוא סיפר לה על מה שעשה, על האנשים שחקר ועל אלה שעצר ופירט את תוכניות הפעולה שלו לימים הקרובים.

"אני לא מבינה בזה הרבה," אמרה, "מצדי, שיהרגו כולם זה את זה."

"גם לי לא אכפת," השיב בחיוך.

היא אמרה: "אתה ממלא תפקיד קשה שלא מעורר בך שום התרגשות. אתה מצפה שהיהודים והערבים יחסלו זה את זה, למרות שמצפים ממך שלא תניח לזה לקרות. איך אתה יכול לחיות ככה?"

"יש דברים שאני יכול לחיות איתם, יש דברים שלא."

"עם מה למשל אתה לא יכול לחיות?"

"אני לא יכול לחיות בלעדייך. רוב הזמן אני חושב עלייך."

היא כבר שמעה ממנו הצהרות על אהבתו. זה לא הפתיע אותה.

"אני מרגיש אותך יום ולילה זורמת בדמי, ממלאה את לבי. אף פעם לא אהבתי אישה כמו שאני אוהב אותך."

היא באה במבוכה. הוא היה אלגנטי ופיקח, הוא היה בקי ממנה באלף ואחד נושאים, אבל היא לא אהבה אותו.

"אני צעירה מדי בשבילך," ניסתה להתחמק.

"לא חשוב לי... את האישה שהגורל ייעד לי... אני רוצה להיות שלך לנצח... אני רוצה להיות הגבר האחד והיחיד שלך..."

"תודה, תומאס. אני מעריכה את גילוי הלב שלך. אני שמחה שאתה אוהב אותי, אבל הסברתי לך כבר שאינני יכולה לחיות בתנאים שאתה מציע לי."

פניו התכרכמו.

"תגידי לי את האמת, יש לך מישהו אחר?" שאל.

"אין לי אף אחד."

"זה לא יכול להיות. את כל כך יפה, את מושכת, אני בטוח שיש לך מחזרים בלי סוף. איך אוכל להיות בטוח שאין לך מישהו אחר?"

רגשי הקנאה שלו היו חזקים ממנו. עד שפגש אותה לא קינא בשום גבר על רקע רומנטי, אבל עכשיו חש מועקה כבדה כשחשב על האישה שאהב ועל הגברים שרצו בה. גילויי הקנאה שלו עוררו בשירי רטט עצבני.

"אמרתי לך שאין לי מישהו אחר," עמדה על שלה בתקיפות, "זה צריך להספיק לך."

הוא שלה מכיסו כמה שטרות והניח אותם על השולחן בצד כוס התה שלא נגע בה. "עוד מתנה ממני," אמר ועיניו לא משו ממנה.

היא לקחה את הכסף באדישות. היה לה ברור מה הוא רוצה. התשוקה שלו לשכב איתה ריחפה באוויר כעשן סמיך, ולא הייתה לה כל בעיה להיכנס איתו למיטה. בקרבה קיננה ההרגשה שעליה לגמול לו סוף סוף על מאמציו ללמד אותה אנגלית. הוא היה גבר שנתן לה משהו שרצתה ולא ביקש כל תמורה. בתנועה איטית השילה מעליה את חלוקה, הושיטה לו יד ומשכה אותו אליה.

הוא שכב איתה בלהט והיא נענתה לו כאשר ידעה.

"אני אהרוג כל מי שייגע בך," לחש באוזניה כשהתפרקד לבסוף לצדה, מלטף את גופה, סחוף אהבה ונסער.

"אל תדבר שטויות," החזירה לו לחישה והתהפכה על צדה.

הוא נותר ער. מחשבותיו נסבו רק עליה. דמיונו הסוער הרחיק לכת. הוא הראה לו אותה לבושה בשמלה לבנה ובוהקת, ניצבת לצדו

בכנסייה המרכזית של מנצ׳סטר ומשיבה בהן חרישי כשהיא נשאלת על ידי הכומר אם היא מסכימה להינשא לו.

.4

תומאס ג׳ורדן רצה להאמין שאין גבר אחר בחייה של שירי, אבל משהו מטריד הערים בקרבו גל של חששות. הוא ראה אותה מפלרטטת עם גברים ליד דלפק המשקאות, מגיבה בצחוק מתגלגל להלצותיהם ורוקדת איתם צמודים לגופה. הוא ידע שרובם מחזרים אחריה ולמד מניסיונו, שכסף עשוי לשבור את כל מחסומי התנגדותה.

כשיצא מדירתה כבר הנצה ראשיתו של השחר. הוא התיישב על ספסל מול ביתה ומוחו המה ממחשבות שהתגבשו לכלל החלטה נחושה: יהיה עליו לעמוד על המשמר, להקדיש את מעט זמנו הפנוי למעקב אחרי שירי. הוא פחד מפני מה שיגלה, אבל היה מוכן להתמודד עם הכול ובלבד שיצליח להסיר כל אבן נגף החוסמת את דרכו אל לבה של האישה שאהב.

מימיו לא היה תומאס ג׳ורדן נחוש ודבק במטרה כפי שהיה בימים אלה. הוא רצה להאמין שעל אף התנגדותה, תתרצה שירי לבסוף להינשא לו. רק עוד מאמץ שכנוע אחד, רק עוד מעט לחץ והיא תהיה שלו. לא היה לו ספק שבחר באישה הנכונה. היא הייתה יפה, אשת שיחה מעניינת ומושכת, מן הסתם תהיה גם אם אידיאלית לילדים שייוולדו להם. אחרי מאמצים רבים למצוא אישה שתתאים לו זימן לו הגורל את שירי, והוא לא אבה להרפות.

מבחינתו, לא ייתכן כלל שלא יישא אותה לאישה. הוא התייחס
אליה כארוסתו לכל דבר וחש שהוא רשאי לתבוע שתשים קץ
לאותם חלקים בחייה שלא נראו לו. דבר לא יעמוד מעתה בדרכו,
גם אם ייאלץ לצורך זה לכופף חוקים או להפר אותם. היה מנוי
וגמור עמו ששירי לא תוסיף להתפשט בכל ערב נוכח מאות גברים
בוערים מתשוקה. עתה הגיע הזמן גם לסלק כל מתחרה על לבה.
היא הייתה שלו ושלו בלבד, ולשום גבר אחר לא צריכה להיות
דריסת רגל בחייה.

קנאתו של תומאס ג'ורדן בערה בקרבו. הוא רצה להיות בטוח, ששום
גבר אינו מבלה את הלילה בדירתה של שירי ומתנה איתה אהבים
כאילו היא שייכת רק לו. הוא חש שכוח חזק ממנו כופה עליו לגלות
את האמת.

בשעות הערב לקח את הטנדר של יחידתו ונהג בו לטבריה. הוא
הספיק לראות את שירי מסיימת את הופעתה במועדון ועולה לדירתה.
דקות אחדות לאחר מכן הבחין בגבר זר הניבט מחלונה אל הרחוב.
האור כבה ועלה שוב כעבור שעה קלה. ג'ורדן עקב בעיניו אחרי הגבר
שיצא מן הבניין ונעלם.

בלילה הבא אירחה שירי גבר אחר, והדברים חזרו על עצמם. האור
כבה, נדלק שוב אחרי זמן מה והגבר הסתלק מן הבניין. ג'ורדן היה
אחוז חימה. הוא הניח שהגברים העולים לדירתה של שירי מגיעים
אליה היישר מן המועדון ומסתלקים לאחר שבאו על סיפוקם. בליבו
גמר אומר, שימצא דרך לסלק אותם משם לתמיד.
הוא הוסיף לעמוד על המשמר ללא ליאות. בלילה השלישי שם
לב שהגבר, העושה דרכו אל דירתה של שירי מגיע מבחוץ ולא מתוך

המועדון עצמו. האיש החנה את מכוניתו לא הרחק מהבניין ונכנס בפתח.

ג'ורדן התמקם בנקודת תצפית נוחה. האור בדירתה של שירי כבה. הוא התכונן לשהות קצרה אבל הזמן חלף, השעות נקפו והגבר הזר, שלא כמו הקודמים לו, לא יצא מהדירה. בעיני רוחו צפו מראות שלא רצה לראות. הוא לא הצליח להבין את הסתירה בהתנהגותה של שירי. מצד אחד היה בטוח שהיא אוהבת אותו ובסופו של דבר גם תינשא לו. מצד שני, אף שידעה שהוא מסרב להשלים עם זה, אירחה גברים בדירתה בלילות. למה היא עושה זאת? שאל את עצמו. למה היא פוגעת בו? האם היא נהנית להתגרות בו? האם היא עושה כל זאת פשוט משום שעודנה צעירה שאינה יודעת להבדיל בין טוב לרע?

במשך שעות ישב מול חלונה החשוך עד שעלה האור בדירה. שעה קלה לאחר מכן יצא מפתח הבניין הגבר שנכנס לשם בשעות הערב. גם לאורם הקלוש של פנסי הרחוב זיהה אותו ג'ורדן מיד. מאז נכנס לתפקידו כאחראי על ביטחון האזור, קיימו ג'ורדן וגוטליב כמה פגישות עבודה. הקשר ביניהם היה ענייני בלבד.

גוטליב הלך כברת דרך, נכנס למכוניתו ונסע לדרכו.

קפטן ג'ורדן נסע בעקבותיו, שומר מרחק כדי לא לעורר חשד. מכוניתו של גוטליב טיפסה במעלה הפתלתל של הכביש המוליך לצפת. היא נכנסה לעיר שהייתה שקועה עדיין בשנת לילה עמוקה. הטנדר נסע אחריה עד שעצרה ליד אחד הבתים. גוטליב יצא מהמכונית, פתח את דלת הבית במפתח ששלף מכיסו ונכנס פנימה. הקצין הבריטי דומם את המנוע והמתין דקות אחדות. אחר כך פסע לעבר הבית וחלף על פניו, תוך שהוא קורא את השלט על השער:

משפחת גוטליב. עכשיו היה בטוח. גוטליב הוא האיש שביקר את שירי בלילות.

ג׳ורדן התקשה לעכל את המידע החדש. מנהל הרובע לא נראה לו כלל כלקוח אופייני של מועדון לילה. הוא גם לא נראה כמי שקל לו לכבוש לבבות של נשים צעירות. איך אם כן הצליח לקשור קשר עם שירי? מדוע פתחה בפניו את דלת דירתה בלילה? האם כספו של גוטליב סינוור אותה ושיבש את שיקוליה?

בימים שלאחר מכן ארב ג׳ורדן לגוטליב שוב לא הרחק מדירתה של שירי. פעמיים בשבוע ראה אותו מגיע לביקור לילי וחומק משם לפני עלות השחר. הקצין הבריטי לא נזקק לעובדות נוספות כדי להגיע למסקנות נחרצות על זהותו של האיש שביקר את שירי.

.5

יחידת הסיור של קפטן תומאס ג׳ורדן יצאה לדרך עם עלות השחר. שעתיים לאחר מכן נכנסה לכפר הערבי שבו התגורר מחמוד אל באדר מאז עזב את בית הוריו כדי שיוכל לעשות כל מה שעולה בדעתו. תומאס הסתייע באגף המודיעין הבריטי כדי לאתר את הכתובת הזאת.

שתי השריוניות והטנדרים עצרו ליד פתחו של אחד הבתים. ג׳ורדן פקד על אנשיו להישאר בכוננות בעת שהוא עצמו נכנס פנימה. מחמוד אל באדר הפסיק את שתיית הקפה ונעץ מבט תמה בקצין הבריטי, שהתייצב לפניו במדי השדה שלו.

ג׳ורדן חייך.

"שוב אנחנו נפגשים," אמר בנועם קול, "מה שלומך?"

"בסדר גמור. מה קרה? עשיתי משהו רע?"

"לא משהו שידוע לי."

"אם כך, מה מביא אותך אליי?"

"באתי לעצור אותך."

"השתגעת?"

כממתיק סוד אמר ג'ורדן: "תבין, המעצר הוא רק תירוץ להביא אותך אל מקום שבו נוכל לדבר בלי לעורר חשד. אני מבטיח לשחרר אותך מיד לאחר שנגמור לדבר."

מחמוד היסס. האם זו מלכודת, שאל את עצמו, האם ג'ורדן נשלח לעצור אותו ומבקש באמצעות הבטחות סרק לוודא שהערבי הצעיר לא יתנגד למעצר?

"איך אני יכול להיות בטוח שאתה אומר את האמת?" שאל מחמוד.

"אתה חייב לסמוך עליי. אין לך ברירה."

"בסדר," אמר מחמוד והושיט את שתי ידיו לאזיקים ששלף הקצין הבריטי.

הוא הועלה על אחד הטנדרים, והיחידה שבה לבסיסה. שם, במשרד של ג'ורדן, הסיר הבריטי את האזיקים מידיו של הערבי. הם היו לבדם בחדר.

"זוכר את הפגישה הראשונה בינינו?" שאל תומאס ג'ורדן.

"זוכר."

"יכולתי בקלות רבה לעצור אותך אז ולהעמיד אותך למשפט. היית עלול לשבת בכלא כמה שנים. שחררתי אותך. זוכר גם את זה?"

"כן. אני אסיר תודה לך."

"כמה אסיר תודה?"

הערבי היה פיקח כשד. הוא הבין שג׳ורדן לא היה טורח כל כך אלמלא רצה ממנו משהו בתמורה למחווה שעשה כלפיו בעבר.

"מה אתה רוצה?" שאל את הקצין.

ג׳ורדן לא הלך סחור סחור.

"מישהו מפריע לי. אני רוצה שתחסל אותו."

מחמוד אל באדר חייך בהנאה. עכשיו הייתה ידו על העליונה. הבריטי זקוק לו והוא לא ימכור את עצמו בזול.

"מי האיש?" שאל.

"מנהל הרובע היהודי בצפת . שמו יעקב גוטליב."

מותו של גוטליב, חשב תומאס, ילמד את שירי לקח בל יישכח. היא תבין שגם שאר מחזריה עלולים להיפגע. תומאס קיווה שתחדל להזמין אותם לחדרה.

"זה לא יהיה פשוט," אמר מחמוד, "גוטליב הוא לא יהודי סתם. אם אחסל אותו, העיתונים, הפוליטיקאים והבריטים, כולם יחפשו את מי שעשה את זה."

"אני יודע, אבל אין ברירה."

"למה אתה רוצה לחסל אותו?"

"זה לא עניינך."

"או קיי. יש לך צילום שלו?"

"אין לי."

"זה מסובך," אמר מחמוד, "הסיכון גדול מדי. אצטרך לקחת עוד כמה אנשים בשביל זה."

"לא חשבתי שתוכל לעשות את זה לבדך."

ג׳ורדן השליך על השולחן חבילת שטרות. זו הייתה כל המשכורת החודשית שלו שקיבל ימים אחדים קודם לכן.

"זה מיועד לכיסוי ההוצאות," אמר. הערבי אסף את הכסף לכיסו
בלי לספור.

"ספר לי על הגוטליב הזה," ביקש.

"הוא בן חמישים בערך. יש לו בית בצפת ברחוב התדהר 17."

"הוא נשוי?"

"לא יודע."

"ספר עוד."

"פעמיים בשבוע נוסע גוטליב למועדון הלילה 'ספלנדיד' בטבריה
ונשאר לבלות בלילה עם החשפנית של המועדון."

"איזבל?"

"כן. אתה מכיר אותה?"

"מי לא מכיר אותה?"

פניו של תומאס נעוו. עוד מישהו שמכיר את האישה שאהב. עוד
מישהו שאולי שכב איתה.

"מה עוד יש לך לומר לי?" שאל מחמוד.

"אני פשוט רוצה שאתם תחסלו אותו. החקירה תוטל כנראה עליי,
ואני כמובן לא מתכונן למצוא שום עקבות."

"מתי אתה רוצה שזה יקרה?"

"הכי מוקדם שאפשר."

"אם משהו יקרה, אם אצטרך לעמוד איתך בקשר, איך אעשה
זאת?"

"לא תוכל להתקשר. אסור לאף אחד לדעת שיש בינינו קשר."

.6

מחמוד אל באדר רצה לבצע כהלכה את משימת החיסול שהוטלה עליו על ידי קפטן תומאס ג'ורדן. הוא הבין שיחסים הדוקים עם הקצין הבריטי רק יוכלו להועיל לו בעתיד. למן הרגע שבו שילם לג'ורדן שוחד כדי שלא יעצור אותו, היה ג'ורדן שבוי בידי הערבי. גם הוא וגם הבריטי ידעו זאת.

במוסך קטן בכפר שבו התגורר שכר מחמוד מכונית מסחרית ישנה, שכתמי חלודה כבר החלו לנגוס במעטה הפח שלה. הוא ערך בה נסיעת ניסיון שעברה ללא תקלות.

כשהוא יושב ליד ההגה ואחד מחבריו הטובים יושב לצדו, נכנסו בשעת ערב מוקדמת לצפת ועצרו ברחוב מגוריו של יעקב גוטליב.

זמן מה לאחר מכן ראו השניים מבעד לחלון המכונית אישה נמוכת קומה עם סל קניות נכנסת אל הבית ברחוב תדהר 17. אחרי שעה קלה נכנס לשם גבר קשיש. מחמוד הניח שזהו הקורבן המיועד, אבל הוא לא היה יכול להיות בטוח. הוא שלח את חברו להתדפק על הדלת ולשאול אם נחוץ להם גנן. הבחור מילא את המשימה ביעילות. את הגבר שפתח בפניו את הדלת שאל אם הוא מר יעקב גוטליב, מנהל הרובע היהודי. גוטליב השיב בחיוב. הערבי הציע לו את עצמו לעבודה כגנן. גוטליב השיב שאינו זקוק לגנן וטרק את הדלת.

כשחזר הבחור אל המכונית ודיווח לחברו על פגישתו עם גוטליב, חכך מחמוד בדעתו אם יהיה זה נבון להיכנס עתה אל הבית ולחסל שם את הקורבן בסכין שהייתה בכליו. אבל הוא חשש שזה לא יהיה פשוט. הייתה בבית אישה, כנראה אשתו של הקרבן, גוטליב עלול

לזעוק לעזרה, שכנים יגיעו ומחמוד וידידו ייעצרו על ידי המשטרה.

השניים המתינו שעות, הלילה ירד והצינה גברה. כאשר החליטו לשוב על עקבותיהם ולחדש את המעקב למחרת, יצא לפתע גוטליב מביתו, נכנס למכוניתו ונסע. מחמוד התניע את המכונית המסחרית ונסע בעקבותיו.

גוטליב נסע למועדון הלילה בטבריה, השאיר את מכוניתו במורד הרחוב ועשה דרכו לעבר הבניין שבו שכן המועדון. מחמוד שלף את הסכין ומיהר בעקבותיו. הרחוב הריק זימן לו את ההזדמנות שציפה לה. גוטליב היה לבדו, עוברים ושבים לא נראו, תקיפתו של ראש הרובע היהודי ובריחתם של תוקפיו היו יכולות להתנהל בהצלחה.

מחמוד וחברו קרבו מאחור אל הקרבן. כל אחד מהם ידע בדיוק מה מוטל עליו לעשות. החבר החזיק בידו מוט ברזל שנועד להמם את גוטליב, מחמוד החזיק בסכין שנועדה לשים קץ לחייו.

בצעדים מהירים צמצמו השניים את המרחק בינם לבין האיש. עוד רגע או שניים והאיש יהיה מוטל על אבני המדרכה שותת דם ונוטה למות.

אבל גוטליב טרף את כל הקלפים. כאילו חש בסכנה המאיימת עליו, מיהר להיכנס לבניין המועדון, עלה לקומה השנייה ונשאר שם. מחמוד גידף בחשאי וחזר על גידופיו ככל שהתארכה שהותו של הקרבן באותו בית.

כשעלה השחר וגוטליב יצא משם בדרכו למכוניתו כבר היה מאוחר מדי לפגוע בו. ברחוב התנהלו כמה עוברים ושבים בדרכם למקומות עבודתם. כמה כלי רכב חלפו ביעף.

7.

בשעות הצהריים של יום החתונה יצאה מצפת מכוניתו של אבי הכלה יעקב גוטליב. במכונית הצטופפו חמישה נוסעים לבושים חגיגית. במושב האחורי ישבו אחותה של הכלה ובעלה, ועל ברכיו בנם דני בן הארבע. גוטליב ישב ליד ההגה ולצדו ישבה אשתו. הם יצאו מהעיר לעבר הכביש המוליך לחיפה, והתנהלו לאיטם אחרי משאיות כבדות וכלי רכב פרטיים.

מחמוד נסע בעקבות מכוניתו של גוטליב בכביש היורד מצפת. אחרי נסיעה של שעתיים הבחין בו מחמוד כשהוא עוצר בפתחו של בית בפרברי חיפה. התכונה בבית העידה על טקס כלולות העומד להתרחש שם. מחמוד ראה כלה לבושה בלבן משוחחת עם אורחיה. הוא הניח שגוטליב הוא קרוב משפחה, לכן העריך שהקרבן שלו לא ישוב עם נוסעיו לצפת לפני שתסתיים מסיבת החתונה.

לא נשאר לו זמן רב. הוא סחט את דוושת הדלק ואסף כמה חברים מכפרים ערביים ליד חיפה. כל אחד מהם נדרש להביא איתו את נשקו האישי.

האורחים נכנסו אל הבית שבו עמדה להיערך החתונה. "אני שמחה שבאתם," אמרה הכלה להוריה הנרגשים שנשקו על לחייה. השמחה הייתה בעיצומה. מכר של הזוג ליווה באקורדיון את ידידת הכלה ששרה את השיר "רועה ורועה":

היא לו, הוא לה,

שתי עיניים אהבה,
היא לו, הוא לה,
שתי עיניים להבה...

דני בן הארבע, בנה של אחות הכלה, זלל בתיאבון פרוסה מעוגת
החתונה. כפות ידיו, פיו, לחייו ואפו עוטרו בכתמי קצפת לבנים
שנמסו בחום הערב. בביתו הרחוק לא הכינו מעולם עוגות קצפת,
משום שאף פעם לא הספיק הכסף לדברי מותרות, כמו למשל עוגות
בעלות מרקם עשיר. אמו הסתפקה באפיית עוגות פשוטות העשויות
מקמח, מים וסוכר.

המעדן המתוק ערב לחיכו של הילד. הטעם היה שונה מכל מה
שהורגל אליו, והוא כילה ברעבתנות את פרוסת העוגה שלו. אמו
עיקמה את פרצופה כשהבחינה בבולמוס האכילה שלו. "דני, מספיק
לאכול עוגות," בקע קולה הנוזף של האם מבין קהל הקרואים. היא
חפזה אל בנה והסירה את כתמי העוגה בתנועות יד נמרצות ובסיוע
מגבת לחה. דני עיווה את פניו בהבעה של מורת רוח. הוא רצה שיניחו
לו ליהנות מהמעדן הנדיר ללא כל הגבלות.

אמו, אחותה של הכלה, נרתמה להכנות האחרונות. היא שקדה על
הגשת מגשי הכריכים ועל פתיחת בקבוקי המשקאות. בעלה טיפס על
סולם ומתח נורות צבעוניות לאורך ולרוחב החצר. הוריהם התיישבו
על ספסל עץ, לגמו תה חם וחיכו לטקס. הילד שזלל די והותר עוגות
התפנה להאכיל תרנגולות בלול בפאתי החצר.

הזוג הצעיר היה מאושר. הכלה לבשה חולצה לבנה עם צווארון
רקום וחצאית לבנה פשוטה, החתן היה חנוט בחליפה שקיבל
בהשאלה. שניהם היו עולי ימים, עניים, אוהבים ומייחלים לטוב. רוב

מתנות החתונה היו פשוטות וזולות. איש מהאורחים לא הביא כסף. הזמנים היו קשים והממון נדיר.

הערב ירד ואלמלא תקרית העוגה היה הילד נהנה שם מכל רגע. בחצר הבית הקטן בעיר התחתית של חיפה עלה אור בנורות הצבעוניות, הוגשו כריכים מגוונים ונמזגו גזוז, צוף ובירה. האורחים שהגיעו הרימו את הילד על ידיהם, נשאו אותו על כתפיהם, עלזו וצהלו ואיחלו אושר ובריאות לזוג הצעיר שהחזיק ידיים, החליף מבטים אוהבים וציפה לרגע שבו כל האורחים ייעלמו כדי שיוכל סוף סוף להתבודד.

סמוך לחצות דעכה השמחה. בשקט שהושלך בחצר נשמעו קולות פרידה חרישיים של האורחים האחרונים. מרחוק קרעה את האוויר צפירתה של אניית משא שהפליגה מהנמל, ומן המטבח נשמע קשקוש סירים וצלחות מתחת לברז המים בכיור. החצר התרוקנה ובני המשפחה הקרובים נפרדו לשלום. מחוץ לבית המתינה מכוניתו של יעקב גוטליב, שעמדה להחזיר את אחות הכלה, בעלה, בנם הקטן והורי הכלה לבתיהם בצפת. דני הצטופף ליד אביו במושב הקדמי בין אביו לנהג. שאר הנוסעים נדחקו מאחור. גוטליב התניע, המכונית זזה ממקומה ודני קיבל את הזכות ללחוץ פעמיים על הצופר, כדי לסלק מהדרך עגלת משא רתומה לסוס.

אורות בתיה של חיפה נעלמו מאחורי ירכתיה של המכונית. כביש האספלט הצר שנסלל על ידי השלטון הבריטי טבל באפלה ואורות פנסיה של המכונית האירו בקושי את קטעי הדרך שנבלעו מתחת לגלגלים. הנוסעים החליפו חוויות מטקס הנישואין. הילד נרדם. מדי פעם נראו בצד הכביש כמה בקתות של תושבים ערבים ובחלונות אחדים הבהב אורן הקלוש של עששיות נפט.

גוטליב הציע סיגריות לנוסעיו. הוא עצמו הצית אחת תוך כדי נהיגה ועשן דק וריחני נמלט דרך החלונות הפתוחים. רוח צוננת נשבה פנימה, נושאת עמה את ניחוחם של שיחי זעתר ורוזמרין שגדלו פרא בגבעות הסמוכות. גוטליב הכיר היטב את הדרך. הוא עבר בה כבר פעמים רבות והנסיעות הארוכות היו חביבות עליו בעיקר בשעות היום, כשהכול נראה תמיד רגוע ושלו. בשולי הכביש, בין זריחת השמש לשקיעתה, מכרו רוכלים ערבים חייכניים פיתות טריות, זיתים ופירות, וילדים שיחקו בין עצי תאנה עמוסי פירות בשלים.

השלווה, ביום ובעיקר בלילה, הייתה לא יותר ממראית עין. מתח כבד רבץ ללא הרף באוויר. יהודים וערבים מצאו עצמם לא פעם נלחמים זה בזה כשכל צד טוען לזכותו על הארץ, ושום צד לא מצליח לספק הוכחת בעלות חותכת. אנשים נפצעו ונהרגו ומשמרות הצבא הבריטיים ניסו לשווא לשכך את האש. בכביש חיפה-צפת נפתחה לעתים אש מפוזרת ממקור בלתי ידוע אל כלי רכב יהודיים שעברו בכביש. חודשים אחדים קודם לכן נסרט נוסע מקליע שחדר למכוניתו. אבל גוטליב שהסיע את בני המשפחה מחיפה לא פחד שיתקשה להתמודד עם התקפת מחבלים. היה לו אקדח פרבלום טעון והוא ידע להשתמש בו כהלכה.

הכביש התפתל בין בתי הכפר עין מג'דל והחל לטפס על ההר כמו נחש שחור ומאיים. הכפר הערבי נעלם. ניחוחו הכבד של עשן הטאבונים נמוג ונביחות הכלבים התרחקו. המכונית האטה, המנוע השתעל והגלגלים קיפצו על פני מהמורות הדרך. הלילה היה אפל, הכוכבים נעלמו יחד עם הירח. דני מלמל משהו בשנתו וזרועותיו של אביו נכרכו סביב כתפיו.

הנוסעים הביטו מבעד לחלונות ועיניהם ביקשו לחדור את החשכה הסמיכה. צפת הייתה עדיין רחוקה.

לפתע, מבין הסלעים בצדי הדרך הבהב ניצוץ ומיד לאחריו, כמו על פי פקודה נסתרת, נפתחה אש רובים ומקלעים לעבר המכונית. גוטליב בלם ושלף את אקדחו. הוא ירה לעבר מקורות האש, אבל התוקפים היו רבים ממנו וכלי הנשק שלהם ירקו אש רבה ומדויקת יותר. קליעים ניקבו את המכונית כאילו היה כיסוי הפח שלה עשוי נייר. המנוע החל לבעור והלהבות פשטו במהירות גם לעבר מושבי הנוסעים. הלכודים פרצו בצעקות וניסו לשווא לפתוח את הדלתות אחוזות האש. אבי הילד היה היחיד שהצליח להתגלגל החוצה. הוא סכך בגופו על בנו, פרפר דקות אחדות והחזיר את נשמתו לבוראו. פרט לילד לא נותר איש מהנוסעים בחיים.

חבורה בת חמישה גברים מזוינים הגיחה ממסתור הסלעים וקרבה אל המכונית לוודא שאיש מנוסעיה אינו חי עוד. הם דיברו בהתרגשות בקול רם ועיניהם התמקדו בלהבות שאפפו את המכונית כאילו לא הייתה יותר מערימת זרדים יבשים. "עשינו עבודה טובה," התפאר אחד מהם, נער בן שבע עשרה שהחזיק בגאווה רובה חצי אוטומטי.

רחש מתקרב הפר לפתע את הדממה. מכיוון צפת ירדה לאטה מכונית "אנגליה" קטנה. ליד ההגה ישב עבד אל באדר, רופא ומיילד כבן ארבעים, משופם וחמור פנים, לבוש בחליפה אפורה. הוא עשה את דרכו אל ביתו בעין מג'דל אחרי טיפול חירום בחולה קשישה בכפר סמוך. מראה המכונית העולה בלהבות הכה אותו בתדהמה. תחילה היה סבור שנקלע לתאונת דרכים. אחר כך, למראה חבורת הצעירים שהגיחה מבין הסלעים, הבין מה אירע שם. הוא זינק ממכוניתו ופילס

דרך בין חבורת התוקפים. רובם לא היו בני הכפר שלו. כשניגש אל ההרוגים כיוון אליו אחד מן החבורה את נשקו, אבל מישהו אחר פקד עליו להימנע מירי.

"זה אבא שלי!" צרח מחמוד אל באדר, "אל תגעו בו!"

הוא היה מפקדם והם צייתו לו גם כשלבם אמר להם אחרת. הרופא לא נזקק לבדוק את הגופות. נראה היה בבירור שהן חסרות רוח חיים. רק אחד, הילד הקטן, הצליח לנשום. הוא היה פצוע קשה ברגליו, לחיו הימנית שתתה דם מסריטת קליע. מפיו בקעו אנקות כאב שנמהלו בבכי תמרורים.

הרופא נטל אותו בזרועותיו, הביא אותו אל מכוניתו, סובב את ההגה וניסה לחזור על עקבותיו.

"לאן?" צעק לעברו אחד הצעירים.

"לבית החולים," החזיר הרופא, "הילד צריך לקבל טיפול רפואי דחוף!"

הם חסמו את דרכו ולא הניחו לו לנסוע.

"תשאיר את הילד לנו. אנחנו כבר נטפל בו," בקע מתוך החשכה קול צרוד.

הרופא פלט גידוף, אבל חש שאינו רוצה לסבך עוד יותר את העניינים הסבוכים בלאו הכי. הוא החזיק בהגה מכוניתו ונסע בלית ברירה לביתו. "כואב לי," יילל הילד שדמו הכתים את מושבה האחורי של המכונית, "נורא כואב לי."

8.

אור השחר הציף בנוגהו את בתיה הלבנים של צפת במרום הרי הגליל.
האוויר היה צונן וצלול. בעופאי העצים הגיחו ציפורים מקניהן בציוץ
פעלתני.

העיר נמה עדיין את שנתה. מקרוב, ממרומי מסגד ברובע הערבי,
נשמעה קריאת המואזין, בעוד שמתפללים יהודים מעטים, מכורבלים
במעילים וחובשים כובעי צמר, עשו דרכם בסמטאות העתיקות אל בתי
הכנסת. דוכני השוק היו עדיין סגורים, החנויות טרם נפתחו ורק משאית
אחת חפזה אל תחנת המשטרה המקומית. לשוטר התורן הודיע הנהג כי
בדרכו לצפת הבחין בשרידי מכונית שהותקפה קרוב לוודאי מהמארב.

"היו שם נוסעים?" שאל היומנאי.

הנהג הרכין את ראשו.

"קשה לי להאמין שמישהו מהם הצליח להישאר בחיים."

"היה אמבולנס? מישהו שטיפל בהם?"

"לא נראה לי. ראיתי גופה אחת ליד המכונית. שאר הנוסעים
נלכדו כנראה בלהבות. לא היה להם סיכוי. ברחתי משם במהירות
מחשש שהתוקפים נמצאים בשטח."

הידיעה על ההתקפה בדרך לצפת פשטה במהירות בעיר. לא
הייתה ברורה עדיין זהותה של המכונית או של נוסעיה, אבל רבים
מקרובי המשפחה של ההרוגים התגודדו במקום ונשאו את מבטיהם
אל הכביש העולה לצפת. איש מהם לא ידע מי בדיוק היו ההרוגים.
הם רצו להאמין שהמכונית של גוטליב התעכבה בדרך בגלל תקלה
כלשהי, וציפו לחבק את יקיריהם בקרוב.

אבל המכונית בוששה לבוא ועם כל רגע חולף התעצמו חששותיהם. אחדים מהם עוררו משנתם את הרופא המקומי ואת נהג האמבולנס היהודי, ונסעו בכביש היורד מן ההר לחפש את הנעדרים. כשקרבו אל זירת הרצח הם הבחינו בכמה כלי רכב בריטיים ובקפטן תומאס ג'ורדן ואנשיו, שעמדו ללא ניע מול שרידי מכוניתו של גוטליב.

ג'ורדן, שהוזעק למקום המארב על ידי הקצין התורן בתחנת המשטרה בצפת, הגיע לשם לאחר שהמכונית ונוסעיה הפכו כבר מזמן לגל פחמים שחור. קרובי המשפחה מצפת ביקשו לדעת איך זה קרה ומדוע לא הוגשה מיד עזרה רפואית לנפגעים. קפטן ג'ורדן משך בכתפיו.

"אין לי שום מושג," אמר, "אנחנו נחקור כמובן כמיטב יכולתנו ונודיע לכם מה העלינו."

לא היה אפשרי לזהות את הגופות. האש כילתה את בגדיהן ופוררה לאפר דק את עצמותיהן. בלב כבד ובבכי קורע לב שבו קרובי המשפחה לצפת. מזכירתו ההמומה של גוטליב שלחה אל מקום התקרית מכונית קבורה שאספה את שרידי הגופות. הם נקברו עוד באותו יום לפני רדת החשכה.

המוני תושבים גדשו את בית הקברות, נישאו הספדים, נאמר קדיש. הייתה זו התקרית החמורה ביותר באזור זה זמן רב. רבים מהנאספים חששו שהיא לא תהיה האחרונה.

העיתונים הבליטו את הרצח בכותרותיהם הראשיות. ב"הארץ" נכתב: "מנהל הרובע היהודי בצפת וארבעה מתושבי העיר נרצחו מן המארב בכביש חיפה-צפת." בצד הידיעות הופיעו תצלומי ההרוגים והצהרות של מנהיגי היישוב היהודי על אזלת ידם של הבריטים, שאמורים היו לשמור על הסדר באזורים שבהם פעלו אנשי טרור ערבים באין מפריע.

קפטן תומאס ג'ורדן ניסח דו"ח שטחי על התקרית ומסר אותו למפקדיו. הוא ציין את סוגי הקליעים שאותם ירו התוקפים, אבל לא היה בכך כל חדש. תרמילי קליעים כאלה נמצאו במקומות רבים שבהם תקפו הערבים. לא היה גם כל חדש בקביעה של ג'ורדן שלא נמצאו כל עקבות של מטמיני המארב. במרבית התקריות לא מצאו הבריטים סימנים שיוליכו אל היורים. מניסיונו ידע ג'ורדן שהדו"ח שלו, כמו דוחות דומים רבים אחרים, ייגנז מבלי שיזכה לבדיקה נוספת.

9.

בקומה הראשונה של בית המדרש הישן של צפת למדו נערים דף גמרא. קולות רמים, כמו מקהלה מתואמת, מילאו את החדר הגדול בהתפלפלויות והתנצחויות סביב כל מילה, תג ופסקה. הם הסוו את הקולות החרישיים שמילאו את המרתף מתחת לבית המדרש, שם התכנסו בחשאי כתריסר צעירים חמורי סבר. המרתף הזה היה מקום הסתר שלהם. הם היו מתכנסים שם בעתות חירום.

בני החבורה חמקו אל המרתף בזה אחר זה אחרי שהסתיימה הלווייתם של קרבנות הפיגוע בכביש חיפה-צפת. כולם היו בניהם של תושבים ותיקים, כולם היו חברים פעילים בארגון ההגנה.

איתן גפני, מפקד ההגנה בגליל, היה רק בן עשרים ושמונה אבל הוותק שלו בארגון עלה על עשר שנים. רשמית עבד כמהנדס במשרד אדריכלים בחיפה, אך בפועל היה מנהיגם הכול יכול של לוחמי המחתרת בצפון. היו לו תכונות של מנהיג מלידה, שידע לא רק לפקד

102

על אנשיו אלא גם להיות להם חבר נאמן. בדממה שהשתררה במרתף הוא דיבר על המארב שבו קיפחו את חייהם חמישה מתושבי העיר.

"אי אפשר להניח לתקרית הזאת לעבור ללא תגובה," אמר, "התוקפים צריכים להבין שכל התקפה שלהם תוליד פעולת תגמול מצדנו. כל פגיעה שלנו בהם תרתיע אותם ואת חבריהם מביצוע פעולות נוספות."

חיסול החוליה שהציבה את המארב לא היה בר ביצוע. ברור היה שחבריה התפזרו בין הכפרים באזור ולא הייתה כל אפשרות לאתרם. אבל היו מטרות אחרות, שפגיעה בהן עשויה הייתה להכאיב לתנועת המרי הערבית. איתן גפני בחר באחת מהן.

"אנחנו נצא הלילה לפשיטה על ריכוז של פעילי טרור ערביים בגליל," אמר בקול נחרץ, "המטרה היא להרוג כל מי שנמצא שם ולהשמיד את מצבורי הנשק העומדים לרשותם."

על דף נייר שרטט את דרכי הגישה ואת מבנה היישוב והעביר את השרטוט לידי הנוכחים. היה לו מידע מדויק על מה שמתרחש בשטח. תמורת תשלום נדיב דיווחו משתפי פעולה ערבים על תוכניות האימונים, על עמדות המשמר המגנות על המקום ועל ביתני המגורים של חברי הכנופיות. גם הצבא הבריטי ידע, אבל קפטן ג'ורדן קיבל לידיו הרבה כסף כדי להעלים עין מהמתרחש.

"נצא לפעולה בשש בערב, מיד אחרי שיחשיך היום," הוסיף איתן, "נסתתר במשאית שתוביל פרות לשחיטה ונגיע למטרה אחרי שעתיים בערך." הוא ציין את תפקידו של כל אחד מהנוכחים בהתקפה המיועדת.

"לפי ההערכה שלי," סיכם, "נסיים בערך בחצות, ונחזור לצפת באותה משאית שתאסוף אותנו מהמקום."

הם קבעו להיפגש שעה קלה לפני היציאה, ליד מקום המחבוא של כלי הנשק באורווה של אחד מתושבי העיר. איתן משך טבעת ברזל וגולל אבן שחסמה את הפתח, נכנס פנימה ואסף רובים, מקלעים, רימוני יד ומאות מחסניות טעונות בקליעים. אנשיו היו מיומנים היטב בשימוש בנשק.

המשאית הובילה אותם אל שרשרת גבעות הפונה אל שדות נרחבים וחורשות של עצי זית מניבים. היא עצרה במרחק מה מהיישוב הערבי, והחבורה עשתה דרכה ברגל אל יעדה.

הם חדרו אל היישוב באמצעות פרצה בגדר. האזור שבו התגוררו המחבלים היה שקוע בשינה. חלונות הביתנים היו אפלים. שני שומרים שנמנמו בביתן השער לא ציפו להתקפה.

איתן הוביל את אנשיו אל ביתני המגורים. הם התחלקו לחוליות וכל אחת אמורה הייתה לפרוץ לביתן אחר. על פי אות מוסכם פרצו את הדלתות והחלו לרסס באש את המיטות. צעקות בהלה וכאב עלו מכל עבר. המותקפים שלא נפגעו אחזו בנשקם וירו לעבר התוקפים. איתן ואנשיו השתמשו ברימוני יד כדי לשתקם.

אחר כך התנהל בשטח קרב קשה בין התוקפים לבין שומרי המקום. אחת החוליות פנתה למחסן הנשק ופוצצה אותו על תכולתו. להבות היתמרו מהמחסן ההרוס, וקולות נפץ של תחמושת מתפוצצת שלחו הדים חדים אל בין הגבעות.

סמוך לחצות הסתיים הכול. פה ושם עדיין נורו כמה יריות, אבל היה ברור כי הפעולה הוכתרה בהצלחה. איתן ולוחמיו שבו לצפת במשאית שאספה אותם. הם לא נתקלו בשום מכשול בדרך.

10.

ביתם של ד"ר עבד אל באדר ואשתו פאטמה היה גדול ומרווח. הוא
היתמר לגובה של שלוש קומות בלב עין מג'דל ובו גדל מחמוד, בנו
היחיד של הזוג, עד שבגר והפך להיות חבר בכנופיה שיצאה לחבל
ביישובים היהודיים, לפגוע בתושביהם ולארוב לכלי רכבם בכבישי
האזור. אחרי שנודע לעבד על פעילותו של בנו בארגון טרור, ייסרו
אותו מעשיו לא אחת והוא תבע ממנו ללמוד מקצוע, אבל מחמוד
אטם אוזניו משמוע. בגלוי ומאחורי הגב הוא בז לאביו ולאמו על
אמונתם כי ניתן לפתור את הסכסוך היהודי-ערבי בדרכי שלום ועל
סירובם להשתתף במרי הערבי הפעיל. המריבות התכופות, שהסתיימו
לא אחת בטריקת דלת מאחורי גוו של מחמוד, הרחיקו אותו מהוריו.
הוא עקר למקום מגורים אחר וחזר הביתה רק לעתים רחוקות, בעיקר
כשכספו אזל והוא נזקק לסיועו של אביו.

כשנכנס ד"ר עבד אל באדר לביתו עם הילד הפצוע בזרועותיו, קידם
את פניו הכלב שלו, שהביט בו בחרדה, פלט יללת פחד והצטנף בפינת
החדר. אשתו של הרופא, פאטמה, נזעקה למשמע בכיו של דני ופניה
לבשו ארשת של תדהמה. היא הורגלה זה מכבר לראות ילדים חולים
המובאים למרפאתו של בעלה על ידי הוריהם, אך לא ראתה מעולם
את בעלה נושא ילד פצוע במו ידיו.
   פאטמה נעצה מבט בילד חיוור הפנים. חושיה החדים זיהו מיד
את מוצאו.
   "הוא יהודי, נכון?"

105

"כן."

מבחינתה, יהודים היו מחוץ לתחום, אנשים שפגיעתם רעה, כובשים שהשתלטו על שטחי ארץ ישראל בכוונה להפכם למדינה יהודית. רק מעטים מהם ביקרו בעין מג'דל לצורך קניות של פירות ושמן זית. היא זכרה ימים אחרים, בנעוריה, כשהיחסים היו טובים יותר. היו זמנים שבהם אפילו למדה מעט עברית. אבל הזמנים השתנו. היהודים התרחקו. בדרך כלל לא קשרו קשרי ידידות עם התושבים המקומיים. גם תושבי הכפר לא התרועעו עם יהודים.

חומת השנאה וההתבדלות גבהה עם כל יום חולף, עם כל תקרית דמים, עם כל גל של הסתה. אבל הילד הפצוע ששכב על המיטה בבית הרופא, כשהוא זקוק לטיפול רפואי דחוף, היה בראש ובראשונה יצור אנושי סובל. פאטמה התעלמה מכל מחשבה אחרת וכאבה את כאבו כאילו היה בנה שלה.

"מה קרה לו?" שאלה.

בעלה סיפר לה על רצח נוסעי המכונית. "הייתה שם חבורה של בחורים שהטמינו מארב למכונית," סיפר בקול עגום, "מחמוד פיקד עליהם. כשלקחתי את הילד הפצוע על הידיים שלי, התוקפים רצו לירות גם בי, אבל מחמוד לא נתן להם."

"גם מחמוד הרג אנשים?" נדהמה פאטמה. רק עתה עלה בדעתה שמחמוד עקר למקום מגורים משלו, בין השאר כדי שהוריו לא יחשפו את פעילותו, ומאז נמנע מלבקר אצלם. הוא מעולם לא גילה לאמו או לאביו מה היו מעשיו מחוץ לבית. עכשיו ההורים ידעו.

"כשהוא יגיע הביתה," אמרה בכעס, "הוא כבר יחטוף ממני."

"הוא בטח יטען שזוהי מלחמת קודש. אני לא מאמין שתצליחי לשכנע אותו להפסיק עם השטויות. אבל כל זה לא חשוב כרגע.

קודם כול אני חייב להציל את הילד," אמר בעלה.

הרופא השכיב את הפצוע על המיטה בחדר הטיפולים שלו. עיניו של
הילד התהפכו בחוריהן. הוא איבד את הכרתו.

עבד אל באדר הפשיט אותו מבגדיו וניגב את הדם מגופו. בשתי
הרגליים היו סימני כניסה של קליעים. קליע אחר צרב גם את עור
הכתף הימנית וקליע נוסף חרץ את הלחי.

הרופא לא נהג לבצע ניתוחים. הוא זכר שעשה זאת רק במסגרת
לימודיו באוניברסיטה האמריקנית בביירות, וגם שם לא היו אלה
ניתוחים סבוכים. מאז הוסמך כרופא הוא הסתפק בבדיקות של חולים
וברישום תרופות. במקרים דחופים שלח את מטופליו לבתי חולים.
עכשיו נבצר ממנו להגיע עם הפצוע לבית חולים. הוא חשש שחבריו
של בנו אורבים לו בדרך כדי להוציא מרשותו את הילד. הוא הבין שלא
יהיה מנוס אלא לטפל בפצוע במקום שבו הוא נמצא. במילים אחרות —
יהיה עליו לנתח אותו בין כתלי ביתו בתנאים שלא התנסה בהם מימיו.

בחשש גדול גהר מעל הגוף הקטן וסקר את הפצעים שהוסיפו
לשתות דם. ידו רעדה כשחיטא אזמל שנשא בתיקו לצורך טיפול
במורסות שפרחו על מטופליו. אט אט פתח באזמל את פצעי הירי,
חילץ את הקליעים, חיטא את מקום הניתוח ואחר כך תפר את קרעי
העור. בקפידה רבה תפר גם את הפצע בלחיו של הפצוע. כל אותה
עת עמדה לצדו אשתו וסייעה לו בהזרקת מורפיום לזרועו של הילד.
דני שקע בשינה עמוקה.

"מה יקרה לו עכשיו?" שאלה פאטמה.

"הוא יחיה, אבל יעבור עוד הרבה זמן עד שיוכל ללכת."

"הוא בטח לא יודע שאביו ואמו נהרגו."

"אני מניח שהוא לא יודע עדיין."

"אתה מתכונן להשאיר אותו אצלנו בבית?"

"בינתיים, כן."

"חשבת על כך שהוא לא יהיה בטוח כאן?"

"מה כבר יכול לקרות לו?"

"אתה יודע שיש לא מעט חמומי מוח בכפר שלא יניחו לנו להחזיק אצלנו ילד יהודי."

"מה הם יעשו לנו? יהרגו אותנו? אין להם בכפר רופא אחר מלבדי. הם לא יעזו לגעת בי."

"אתה תמים, עבד. הם ימצאו כבר דרך להעניש אותנו."

הדלת נפתחה. מחמוד נכנס הביתה סר רוח וזעף. הדיו של הוויכוח שניהלו איתו חבריו הדהדו עדיין באוזניו. הם הביעו כעס על שהניח לאביו לקחת את הילד הפצוע. אלמלא הוא, טענו, היו שמים קץ לחייו של הפצוע ללא היסוס. יהודי אחד פחות הוא אויב אחד פחות.

מחמוד נכנס אל המרפאה ועיניו פגשו את עיני אביו.

"זה הילד?" הצביע על דני שרגליו, כתפו ולחיו היו חבושות.

"כן," אמר הרופא.

"עשית שטות שלקחת אותו הביתה," הגיב הבחור.

האב נמלא זעם. "איך העזת להרוג את היהודים במכוניתו?" קרא, "אני מתבייש בך."

מחמוד רתח מכעס.

"אני מרגיש שאתם לא רוצים אותי בבית הזה," צרח, "רק היהודים מעניינים אתכם."

הוא החיש צעדיו אל הפתח וטרק את הדלת מאחורי גוו.

.11

אחרי ההלוויה ההמונית טיפסו פועלים על בניין המשרדים של הרובע
היהודי בצפת ומתחו רצועות בד שחורות מהגג ועד לתחתית הקומה
הראשונה. בחדרו של המנהל המנוח בקומה השנייה גררה מזכירתו
סולם ותלתה על הקיר חמישה צילומים במסגרת שחורה – קורבנות
הרצח בכביש חיפה-צפת.

יעקב גוטליב, שהיה בן חמישים ושתיים במותו, השאיר אחריו
משימות רבות שלא עלה בידו לסיימן: סלילת כבישים חדשים, השגת
רישיון לבית מלון נוסף, אישור התוכניות לבניית בית כנסת בסמטת
האר"י הקדוש ושלושה בתי מגורים על הר כנען. מותו בטרם עת הכה
בתדהמה את יהודי העיר, שהכירו את גוטליב כאיש בעל לב זהב,
רגיש למצוקות אנוש ולוחם מושבע להרחבת הרובע היהודי. בבתי
הכנסת התפללו לעילוי נשמתו ובבתי הספר סיפרו המורים לתלמידים
על פועלו למען הקהילה.

אשתו יוכבד, שנרצחה יחד איתו במכונית שעלתה לצפת באישון
לילה, הייתה בת גילו, פעילה באגודות צדקה, מתנדבת בבית החולים
המקומי ותומכת באלמנות וביתומים. פעילותה זכתה להערכה רבה
בעיר אבל לא רק טובות דיברו בה. אנשים ידעו לספר פרטי פרטים
על היחסים הרעועים ששררו בבית. רווחו שמועות שפעם אפילו
עמדה להתגרש, אבל חזרה בה בלחץ בני משפחתה.

דני נכדם היה הנפש היחידה שהצליחה ליישר את ההדורים בין
יוכבד ובין יעקב גוטליב. שניהם פינקו אותו כמיטב יכולתם, קנו
לו צעצועים ולקחו אותו לטיולים. בארוחות המשפחתיות המעטות

שבישלה יוכבד ישב הילד תמיד בין גוטליב לבין אשתו שהתחרו ביניהם מי יעניק לו יותר תשומת לב. הוריו של דני, יצחק ובת שבע, עבדו כפקידים בעירייה וסייעו לתושבים כמיטב יכולתם. גם מותם היה לכל הדעות בבחינת אבידה קשה ליישוב היהודי.

למחרת היום שבו נהרג יעקב גוטליב תפס עסקן מקומי ידוע את מקומו. היה זה גבר נמרץ ומעשי לא פחות מהאיש שאת תפקידו ירש. הוא רצה לקבל דו"ח מפורט על כל התיקים שגוטליב לא סיים את הטיפול בהם. מרים, מזכירתו ואהובתו של המנוח, התבקשה לפנות את כל זמנה כדי לעדכן את מנהל הרובע החדש. היא אספה את התיקים מעל המדפים, פתחה כל מגירה ועיינה בכל מסמך שהיה מונח על שולחנו של גוטליב. היא מצאה שם בדיוק את מה שנדרשה לחפש: עניינים תלויים ועומדים, מסמכים שחיכו לחתימה ובקשות של אזרחים שגוטליב לא הספיק לעיין בהן.

כשהגיעה למגירה התחתונה של השולחן היא מצאה שם רק דבר אחד: מעטפה ללא כתובת. המזכירה הפכה אותה דקות אחדות בידיה, חוככת בדעתה אם הייתה זו מעטפה פרטית או משהו רשמי. האם תפתח אותה או תעביר אותה סגורה כשהייתה לקרובי המשפחה שנותרו בחיים?

לבסוף החליטה לפתוח.

במעטפה נמצאו פנקסי ההמחאות של יעקב גוטליב. על הספחים, בכתב יד, רשם המאהב שלה סכומי משיכה גדולים בתדירות של פעם או פעמיים בשבוע. על ספח ההמחאות לא נרשמו שמות האנשים שלהם יועד הכסף. בצד הפנקסים היה מכתב שנשלח על ידי הבנק לגוטליב. במכתב מזכיר לו מנהל הבנק את שיחתם, שבה הבהיר

כי גוטליב חרג מגבולות החשבון שלו במידה ניכרת. המנהל ביקש שגוטליב ישלים בהקדם את החסר.

ההפתעה הימממה את מרים. היא הבינה שגוטליב משך מחשבונו סכומים גדולים בתדירות גבוהה. אבל לאיזה צורך? אמנם בתקופה האחרונה לחייו הצטמצמו פגישותיו האינטימיות עם מזכירתו. הוא נראה פזור נפש וטרוד, התלונן על כאבי ראש. מה קרה לו? האם היה לו סוד ששמר מפניה?

היא נדהמה להיווכח שבזבז כסף ללא מעצורים ונעלבה משום שלא בטח בה די הצורך לספר לה מה מטרת הסכומים שמשך מהבנק. היא העניקה לו אהבה, הייתה מוכנה לעשות למענו כל מה שיבקש. אם אהב אותה חייב היה לספר לה הכול.

.12

השפעתה המרגיעה של זריקת המורפיום פגה עם בוקר, והילד הפצוע התעורר משנתו ומירר בבכי. הרופא חש אליו. הוא הניח ידו על מצחו. הילד קדח.

ד"ר עבד אל באדר ידע שחום גבוה הוא סימן מובהק של זיהום. הוא הסיר את התחבושות מגופו של הילד, חיטא את פצעי הירי וחבש אותם מחדש. הוא נתן לפצוע גלולת אספירין להקלת הכאב ולהורדת החום. הילד בלע את התרופה באי־רצון, הביט בגבר הזר שטיפל בו ופרץ חדש של בכי טלטל את גופו. הוא לא זכר דבר מקורות ליל האימים, לא את קול היריות, לא את זעקות הפצועים

ולא את המכונית הבוערת. הוא רק רצה שכאביו ייעלמו.

עבד אל באדר ליטף אותו עד שנרדם שוב. רק אחר כך התיישב ליד השולחן בחדר האוכל ושתה את קפה הבוקר שלו. פאטמה התיישבה מולו, פניה עוטים דאגה.

"נראה לי שמצבו לא משתפר," אמרה.

"לא כל כך," הודה.

"אתה חייב לקחת אותו לבית חולים. רק שם יתנו לו את הטיפול שהוא צריך."

הרופא נשא אליה מבט ארוך. הוא חשב על מה שאמרה.

"אינני יכול," הגיב.

"למה?"

"בהתחלה חשבתי באמת להעביר אותו לבית חולים אבל אחר כך שאלתי את עצמי, נניח שאצליח להגיע לבית החולים, איך אציג את עצמי בפניהם? אני ערבי והוא יהודי. אם אגיד שהוא הבן שלי כולם יראו מיד שהילד לא שייך לי."

"תגיד להם את האמת."

"מה אגיד? שהבן שלי והחברים שלו הרגו את הוריו של הילד? מי יאמין לי שלא הניחו לי לקחת את הפצוע לבית חולים? היהודים גם עלולים לחשוב שהיה לי חלק בהתקפה על נוסעי המכונית. מה אעשה אם יזעיקו משטרה ויעצרו אותי?"

פאטמה נותרה ללא מענה. בינה לבינה הודתה שבעלה צודק. הסיכונים היו גדולים מהסיכויים.

"אמשיך לטפל בו בבית," החליט הרופא, "אני מקווה שמצבו לא יחמיר."

"ואם הטיפול שלך לא יצליח?"

"נחיה ונראה."

הלילה השני היה גם הוא רצוף סיוטים והתפרצויות בכי. דני התייסר בכאביו ולא הצליח לעצום עין. הרופא ואשתו ישבו כל הלילה ליד מיטתו, הניחו רטיות קרות על מצחו ופיטמו אותו באספירין.

כשהאיר היום הוא נרגע לשעה קלה. עיניו הכחולות בחנו את החדר שלא הכיר ואת פניהם של הרופא ואשתו. הם חששו שיבקש לדעת היכן הוריו, אבל הוא לא הזכיר אותם כלל. מהלומת ההתקפה ופציעתו הקשה מחקו מזיכרונו את כל מי שהיה קרוב אליו.

פאטמה רכנה אל הילד. היא נאלצה לגייס את מעט המילים העבריות שידעה כדי ליצור איתו קשר.

"רוצה לאכול?" שאלה.

"כן. אני רוצה לחם וחמאה."

היא הלכה למטבח ומרחה חמאה על פיתה. הילד נגס פעם אחת ולא הוסיף. הפיתה לא ערבה לחכו.

"זה לא טעים לי," אמר.

פאטמה מיהרה לחנות המכולת. מכרו שם רק פיתות. לא היה כל ביקוש ללחמניות וללחם לבן.

היא שבה בידיים ריקות. שעה ארוכה הסתגרה במטבח והכינה לו חומוס.

הוא טעם ועיקם שוב את פרצופו.

"לא טוב," אמר.

אובדת עצות שבה פאטמה אל המטבח והביאה תפוח. הילד נגס בפרי ופרץ שוב בבכי.

"כל הגוף שלי כואב," יילל.

בצהריים החלו להגיע חולים אל בית הרופא. באו נשים בהיריון וגברים קשישים שנעזרו במקלות הליכה, הגיע פועל שנפצע בידו בעת עבודה בבניין. כולם נאלצו להמתין עד שעבד אל באדר העביר את הילד היהודי לחדר אחר בביתו. רק אז פתח את הדלתות בפני החולים.

דני שכב בחדר, עיניו רטובות מדמעות. הפצעים עדיין כאבו. פאטמה ישבה לצדו, מצטערת שאין בביתה צעצועים שיוכלו להסיח את דעתו. היא הכניסה לחדר את הכלב, שכשכש בזנבו למראה האורח הקטן.

"איך קוראים לו?" שאל דני.

"אין לו שם."

"מותר לי לקרוא לו קוקי?"

"כן."

הילד ליטף את ראשו של הכלב.

"קוקי," אמר, "אתה רוצה להיות חבר שלי?"

הכלב ליקק בלשונו החמה את ידיו של הילד.

"הוא אוהב אותי," אמר דני.

"בטח," אמרה פאטמה בעברית רצוצה, "איך לא יאהב? אתה כל כך נחמד."

.13

אי הוודאות ריחפה באוויר כסימן מבשר רעות. נקרעים בין המחשבה להחזיר את הילד לבני עמו או להמשיך להחזיק בו – לא מצאו

לעצמם בני הזוג אל באדר מנוח. בינתיים הם יכלו לתרץ את שהותו אצלם כחלק מתהליך הריפוי שלו. אבל מה יקרה בעתיד, כשלא יוכלו להחזיק בילד היהודי לאורך זמן בתנאי בידוד? הם חששו שהכפר ידע, ששכניהם יתבעו את הרחקתו משם, שיופעלו עליהם לחצים שלא יוכלו לעמוד בהם.

יום אחד, כשחזרה פאטמה מבית הספר, הבחינה במחמוד בנה, היושב בשיכול רגליים ליד שער ביתה וממתין. לבה ניבא לה צרות.

פאטמה נעצה בו מבט שואל. "קרה משהו, מחמוד?"

"באתי לבקר אותך ואת אבא. למה סגרתם את השער?"

היא הביטה סביבה כדי לוודא שאיש אינו מאזין להם.

"נעלנו את השער כדי לשמור על הילד היהודי."

"הוא עדיין אצלכם?" תמה מחמוד.

"כן. הוא עדיין לא התרפא לחלוטין."

היא פתחה את השער והניחה לבנה להיכנס. מחמוד ראה את הילד ממהר אליה ומחבק אותה באהבה. היא החזירה לו חיבוק. "מי זה?" שאל הילד בהצביעו על מחמוד.

"הוא הבן שלי," השיבה.

"חשבתי שחוץ ממני אין לך יותר ילדים."

היא צחקה ומחמוד הזעיף את פניו.

הם נכנסו אל הבית ופאטמה הכינה למחמוד קפה. הוא לא נגע במשקה.

"יצאתם מדעתכם?" הטיח בה, "אסור לכם לטפל בילד הזה. הוא האויב שלנו."

"הוא היה פצוע וזקוק לעזרה," הגיבה פאטמה, "עשינו מה שכל בן אנוש צריך היה לעשות בנסיבות אלה."

עבד נכנס הביתה. בנו קם ממקומו והדביק ללחיו נשיקה מהירה.

"הרבה זמן לא היית אצלנו," אמר עבד, "איפה היית?"

"הייתי עסוק."

"מצאת עבודה?"

"עשיתי משהו יותר חשוב. נלחמתי."

"ביהודים?"

"אלא במי?"

עבד מזג לעצמו כוס מים מכד חמר.

"ראיתי שעשיתם פה כמה שינויים," אמר מחמוד.

"איזה שינויים?"

"הרחבתם את המשפחה. אימצתם את הילד."

"לא אימצנו. אנחנו פשוט מטפלים בו עד שיחלים. שכחת שאתה והאנשים שלך אחראים לפציעה שלו?"

"כמה זמן הוא עוד יהיה כאן?" שאל מחמוד.

"עד שיהיה בריא לגמרי."

"יש לכם מזל שאנשים לא יודעים עדיין שהילד אצלכם... אם הם ידעו ייהפכו החיים שלכם לגיהינום."

"המצפון שלנו נקי. לא ביצענו שום פשע," אמר הרופא.

פאטמה שתקה, אבל מבטה אישר שדברי בעלה מקובלים גם עליה.

"הכנסתם אותי לצרות," אמר מחמוד, "איך אוכל ללחום ביעילות ביהודים כשאחד מהם מסתובב חופשי אצלי בבית?"

"תתעלם ממנו," אמר עבד, "תשכח שהוא כאן."

"גם אם ארצה לשכוח, החברים שלי לא ישכחו. לא פעם הם שואלים אותי איפה הילד שאבא שלי לקח?"

"ומה אתה עונה להם?"

"אני אומר שהילד מת."

הוריו החליפו מבטים ופאטמה אמרה: "עשינו הכול כדי שלא ימות. אנחנו אוהבים אותו."

"נניח שהילד יבריא, מה תעשו איתו? הוא הרי לא הבן שלכם שאתם חייבים להחזיק בו."

"אנחנו לא יודעים מה יהיה," אמר עבד מהורהר, "אנחנו נהנים מכל רגע איתו והוא מחזיר לנו הרבה אהבה. בעזרת אללה, נמצא פתרון."

"סלקו אותו מיד," התרעם מחמוד, "הוא שייך למקום אחר, הוא לא יכול לגדול אצלכם בבית."

"נחשוב על זה," אמרה פאטמה כדי לסיים את השיחה שלא הייתה לרוחה.

"תחשבו מהר," האיץ בה בנה.

אמו של מחמוד הציעה שיישאר לארוחת צהריים. הוא הסכים. בחדר האוכל הגישה אמו לו ולילד קציצות בקר ואורז שהכינה מבעוד יום. מחמוד והילד ישבו זה בצד זה. מחמוד זע באי נוחות, דחה את הצלחת וקם לבסוף ממקומו.

"אני לא יכול להישאר כאן," אמר, "זה מעצבן אותי."

מבלי להיפרד יצא מהבית ונסע באוטובוס אל הכפר שבו התגורר. כל הדרך לשם פעפע בקרבו כעס רב על הוריו, על עצמו שנכנע לרגע של חולשה באותו ליל יריות חשוך ועל הילד שהתמקם בבית שאינו זכאי לגור בו.

.14

פאטמה ובעלה טיפלו בילד במסירות, כאילו היה יוצא חלציהם. הם
העניקו לו שם ערבי, אכרם, ונמנעו מלספר לו על הוריו ועל מוצאו.
ד"ר עבד אל באדר מרח משחות מרפא על פצעיו, טרח להחליף לו
את התחבושות לעתים תכופות ולתת לו גלולות הרגעה כשפקדו אותו
כאבים. פאטמה סייעה לו ככל שיכלה, ישבה ליד מיטת הפצוע לילות
תמימים כשחש ברע והתפללה תכופות להחלמתו. עם כל יום שחלף
חשו בני הזוג שהם נקשרים אל הילד הזה בעוד ועוד עבותות של
אהבה.

שבועות חלפו. הילד בילה את כל הזמן במיטתו כשרגליו נתונות
בתחבושות. עיקר חששו של עבד היה מהפגיעה בגפיים. הוא קיווה
שרגליו של הילד לא נפגעו קשה מדי, בסתר לבו חשש שמא גרם
לפצוע יותר נזק מתועלת כשהוציא את הקליעים מרגליו. לצערו,
בתנאים ששררו בביתו לא ניתן היה לעקוב ביעילות אחרי החלמתו
של הילד. לבסוף, החליט להסתכן, להסיר את הגבס ולנסות להעמיד
את הפצוע על רגליו. הילד הזדקף וניסה לרדת ממיטתו, אבל הניסיון
לא צלח. הוא נפל ארצה לפני שעשה אפילו צעד אחד.

בלית ברירה הוחזר הילד אל מיטתו, מאוכזב ותשוש. חומו עלה
וגופו נחלש. הרופא חש כי ידיו קצרות מלהושיע. לא היו לו אמצעי
טיפול משוכללים כמו בבתי החולים, גם לא הניסיון הדרוש לטיפול
בפצועי גפיים. הוא נועץ בחבריו הרופאים, מבלי לגלות להם את
האמת. בהמלצתם קנה תרופות יקרות וקיווה שיועילו להביא
להחלמתו של הילד.

לילה אחד שב לביתו בשעה מאוחרת, עייף ותאב שינה. כהרגלו
ניגש אל מיטת הילד. הפצוע שכב ללא ניע ואנחות קלושות בקעו
מתוך שפתיו. עבד מישש בדאגה את מצחו הלוהט. הוא הזעיק את
פאטמה.

"אני חושש," אמר, "שלמרות כל המאמצים שלי מצבו של הילד
הורע מאוד. ייתכן גם שנשקפת סכנה לחייו. לצערי, לא יהיה מנוס
מלהעביר אותו לבית חולים, גם אם זה יסבך אותנו."

פאטמה שתקה, חיוורת ואובדת עצות. כמו בעלה, גם היא חששה
לגורל הילד. העברתו לבית החולים תסיר אמנם מבעלה וממנה את
האחריות לגורלו, אבל היא גם עלולה להעמיד אותם בסכנה. לפלא
היה בעיניה שאין היא חוששת מכך. עיקר מעייניה היו נתונים רק
לילד. היא רצתה שיוקל לו, שיחלים במהרה, יהיה גורלם שלה ושל
בעלה אשר יהי.

עבד אל באדר העדיף שלא לטלטל את הילד בלילה וחיכה בקוצר
רוח עד לבוקר. הוא ואשתו לא עלו על משכבם. פאטמה הביעה את
רצונה להצטרף לנסיעה לבית החולים. חשוב היה לה למצות ככל
האפשר את רגעי הפרידה מהילד.

כאשר עלה השחר, הלבישה בעדינות את הילד בבגדים חדשים
שקנתה עבורו. "למה את מלבישה אותי?" שאל.

"אנחנו נוסעים לבית החולים," השיבה, "שם יטפלו בך יותר טוב."
הילד חשק את שפתותיו.

"אני לא רוצה לבית חולים!" קרא, "אני רוצה שאבא יטפל בי
בבית."

פאטמה לא השיבה משום שלא הייתה לה כל תשובה. היא המתינה
לעבד שיסיע אותם לבית החולים הממשלתי בחיפה.

"מה שלומו?" שאל עבד כשנכנס אל החדר.

"הוא מתלונן פחות על כאבים."

"יש לו חום?"

"לא יודעת."

הרופא מדד את חומו של הילד. להפתעתו, הצביעה המדידה על חום יציב.

"איך אתה מרגיש?" שאל את הפצוע.

"יותר טוב... אני לא רוצה לנסוע לבית חולים!"

פאטמה תלתה מבט שואל בבעלה.

"אולי כדאי שנשאיר אותו בבית עוד יום אחד," אמר עבד, "אם מצבו לא יחמיר אולי באמת לא יהיה צורך להעבירו לבית החולים."

.15

מוסטפה עלאמי הטיח אגרוף קפוץ בשולחן העבודה שלו. המידע שנמסר לו על ידי אחד מאנשיו עורר בו כעס. משהו השתבש וזה היה למורת רוחו.

באמצעות שליח, שיגר עלאמי הודעה למחמוד אל באדר. הוא ביקש לפגוש אותו למחרת במרתף של מאפייה בכפר ערבי סמוך לעכו. מחמוד תהה לפשר ההודעה הדחופה. הייתה זו הפעם הראשונה ששליח מטעם הבוס שלו זימן אותו לפגישה עם מנהיג המרי.

כשהגיע מחמוד למקום המפגש כבר הייתה המאפייה מוקפת באנשיו של עלאמי שהסוו עצמם כפועלי בניין. מוסטפה ומחמוד ירדו

אל המרתף. בחללו עמד אבק לבן ולאורך הקירות נערמו שקי קמח.
שני הגברים התיישבו על ערימה של שקים ריקים.

"כמה זמן אנחנו מכירים?" ויתר עלאמי על הקדמה מנומסת.

"שנתיים, אולי קצת יותר."

"אתה חושב שזה מספיק זמן בשבילך כדי לדעת מה אני אוהב ומה
אני לא אוהב?"

מחמוד שתק. לפתע חש שלא בנוח. לבו אמר לו שהשיחה לא
תהיה קלה.

"אני לא אוהב, למשל," המשיך המנהיג, "שאנשים שלי עושים
דברים בלי לתאם איתי. כשנבחרתי לראש הארגון היה כאן אי סדר
מוחלט. אנשים עשו מה שרצו, הרגו ופצעו את מי שרצו, סיכנו
את עצמם בתקיפות מיותרות. עבדתי קשה כדי לארגן את תנועת
ההתנגדות כמו שצריך. זה לא היה קל, אבל היו לי הצלחות לא
מעטות. עכשיו, בדיוק כשנדמה לי שהעניינים מתחילים להסתדר,
פתאום יש לי בעיה איתך."

המארב בכביש חיפה־צפת. זה לא היה יכול להיות משהו אחר.

"לא התכוונתי לעשות לך בעיות," אמר מחמוד כמתנצל.

"אם כך, תסביר לי למה הרגתם את נוסעי המכונית ההיא?"

מחמוד סיפר על השוחד שנתן לקפטן תומאס ג'ורדן כדי שלא
יעצור אותו ואת אנשיו. הוא גילה כי חש שלא יוכל להשיב ריקם את
פניו של הבריטי, שביקש ממנו לחסל את יעקב גוטליב. במשפטים
ספורים גולל את פרשת תקיפתה של המכונית.

"למה לא הסתפקתם בהריגת האיש שהבריטי רצה שתחסלו?"

"תקפנו את המכונית ואי אפשר היה לכוון דווקא אל האיש הזה."

"ארבעה מתו. נכון?"

"כן. חוץ מהילד."

"אני לא זוכר שקראתי בעיתונים שהיה שם ילד שניצל."

"כולם חושבים שהוא מת, אבל הילד הזה חי וקיים. אבא שלי, הרופא, הגיע במקרה למקום שבו תקפנו את המכונית ולקח את הילד אליו הביתה, כדי לטפל בו."

"בן כמה הילד?"

"בו ארבע בערך."

מה מצבו?"

"אבי הוציא לו כמה קליעים מהגוף. הוא עדיין לא לגמרי בסדר."

"אביך ודאי יחזיר אותו ליהודים כשיחלים."

"לא בטוח. הוא לא אמר לי מה הוא עומד לעשות עם הילד."

"מישהו בכפר יודע שאמך ואביך מחזיקים ילד יהודי?"

"בינתיים אף אחד לא יודע. מה שמדאיג אותי הוא שההורים שלי נקשרו מאוד לילד הזה. אמי ממש אוהבת אותו."

מוסטפה עלאמי שקע בהרהורים. במרתף האטום נשמע רק שאון הבעירה המונוטוני של תנור האפייה בקומה מעל.

"אין ברירה," אמר עלאמי לבסוף, "הילד הזה לא יוכל להישאר בין ערבים. תצטרך להיפטר ממנו."

"אתה מתכוון שצריך להרוג אותו?"

"אני מתכוון שהוא צריך למות."

.16

למרבה שמחתם של עבד ופאטמה פחתו כאביו של הילד עם כל יום חולף. אחרי שבועות אחדים עשה הרופא ניסיון נוסף להעמיד את הילד על רגליו. הוא ואשתו תמכו בו כשעשה צעדים ראשונים, מהססים, איטיים מאוד, כאילו רק עתה למד ללכת. כל קימה מהמיטה הייתה מבצע מפרך, כל מדרך רגל הסב לו כאבים, אבל הרופא לא ויתר. הוא קבע מסלולי הליכה ולא סטה מהם, והילד הבין מהר מאוד שאם ברצונו לשוב למיטתו עליו לסיים תחילה את מסלול ההליכה שנקבע לו.

לבסוף, כצפוי, היה מסוגל ללכת בכוחות עצמו. זמן מה דידה בקושי במסדרונות הבית עד שפאטמה התירה לו לצאת אל החצר ולשחק שם עם הכלב. אף שקראה לו אכרם והלבישה אותו בבגדים שנהגו ללבוש ילדי הכפר, לא רצתה שיצא לפי שעה אל הרחוב ויחשוף את עצמו לגילויי סקרנות של התושבים. ככל שחלף הזמן סיגל לעצמו הילד ברהיטות את השפה שבה דיברו אליו בבית הרופא. לפאטמה קרא אמא, לעבד קרא אבא, למד לאכול חומוס והסתגל לתבלינים החריפים שבהם תיבלה פאטמה את מזונם. פאטמה קנתה לו בגדים וצעצועים פשוטים בשוק המקומי ופעם הביאה לו גם חוברת ציורים שאותה אהב יותר מכול. הילד למד לשחק בחצר מאחורי השער הסגור ולא הביע כל משאלה לצאת החוצה. הוא עדיין היה יכול ללכת רק תוך צליעה קלה, אבל גם זה חלף והליכתו השתפרה.

שגרת חייו של עבד אל באדר נמשכה לכאורה ללא שינוי. הוא טרח

ונסע לכל כפר ערבי בגליל שבו נדרש רופא או מיילד. הוא קנה לעצמו מוניטין, כמי שהביא לעולם ילדים בריאים ושמנמנים שגדלו לתפארת. עבד בדק, ריפא, יילד, ערך מעקב אחרי חולים שהחלימו ולא פעם נאלץ לשוב לביתו רק בשעת לילה מאוחרת. כשלא היה מצוי בנסיעות קיבל חולים במרפאת ביתו בעין מג׳דל, וכל העת שמר מכל משמר את הסוד הכמוס שלו – הילד היהודי.

גם פאטמה הקפידה לשמור על הסוד. היא לימדה בבית הספר המקומי שלוש פעמים בשבוע, ובכל פעם שעזבה את הבית הקפידה לנעול את השער ולהזהיר את הילד לבל יצא משם. קצרת רוח הייתה שבה הביתה לאחר הלימודים, ונושמת לרווחה כשראתה ששום דבר לא השתנה, הילד שיחק כדרכו עם הכלב בגן הנעול והבית היה דומם.

ככל שגדל הילד הבינו פאטמה ועבד בצער, שבסופו של דבר יהיה עליהם להשיבו לסביבה יהודית, אבל הם לא העזו להעלות את מחשבותיהם על פסים מעשיים. הילד צבע את חייהם באור חדש ונטע אהבה גדולה בלבם. הם חשו שלא יהיה להם קל לוותר עליו.

פאטמה לימדה את הילד היהודי מעט קרוא וכתוב וחשה שהקשר בינה לבינו מתחזק מיום ליום. היא אהבה לחבקו בזרועותיה הארוכות, להושיבו על ברכיה ולספר לו סיפורי אגדות בערבית. לאחר שהוטב מצבו חדלה לשבת בלילות ליד מיטתו, אבל הקפידה לרחוץ אותו לפני השינה ולהשכיבו לישון תוך שהיא מרעיפה עליו נשיקות. אחרי אותו ערב שבו חיבק אותה והחזיר לה נשיקה – לא יכלה לעצום עין כל הלילה.

17.

במכונית ששאל מחבר נכנס מחמוד אל באדר לעין מג׳דל באישון לילה וקרב לאיטו אל בית הוריו. רחובות הכפר היו שוממים ובמרבית חלונות הבתים עמדה חשכה. מחמוד כיבה את המנוע כשהיה בטווח ראייה מהבית והמתין עד שכבה האור האחרון בחדרי השינה. הוא השתהה עוד שעה קלה, יצא מהמכונית וקרב בחסות החשכה אל הבית. הוא פתח את השער, נכנס אל החצר, פתח את הדלת האחורית בנקל, חצה את המטבח ועלה במדרגות המובילות אל הקומה השנייה. פרט לחדר השינה של הוריו היו שם עוד שלושה חדרים, אחד מהם היה חדר ילדותו של מחמוד. הוא פתח בחשאי דלת אחרי דלת, עד שגילה את החדר שבו שכב הילד. בחדר שררו דממה ואפלולית סמיכה. הכלב ששכב למרגלות המיטה קם על רגליו, כשכש בזנבו ולא הוציא הגה מפיו.

מחמוד קרב למיטתו של הילד וניצב שם דקות אחדות ללא ניע, כדי לוודא שהוא שקוע בשינה עמוקה. או אז רכן עליו והניח על פניו מטלית ספוגה בסם הרדמה. הילד שאף את הסם לריאותיו. הוא נשם בכבדות ולא זע.

דקות חלפו עד שמחמוד לקח את הילד בזרועותיו ונשא אותו החוצה. הוא פלט אנחת הקלה כשהתברר לו שהוריו לא התעוררו למשמע הרחשים, הניח את הילד במושב האחורי של המכונית ונסע אל הכביש הראשי. הוא סטה לדרך עפר ארוכה ועצר בשוליו של בוסתן זיתים מבודד, הוציא את הילד מהמכונית והניחו על הקרקע בין העצים. גם אם יתעורר הילד, חשב, אין כל סיכוי שיוכל לפגוש שם

איש או למצוא את הדרך לבית הרופא. מחמוד קיווה שהרעב והצמא לא יאפשרו לו להישאר בחיים. הוריו ייאלצו מן הסתם להשלים עם הסברה שיצא מהבית, תעה בדרך ומצא את מותו באזור נידח.

בלי להשתהות שב מחמוד למכונית ונסע לכפר שבו התגורר.

פאטמה אל באדר התעוררה כדרכה בשעת בוקר מוקדמת. לפני שירדה אל המטבח לשפות קומקום על האש נכנסה כהרגלה לחדרו של הילד. המיטה הייתה ריקה.

תחילה סברה שהילד ניעור לפניה וירד אל החצר. היא רצה החוצה, התרוצצה בין העצים ולא מצאה אותו שם. השער היה פתוח לרווחה.

היא חשה אל חדר השינה והעירה את בעלה משנתו.

"אכרם נעלם!" צעקה בייאוש, "מישהו לקח אותו!"

הרופא קפץ על רגליו. הוא לא שאל שאלות נוספות. לבו אמר לו מה קרה.

בכתונת הלילה שלו נכנס עבד למכוניתו ונסע. עין מג'דל החלה זה עתה להתעורר משנתה. כמה פועלים פסעו ברחובות. דלת המאפייה הייתה פתוחה, ומתוכה עלו ניחוחות של פיתות טריות.

מקץ שעה קלה הגיע עבד אל באדר למקום מגוריו של בנו. הוא נקש על הדלת ומחמוד פתח אותה, מוחה בידיו קורי שינה.

עבד תפס בצווארונו ומשך אותו אליו בזעם.

"איפה הוא?" תבע לדעת.

"מי?"

"אל תיתמם!"

"אני לא יודע למי אתה מתכוון," חילץ מחמוד את צווארונו מידי אביו.

"בוא איתי," קרא עבד, "תראה לי לאן הבאת אותו."

מחמוד הוסיף להכחיש, אבל עבד נותר תקיף כשהיה.

"אם לא תראה לי איפה הילד," איים, "אספר למשטרה על הכנופיה שלך ועל הרצח שביצעתם."

"תפסיק," רתח מחמוד, "תשכח כבר מהילד הזה. הוא לא טוב בשבילך."

"אתה לא תגיד לי מה טוב בשבילי. אין לך שום זכות להתערב בחיי. לא שאלת אותי אם לרצוח יהודים למרות שידעת את דעתי. אל תחליט עכשיו מה עליי לעשות. חבל על הזמן. בוא איתי אל הילד."

מחמוד ראה את הזעם היוקד בעיני אביו והבין שעבד מתכוון לכל מילה שאמר. בלית ברירה נכנס אל מכוניתו של אביו. הוא הורה לו את הדרך אל מטע הזיתים, שם הניח את הילד. עבד עצר. השמש כבר עמדה במרומי הרקיע. סביב הילד חגו שני עורבים שחורים, וצבוע צנום רחרח את הגוף הקטן השרוי בתרדמה. למראה הרופא התעופפו העורבים והצבוע נמלט.

הילד התעורר ופרץ בבכי. עבד הרים אותו בזרועותיו והכניסו למכונית.

"אל תעז לעשות את זה שוב!" הטיח במחמוד.

הוא התניע ונסע הביתה. במשך שעה ארוכה ניסו הוא ואשתו להרגיע את הילד המתייפח שלא הבין מה קרה לו.

.18

המוכתר של עין מג'דל היה גבר נמרץ וחזק כבן שישים, שחום עור ובעל עיניים חודרות. חלקה מטופחת של זקן שיבה לבן כיסתה את סנטרו וגלימה חומה ארוכה עטתה את גופו. הוא שלט בכפר ביד ברזל, שכנע את הבריטים להעניק לו תקציבי פיתוח גדולים מהמקובל ושלשל לא מעט מהכסף לכיסו.

בערב סתיו צונן התדפק על דלת ביתה של משפחת אל באדר. הרופא פתח את הדלת.

"ברוך הבא," קידם את פני האורח, "תיכנס בבקשה."

הוא לא זכר שהמוכתר ביקר אי פעם בביתו. הרופא טיפל אמנם בבני משפחתו, אבל לא הרבה לשוחח עם המוכתר עצמו.

עבד אל באדר הוביל את האורח לחדר ההסבה. אשתו פאטמה הציצה מהמטבח.

"תביאי בבקשה קפה," ביקש עבד.

המוכתר התרווח בין הכריות הרקומות על הספה הרכה.

"אני מקווה שאינני מפריע," אמר לרופא.

"בוודאי שלא. אתה תמיד אורח רצוי בביתנו."

"טוב מאוד," אמר המוכתר, "באתי לדבר איתך על נושא רגיש מאוד."

עבד אל באדר לא היה יכול לנחש על איזה נושא מבקש לשוחח איתו מוכתר הכפר. לכאורה לא הייתה לשניים כל סיבה לנהל שיחה כלשהי. עבד לא היה מעורב מעולם בסכסוך כלשהו, מעולם לא התעמת עם המוכתר או עם מישהו ממקורביו.

פאטמה הביאה קפה בספלונים זעירים. המוכתר רוקן את ספלונו בלגימה אחת.

"זה בקשר לילד," פרק המוכתר את מה שהעיק עליו.

עבד החוויר. עד לרגע זה היה בטוח שאיש מאנשי הכפר לא ידע על קיומו של הילד היהודי. הוא גדל רק בבית ובחצר, למד מפאטמה לקרוא ולכתוב, דיבר ערבית רהוטה והשלים עם העובדה שכאשר מבקרים חולים, קרובי משפחה או ידידים בבית הרופא, הוא נאלץ להסתגר בחדרו ולא לצאת משם עד לפרישתו של אחרון הבאים. הרופא ואשתו שמרו על הילד כעל בבת עינם, עקבו בסיפוק אחרי התפתחותו, העטירו עליו שפע של תשומת לב ושמחו כשהחזיר להם אהבה.

"איזה ילד?" ניסה עבד להרוויח זמן.

"סיפרו לי שאתם מגדלים בבית שלכם ילד יהודי. זה נכון?"

עבד הבין שאין טעם להכחיש. מישהו בוודאי סיפר למוכתר את האמת. האם היה זה מחמוד? שמועה כזו, יהיה אשר יהיה מי שטרח להפיץ אותה, בוודאי כבר עשתה לה כנפיים.

"אספתי אותו לבית שלי כשהיה פצוע. אני מטפל בו," הצהיר.

"לפני כמה זמן הבאת אותו לכאן?"

"מזמן."

"והוא עדיין פצוע?"

"הוא מחלים," גמגם עבד.

המוכתר שיחק במחרוזת הצבעונית שלו. פניו היו קודרים.

"למה לא שלחת אותו אל ההורים שלו?" שאל.

"ההורים שלו מתו."

"יכולת להעביר אותו לבית חולים. שם יכלו לטפל בו לא פחות טוב ממך."

"לא הייתה לי שום אפשרות להעביר אותו."

לא הייתה שום אפשרות להודות באמת. עבד ואשתו אהבו את הילד בכל לבם. הם לא רצו להינתק ממנו.

"אתה מבין כמובן," הדגיש המוכתר, "שזהו מצב בלתי אפשרי."

"אני מבין את הקושי."

"בכפר מתייחסים בחומרה רבה לכך שאתם מגדלים ילד יהודי. היהודים ואנחנו נמצאים במצב מלחמה. מה שאתם עושים בהחלט לא מקובל."

"אז מה אתה מציע?"

"אני מציע שתשלחו אותו בחזרה אל היהודים, מהר ככל האפשר. עליך להבין שאני נמצא במצב קשה. קיבלתי כבר לא פעם דרישה להעניש אותך על מה שעשית."

"להעניש אותי?"

"יש הרבה דרכים. אפשר כמובן להחרים אותך, חולים ויולדות יפסיקו לבוא אליך, הכפרים שאתה עובד בהם לא יסכימו לספק לך חולים, זה לא יהיה נעים."

הרופא לא ידע מה להשיב. לבסוף אמר:

"תן לי לחשוב על זה, בקרוב אודיע לך מה החלטתי."

המוכתר קם ממקומו.

"תודה על הקפה," אמר, "אני מצפה לשמוע ממך."

19.

למוסטפה עלאמי לא היה אכפת שיהודים ימותו. הוא האמין שככל
שייהרגו יותר יהודים, יגדלו הסיכויים שהנותרים בחיים ירצו להימלט
מהארץ, וככל שיברחו יותר – יעברו יותר חלקים של ארץ ישראל
לידי בעליהם החוקיים, הערבים.

מוסטפה האמין בהתגשמותה הקרובה של האידיאולוגיה שלו,
וקיווה שכאשר ייכון שלטון ערבי בארץ, ייבחר הוא לנשיא או
לפחות לראש הממשלה של המשטר החדש. הוא מילא את תפקידו
בקפידה ובמסירות, על אף שפה ושם היו כמה וכמה דברים שלא היה
יכול לשאתם: למשל, העדר משמעת, פעולות בלתי מתואמות של
הכנופיות שלו.

הוא רתח מכעס כשנודע לו מפי מחמוד שהילד היהודי ניצל
מהתקפת הירי על מכוניתו של יעקב גוטליב. לא היה לו ספק שאסור
לילד הזה להישאר בכפר ערבי. על כן הורה למחמוד לחסל את הילד.

כעבור ימים אחדים שיגר לו מחמוד הודעה על רצונו לפגוש אותו.
מוסטפה היה בטוח שהבחור מבקש להודיע לו על מות הילד. הוא
זימן את מחמוד לפגישה וציפה לשמוע פרטים.

"זה לא הצליח," אמר מחמוד בקול נכאים. הוא סיפר על ניסיונו
לנטוש את הילד במרחק גדול מהבית בהנחה שימות שם. הוא גילה
שאביו ניחש מה קרה ואילץ אותו להחזיר את הילד הביתה.

"אין לך שכל," נזף מוסטפה במחמוד, "היית צריך פשוט להרוג
את הילד במקום לנטוש אותו בשדה."

"עשיתי טעות."

"זו לא הפעם הראשונה שאתה טועה, מחמוד. מה יהיה איתך?"

הערבי הצעיר החוויר. אם מורת רוחו של מוסטפה לא תשכך, יתערער מעמדו בארגון. הוא לא רצה להפוך לחייל פשוט. הוא רצה עמדת פיקוד, דרגת שליטה, יכולת הכרעה.

"תן לי הזדמנות נוספת," התחנן, "אני מבטיח לך שלא יהיו עוד טעויות."

מוסטפה נעץ בו מבט ארוך. לא היה לו ספק שמחמוד ניחן בכושר מנהיגות, בהעזה ובנחישות. הוא היה זקוק לאנשים כאלה.

"בסדר," הסכים, "ברור לי שעכשיו אי אפשר להרוג את הילד משום שכל העקבות יובילו אליך. צריך לחשוב על פתרון אחר." מחמוד חידד את שמיעתו.

"במחשבה שנייה," אמר מוסטפה, "אולי מוטב שהילד לא מת."

"אני לא מבין?" אמר מחמוד בתמיהה.

"יש לי רעיון חדש. אתה תפסיק לזמן מה את הפעילות שלך בארגון, תמצא עבודה נורמאלית ותחזור הביתה. תגיד להורים שלך שהגעת למסקנה שאין סיכוי למלחמה של הערבים ביהודים. תשכנע אותם שהכוונות שלך אמיתיות. אני מעריך שהם ישכחו בשמחה את מה שהיה ויסכימו לקבל אותך. כשתחזור הביתה יהיה עליך להשלים עם כך שהילד כבר הפך לחלק מהמשפחה. במשך הזמן הילד יתרגל אליך ואני מניח שתצליח ליצור איתו קשר של חברות עמוקה."

מחמוד האזין לדברים בשקט. החזרה לבית הוריו, ההודאה בכישלון דרכו, הקשר ההדוק עם הילד היהודי – כל אלה לא נראו לו, אבל עלאמי היה המנהיג ולא הייתה כל אפשרות לערער על דבריו.

"לאן כל זה יוביל?" רצה לדעת.

מוסטפה עלאמי צחק בהנאה, מתרפק על הרעיון שלו:

"הילד יגדל, ותוך כדי כך לאט לאט ובאופן יסודי אתה תשטוף
לו את המוח, תשכנע אותו שהמלחמה שלנו ביהודים חשובה יותר
מכל דבר אחר, תמצא דרך לאמן אותו בנשק מבלי שהוריך ידעו...
בעוד כמה שנים תחזור להיות מפקד ההתנגדות בגליל ואז תדאג לכך
שהילד יצטרף לחבורה שלך. בקיצור, נהפוך אותו ללוחם שלנו."

"אני לא מבין. אתה רוצה שהיהודי הזה יילחם לצדנו?"

"בדיוק. תחשוב על הניצחון התעמולתי האדיר. נוכל להפיץ
בעיתונים את הידיעה שבחור יהודי הצטרף לתנועת ההתנגדות שלנו.
זה יכה בהלם את היהודים, זה יוכיח שהצדק איתנו."

מחמוד ניסה לעכל במוחו את הדברים ששמע. הרעיון היה
מתוחכם, מבריק וחסר תקדים. לא הייתה כל סיבה שלא יצא לפועל.

.20

מחמוד אל באדר המתין בסבלנות לפני בית הוריו עד שראה את אביו
חוזר מסיורו בכפרים. הוא ניגש לרופא כשיצא ממכוניתו. האב הופתע
למראהו.

"אפשר לדבר איתך?" שאל מחמוד.

"בבקשה." פניו של הרופא היו אטומים. הוא חשב שמחמוד שוב
מתעתד לבקש ממנו כסף. זה כבר קרה לא אחת. אבל הפעם היו בפיו
של מחמוד דברים אחרים.

"אני רוצה לחזור הביתה," אמר בקול שקט.

"מה קרה פתאום?" שאל הרופא.

"הגעתי למסקנה שאני לא רוצה להמשיך בדרך שהלכתי," אמר מחמוד, "הודעתי לחברים שלי, שהחלטתי לשנות את אורח חיי משום שאין תועלת במה שאנחנו עושים. זו מלחמה שאין לה סוף. התעייפתי."

עבד לא מיהר לשמוח.

"אתה באמת חושב כך?" שאל.

"באמת ובתמים. אני רוצה להתחיל לעבוד, להתפרנס. יהיה לי טוב יותר אם אגור בבית."

"אצטרך לדבר על זה עם אמא שלך. תיכנס בינתיים."

פאטמה קיבלה את הבשורה בשקט.

"אתה מבין כמובן שדברים השתנו," אמרה למחמוד, "יש לנו ילד נוסף בבית. תצטרך ללמוד לחיות עם זה."

"אני אכבד את רצונכם. לא אציק לילד."

ההורים החליפו מבטים.

"בסדר," אמר האב, "ברוך הבא."

מחמוד חזר לאסוף את חפציו המעטים והגיע עוד באותו יום לבית הוריו עם תיק נסיעות קטן ובו בגדים וכלי רחצה. פאטמה הכינה את חדרו, כיבדה את הרצפה, פרשה מצעים חדשים ופתחה את החלונות לאוורור. במטבח שקדה על הכנת מאכלים שמחמוד אהב. היא חששה שהילד היהודי יסתייג מהדייר החדש-ישן. היא קיוותה שלא יזכור את חטיפתו באישון לילה על ידי מחמוד. היא בישרה לילד על בואו של בנה, והוא קיבל את דבריה ללא תגובה.

מחמוד היה כולו נופת צופים. הוא הביא מתנה לילד, מערכת של כלי כתיבה צבעוניים. הילד מלמל תודה וחש שלא בנוח. עד

לאותה שעה היה מנוע מלהסתופף בחברת אנשים אחרים, פרט לרופא ולאשתו. קשה היה לו לעכל את נוכחותו של הגבר הצעיר, שהסביר לו פנים והביא לו מתנה.

"שמי מחמוד," אמר הצעיר והושיט את ידו לילד, "עבד ופאטמה הם ההורים שלי."

הילד לחץ את היד במבוכה.

"הם גם ההורים שלי," אמר. הוא דיבר ערבית שוטפת.

"נוכל להיות חברים," הוסיף מחמוד, "תסכים לשחק איתי?"

"כן," הנהן הילד, "אשמח לשחק איתך."

למחרת בבוקר יצא מחמוד מביתו והלך לחפש עבודה. הוא פנה לקבלן בניין מתושבי הכפר וסיכם שלמחרת בבוקר יתחיל לעבוד אצלו כפועל.

בדרכו הביתה קנה במכולת המקומית ממתק ומסר אותו לילד. פאטמה ועבד עקבו בתשומת לב אחרי התנהגותו. הם הופתעו מהשקט הנפשי שלו ומיחסו החם לילד, והאמינו לו כשאמר כי חדל להתרועע עם חבריו ופנה לדרך חדשה.

באחר צהריים אחד, מצויד בלוחות עץ, מסמרים ופטיש בנה מחמוד לילד סוכה קטנה על אחד מעצי הגן. יחד התקינו סולם עץ נוח שהוליך אל הסוכה. בעזרת מחמוד העלה לשם הילד מזרן קטן ושמיכה. הוא צחק וצהל משמחה כשהשתרע על המזרן בביתו הקטן, הפרטי.

מחמוד מילא כהלכה את התפקיד שהטיל עליו מוסטפה עלאמי. הוא הסתפר וגילח את זקנו, עזר לפאטמה לשאת את סלי הקניות מהשוק ושטף אחת לשבוע את מכוניתו של אביו. הוא הסתפק במה

שהיה לו, לא ביקש דבר, עלה על משכבו בשעות ערב מוקדמות ונמנע
מלדבר על פוליטיקה. הוא ידע שהמשימה שלו אמורה להימשך זמן
רב. החניף לו שמנהיג המרי סומך עליו, והוא קיווה לא לאכזב אותו.

איש מבני הבית לא שיער מה הוא זומם. איש מהם לא ידע שמדי
פעם נהג מחמוד לצאת באישון לילה אל החצר ולחשוף בור קטן
שחפר ליד הגדר. מתוך הבור הוציא קופסת פח עטופה בסמרטוטים.
בתוכה שמר אקדח טעון. בכל פעם טרח מחמוד לשמן את חלקיו של
כלי הנשק. בבוא היום ודאי יזדקק לו.

21.

פאטמה ועבד שתו קפה בחדר האוכל של ביתם. שעה ארוכה חשבו
בדממה על הילד. היו דברים שצריכים להיאמר, נושאים שחיכו
להכרעה.

"אכרם צריך לגדול כמו כל ילד בכפר," שברה פאטמה את השקט,
"אי אפשר לבודד אותו לאורך זמן. צריך לשלוח אותו לבית הספר,
להניח לו לשחק עם ילדים אחרים, להבטיח שיחיה חיים נורמאליים."

"הוא יעורר התנגדות, פאטמה. העור הלבן שלו, השיער הבהיר
והעיניים הכחולות יעידו על כך שהוא לא הבן שלנו."

"נגיד שהוא קרוב משפחה שהוריו מתו, נגיד שאימצנו אותו."

"זה מסוכן."

"אולי, אבל אם אנחנו רוצים שיישאר אצלנו אין לנו ברירה. צריך
לערב אותו עם בני גילו."

עבד נאנח.

"ילדים מסוגלים להיות אכזריים מאוד אל ילדים יוצאי דופן. אני פוחד שאכרם יסבול מאוד בבית הספר."

אבל לא הייתה כל אפשרות אחרת.

"נצטרך להיות חזקים," אמרה פאטמה, "מצפים לנו ימים לא קלים."

הילד היה כבר בן שש כשליוותה אותו פאטמה לכיתה א' בבית הספר. "זה הילד היהודי שלך?" שאל המנהל בלגלוג. ידיעות על הילד כבר הגיעו לאוזניו.

"זה הילד הערבי שלי," השיבה בקור רוח.

"אני מקווה שהוא לא יעשה לנו צרות בכיתה," אמר המנהל, "אם הוא יפריע, ירביץ או יקלל אשלח אותו מיד הביתה והוא לא יחזור יותר אלינו."

פאטמה הנהנה.

"בסדר," הסכימה.

כצפוי, חלק מהילדים כבר ידעו על מוצאו של הילד. הם שלחו לעברו קריאות גנאי, סירבו לשבת לצדו ונמנעו מלצרפו למשחקיהם. בסיום יום הלימודים, בדרכם הביתה, נטפלו אליו שני תלמידים וניסו להכותו. הוא השליך את תיקו על השביל שבו הלכו, אגרף את כפות ידיו והחזיר מהלומות קשות לתוקפיו. הם פרצו בבכי ונמלטו מהמקום. חבריהם שהיו עדים לתקרית נעלמו אף הם כהרף עין.

כשחזר הביתה שאלה פאטמה לרשמיו מיום הלימודים הראשון.

"הכול עבר בסדר," שיקר.

הוא התיישב לכתוב את המילים הראשונות בערבית שלמד באותו יום. כתב ידו היה רהוט ומאורגן היטב.

בשבועות שלאחר מכן שוב לא העז אף ילד להתנכל אליו. גם מילות הגנאי נעלמו. נוכחותו בבית הספר נראתה טבעית. הוא הקפיד לנהוג בשקט, לא לקח חלק בתגרות, לא עבר שום עבירת משמעת. הוא גילה חריצות רבה בלימודים, מוריו החמיאו לו וחברים מכיתות גבוהות יותר ביקשו את קרבתו. אחר הצהריים נהג לשחק כדורגל, לפני השינה ניסה לקרוא ספרים ופרץ בצהלות שמחה כשפענח מילים קשות.

תושבי הכפר, גם אם התמרמרו תחילה למראהו, התרגלו אליו עד מהרה וראו בו אחד מילדי הכפר. הוא היה שובב, מהיר תפיסה, לא חיפש תואנות להתחמק מלימודים או להימנע מהכנת שיעורי בית. ליום הולדתו החמישי קנה לו עבד כדורגל חדש.

הזמן חלף במהירות. העברית נשתכחה ממנו לחלוטין. הוא לא זכר דבר מעברו ודיבר ערבית ככל ילד אחר בכפר. אל פאטמה ואל עבד התייחס כאל הוריו לכל דבר, ציית להם ללא ערעור, הפנים בהצלחה כל מה שלמד בבית הספר. בכיתה ג' גילה כושר מנהיגות שקנה לו מעריצים רבים בכיתתו. בשיעורי הספורט כבש תמיד את המקום הראשון.

התפתחותו הנאה של הילד הייתה לצנינים בעיניו של מחמוד. בכל פעם שהביט בו היו פניו מתכרכמות. הוא שנא את הוריו על שאימצו את היהודי הקטן.

לכאורה לא עמד בדרכו של הילד כל מכשול. מרבית חבריו לכיתה נימולו בהיותם תינוקות וכשהשתין בחברתם לא הייתה לו כל סיבה לחוש כיוצא דופן. הוא נהג ככל ילד ערבי בכפר, אהב את המאכלים המזרחיים שפאטמה הכינה לו, זלל עוגיות סולת נוטפות דבש והתנדב לעבודה בעונת מסיק הזיתים. פרט לצלקות קטנות לא נותר כל זכר

לפציעתו. הוא היה חסון וחזק, הגן בלהט על תלמידים חלשים, נרתם לכל משימה בבית הספר ולמד שירים ערביים פופולאריים.

.22

שיירת המכוניות חצתה את גשר אלנבי בצהרי היום. בראש השיירה נסעה "רולס רויס" כסופה ובה ישב הנסיך. הוא היה שמן ומקריח כבן שישים. את פניו עיטר זקנקן שיבה מטופח, והוא קינח את זיעתו בשולי גלימתו הלבנה.

קצין בריטי בכיר ניגש לחלון המכונית והצדיע.

"הוד מעלתו," אמר, "יש לי הכבוד ללוות אותך לארמון הנציב העליון. הנסיעה תימשך פחות משעה ואם תזדקק למשהו, בקש מהנהג שלך לצפור ואנחנו נעמוד מיד לשירותך."

הנסיך הנהן בתנועה עייפה. הנסיעה הארוכה מביתו בג'דה התישה אותו. הוא לא היה אדם בריא.

השיירה חידשה את נסיעתה. אופנועים ושריוניות בריטיות נסעו לפניה ומאחוריה עד ירושלים. על המדרגות הרחבות, בפתח ארמון הנציב, קידמו את הנסיך ופמלייתו הנציב העליון הבריטי עצמו בחליפה כהה מגוהצת למשעי, מזכירו ועוזריו האישיים. לידם ניצבו מתוחים ובעלי אשרת פנים רצינית כל ראשי הצבא והמשטרה הבריטים בארץ ישראל.

זה היה ביקור חשוב שנועד לתרום להידוק היחסים בין בריטניה

ובין סעודיה. פאהד אל עזיז, אחד מנסיכי בית המלוכה הסעודי נמנה
עם עשירי העולם. היו לו הכנסות עתק מבארות נפט, מנכסים באירופה
ובאסיה והייתה לו בעלות על חברות כלכליות גדולות ברחבי תבל.
הוא היה מקורב מאוד למלך הסעודי והממשלה הבריטית העריכה
שהשפעתו בחצר המלוכה תלך ותגדל, ועל כן מן הראוי לטפח איתו
יחסים הדוקים.

היו דברים שהבריטים לא אהבו, אבל הם היו מנומסים די הצורך
שלא להתייחס אליהם בפומבי. למשל היחס של הנסיך לנשותיו. הוא
אהב נשים, בעיקר צעירות מאוד, ושילם הרבה מוהר כדי לקבל את
הסכמת הוריהן להעבירן להרמונו. בעת ביקורו בארץ ישראל כבר
היו לו ארבע נשים, שנים עשר ילדים ושישה נכדים. נשותיו התגוררו
באגף מיוחד של ארמונו בג׳דה, מבודדות מן העולם. הן הגיעו לשם
בגיל שלוש עשרה או ארבע עשרה וכמו נדונו למאסר עולם במלון
מפואר. מזונן היה משובח, חייהן נוחים, ועם זאת נאלצו נשותיו של
הנסיך ללבוש בגדים מסורתיים במשך כל היום, לא הותר להן לצאת
אל מחוץ לארמון, לעסוק בספורט או לרכוש השכלה. בילדיהן טיפל
צבא של אומנות ומשרתות, ולרוב לא ניתן היה לאימהות ליצור איתם
קשר. תכלית קיומן הייתה לספק את צרכיו של הנסיך, והוא תבע מהן
התמסרות מוחלטת להנאותיו לעיתים קרובות.

הבריטים השקיעו הון תועפות בהכנות לביקורו של הנסיך בארץ
ישראל. הם שיפצו מערכות חדרים בארמון הנציב, תגברו את יחידות
הביטחון שהופקדו על הבית ושכרו את מיטב השפים של המטבח
הערבי. ליתר ביטחון הם גייסו גם כמה זונות צמרת, שנלוו בדרך כלל
לאורחים חשובים מאוד.

מערכת החדרים של הנסיך השקיפה אל העיר העתיקה של ירושלים. הנסיך יצא משם לשיחות עם אישים פלשתינאים, לארוחות המפוארות ולתפילות במסגד אל אקצה. הוא ניצל במלואה את הכנסת האורחים הבריטית, תבע ללא הרף שינויים בתפריט, ביקש שיזמנו במיוחד מביירות את הזמרים האהובים עליו, ואירח בכל לילה נערת ליווי אחרת.

כשהגיעה שעת הפרידה נשמו הבריטים לרווחה. חשש שמשהו בלתי צפוי ישבש את מבצע אירוחו של הנסיך נעלם כלא היה. הם ליוו את האורח עד לתחנה הבאה בביקורו – ביתו של קרוב משפחה בעכו. כשיצאו המארח ואנשיו לקראת האורח ופמלייתו שבו הבריטים על עקבותיהם. האחריות שלהם לשלומו ולהנאותיו של הנסיך הסעודי כבר לא העיקה על כתפיהם.

מוסטפה עלאמי חיבק בחום את אורחו הסעודי, קרוב משפחתו, והוליך אותו אל בית האחוזה הגדול שלו מול הים. בפעם האחרונה נפגשו שש שנים קודם לכן כשעלאמי עלה למכה. מאז חלף זמן רב וארץ ישראל השתנתה. גדל מספר התקריות בין יהודים וערבים, נשפך דם רב וצצו בעיות שעלאמי רצה לדבר עליהן. בשיחה בארבע עיניים סיפר לנסיך על תפקידו והפציר באורח שיתחייב לתרום כסף למימון ההתנגדות הערבית. הנסיך לא רצה להבטיח. הוא אמר שהבריטים וראשי מדינות אחרות באירופה, באמריקה ובאסיה מצפים מהסעודים לניטרליות מוחלטת בסכסוך היהודי־ערבי. עלאמי התאכזב, אך העמיד פנים שלוות כדי לא להעכיר את אווירת הביקור.

בארוחת הצהריים הציג מוסטפה עלאמי בפני הנסיך את אשתו ואת בתו באשירה בת החמש שהצטרפו לשולחן. הנסיך מלמל כמה

מילות נימוסין לעבר האישה, ומיקד את מבטו בילדה מתולתלת השיער והמבוישת שכבשה עיניה בצלחת. בדמיונו הוא ראה אותה שנים אחדות לאחר מכן כנערה יפהפייה שגברים לא יוכלו לעמוד בפניה.

"הבטחת אותה כבר למישהו?" שאל את מוסטפה עלאמי.

אביה לא העלה בדעתו שמישהו יחשוב על נישואין עם בתו בשלב כל כך מוקדם של חייה, אף שבעולם שבו חי נהגו משפחות לחלק הבטחות נישואין מחייבות עוד בטרם בגרו ילדיהן. שאלתו של הנסיך לא הייתה אפוא יוצאת דופן. עלאמי התמוגג מנחת נוכח התעניינותו של הנסיך בבתו. לא היה לו ספק שהמציע יהיה חתן ראוי יותר מרבים אחרים. מבחינתו היה זה טיפשי ובלתי מנומס לדחות אותו.

"עדיין לא הבטחתי אותה לאף אחד," אמר.

"אם כך, רשום לפניך שאני מעוניין בה. אחכה עד שתגדל ואז אתחתן איתה."

אחרי שפרש האורח פנתה פארידה אל בעלה בחיוך: "עכשיו אתה ודאי כבר לא מתחרט שנולדה לנו בת במקום בן..."

מוסטפה עלאמי החזיר לה חיוך: "עכשיו כבר לא."

עיניו הביטו באומנת, שלקחה את ידה הקטנה של באשירה וליוותה אותה אל חדרה. הילדה רצתה שתקרא לה סיפור. אגדות אפשרו לה להמריא על כנפי הדמיון לעולמות רחוקים שבהם מחזרים נסיכים צעירים ויפי תואר אחרי נערות-כפר יפות הנאנקות תחת עולן של אמהות חורגות.

.23

מכתב בתיבת הדואר:

שירי יקירתי

כמו רעם ביום בהיר נפלה עליי ההפתעה שגם בחלומותיי הנועזים ביותר לא חשבתי שהיא אפשרית. נגעה ללבי האהבה הגדולה שהרגשתי מצדך. הכסף ששלחת לי היה הרבה יותר ממה שאני צריכה. גם ההורים היו המומים. הרבה זמן הם חשבו שאת בחורה קלת דעת ולא רצינית, עכשיו הם מבינים שטעו. הצעתי להם חלק מהכסף ששלחת, אבל הם סירבו לקחת והפקידו את כל הסכום בחשבון על שמי בבנק, עד שאשתמש בו לתשלום הוצאות הלימוד בבית הספר למשפטים. אמא נישקה אותי ואמרה שאני לא יכולה לתאר לעצמי כמה היא מאושרת בשבילי.

כמובן שנסעתי מיד לבית הספר למשפט בירושלים, שם אוכל לקבל תואר של עורך דין. כל הדרך חשבתי עלייך, על האחות שלי שתמיד לבשתי את הבגדים הישנים שלה, ועכשיו היא עומדת לצדי כמו מלאך מושיע.

בלב דופק נכנסתי לבית הספר, השוכן בבניין אוולינה דה רוטשילד. עברתי במסדרונות והצצתי לחדרי הלימוד המרווחים. המנהלים התפעלו מציוני הבגרות שלי, וכאשר קיוויתי, אכן קיבלתי מלגת לימודים, שתאפשר לי ללמוד בהנחה גדולה. אין לי ספק שאעשה כל מאמץ כדי לממש את הציפיות שלהם ממני.

שכרתי דירה קטנה באחת השכונות, בבית קטן עם גינה. עברתי

לגור שם השבוע (ההורים נתנו לי קצת אוכל לשלבי ההתאקלמות
הראשונים). התחלתי כבר ללמוד. בית הספר נמצא לא רחוק מהבית.
אני הולכת לשם ברגל ונהנית מאוד. היית מאמינה שהיום, בדרך לשם,
פשוט רקדתי ברחוב? אושר גדול מציף אותי וקשה לי להירדם בלילה
מרוב מחשבות על הלימודים.

חלק מהמרצים הם אנגלים וחלק מההרצאות, בעיקר על המשפט
האנגלי, ניתנות באנגלית. זה לא קל אבל אני בטוחה שאתמודד
בהצלחה עם הקושי הזה, כי יש לי המון כוח רצון ולא אכפת לי לעבוד
קשה למען המטרה.

המרצים מצוינים. אחד מהם אפילו השאיל לי כמה ספרי לימוד,
כדי שלא אצטרך להוציא כסף.

אנחנו עשרים סטודנטים בכיתה. רוב התלמידים באים כדי ללמוד
ואחדים מהם, בעיקר בני העשירים, עוסקים יותר בחיזורים אחרי
הסטודנטיות במקום להקשיב לשיעורים. לי אין מחזרים, אולי משום
שאני נראית כמו תלמידה שקדנית שאין לה בראש שום דבר פרט
ללימודים. אבל אני לא מודאגת. אני יודעת שעליי להשקיע עכשיו את כל
זמני ללימודים. אהבה תגיע בוודאי במשך הזמן. בינתיים זה לא חסר לי.

בכסף שנשאר לי קניתי שתי שמלות ומעיל לחורף. אני חושבת
עלייך הרבה ומקווה שההבטחה שלך לשלוח לי כסף בכל חודש לא
תגרום לך לבעיות. תבטיחי לי שאם יהיה לך קשה לשלוח עוד כסף,
פשוט תכתבי לי ואני אנסה להשלים את החסר בעבודה שאמצא בעיר.

לא תאמיני, אבל למדתי לבשל לעצמי. אני קונה במכולת מצרכים
פשוטים, והשכנות שלי מביאות לי חלק מהאוכל שהן מבשלות. אחת
מהן אפילו נתנה לי במתנה שמיכת פוך כמעט חדשה, שעוזרת לי

144

להפיג מעט את הקור בלילות. אינני יוצאת לבילויים, אפילו לקולנוע עוד לא הלכתי. חבל לי על הכסף שאוכל להקדיש למטרות חשובות יותר.

חיי התמלאו בתוכן ובעניין. לבשתי היום את אחת השמלות החדשות שלי ואני הולכת בראש מורם ומושכת מבטים של גברים. מקווה שאוכל לבקר את ההורים לפחות בסופי שבוע.

כל חיי אזכור את העובדה שבזכותך אני מגשימה את חלום חיי.

שלך

אחותך האוהבת

שושנה

אחרי תקופה של דממה ממושכת שבה שיגרה שירי מכתבים קצרים בלבד למשפחתה, נסעה לתל אביב לבקר את הוריה. לרגל המאורע לבשה את בגדיה הצנועים ביותר והשתמשה באיפור קל בלבד.

עמוסה במתנות ובכסף מזומן הגיעה אל דירתה הקטנה של המשפחה. הם הופתעו לראותה והחמיאו לה על מראה. היא סיפרה להם קצרות על עבודתה המשעממת במשרד הטבריייני. הוריה סיפרו בגאווה על אחותה שושנה שעושה חיל בלימודיה.

הם שיפרו במעט את רמת החיים שלהם, אבל עדיין נאבקו בקשיי פרנסה. אמה התייגעה בבישול במסעדה, אביה שטף כלים. הם לקחו בידיים רועדות את הכסף שהביאה להם שירי. כל פרוטה הייתה כמתת שמיים, כל לירה נועדה לכיסוי חובות ולקניית מצרכים חיוניים. אמה עמדה שעה ארוכה מול הראי ומדדה את השמלה החדשה שהביאה לה שירי. כל השכנים נהרו אל הדירה כדי לחזות בבת המצליחה של משפחת קושמרו.

שירי נשארה בבית הוריה רק כמה שעות. חייבת הייתה לשוב
להופעה בטבריה. היא לא יכלה להרשות לעצמה להיעדר מהמועדון,
שרוב אורחיו יגיעו במיוחד כדי לצפות בהופעת הריקוד שלה.

.24

קפטן תומאס ג׳ורדן שכב עירום על מיטת הטיפולים במרפאת הבסיס
של הצבא הבריטי בחיפה. רופא בדק אותו ארוכות ומשך בכתפיו.
"אני לא מוצא כלום," אמר.
"זה לא מרגיע אותי, דוקטור. מדאיג אותי שאתה לא רואה שאני
סובל."
"ספר לי על הכאבים שלך."
"כואב לי כל הזמן," נאנח הקצין ומישש את בטנו.
הרופא שמט את ידיו לאות שאינו יכול להועיל. על דף נייר שנשא
את פרטיו האישיים ואת פרטי המרפאה, כתב:
**"קפטן תומאס ג׳ורדן מתלונן על כאבים עזים בבטנו זה כמה ימים.
בבדיקה שטחית לא נמצא כל ממצא ברור. ממליץ לנ״ל לנוח שלושה
ימים, ואם כאביו יימשכו מן הראוי שיעבור בדיקות יסודיות בבית
החולים."**
הוא נתן לג׳ורדן חפיסה של גלולות הרגעה ומסר לידיו את המסמך.
"אם הכאבים לא יחלפו," אמר, "תיגש לבית החולים בחיפה. יש
להם אמצעי בדיקה משוכללים יותר משלי."
ג׳ורדן הבליע חיוך של שביעות רצון. התוכנית שלו התנהלה

בדיוק כפי שציפה. למען האמת, הוא היה בריא כשור. התלונות על כאביו נועדו למטרה אחת: ליצור לו אליבי מוצק. הוא שמח שהרופא אישר לו כמה ימי חופשה שיאפשרו לו לבצע את המשימה שגיבש.

ג'ורדן חזר לבסיס של יחידתו. פרט לפקידי המפקדה לא היה שם איש. בהיעדרו יצאה יחידת הסיור שלו לשטח בפיקודו של ממלא מקומו. היא עמדה לחזור רק בערב. כל שעות היום עמדו לרשותו.

ג'ורדן פשט את מדיו, לבש בגדים אזרחיים, עלה אל אוטובוס ונסע לחיפה.

אזור הנמל שקק פעילות אופיינית ליום חול שגרתי. משאיות כבדות הובילו מטענים אל הנמל וממנו, מלחים בילו את שעות החופשה שלהם בבתי הקפה השוקקים ברחוב המלכים, נוסעים נשאו מזוודות אל אניות הטיול שעגנו ליד הרציפים ופקידי המכס רכנו מעל ערימות של מסמכים. אניות הפליגו, אניות חדשות הטילו עוגן, זרועות של מנופים נשלחו אל על כמשושים של מפלצות מוזרות וצפירות צרודות של סירות הניווט נמהלו בצריחות השחפים שהתעופפו מעל הנמל.

קפטן תומאס ג'ורדן פנה בצעד בוטח אל הסמטאות המוליכות למעלה העיר. בבניין משרדים גדול ברובע המסחרי שכן סניף של בנק אנגלו־פלשתינה.

ג'ורדן שוטט שעה ארוכה סביב הבנק ובחן את פתחי הכניסה שלו. אחר כך נכנס פנימה וחרט במוחו את אזורי ההמתנה, את מקום משרדו של המנהל, את אשנבי השירות לקהל ואת פתחי היציאה.

הוא הסתובב שם באין מפריע ויצא החוצה לאיטו, נינוח ושלו, כמו היה לקוח שהסדיר את ענייניו בבנק. בחוץ בחן את דרכי המילוט, את

הרחובות העולים והיורדים, את חצרות הבתים הסמוכים ואת קווי האוטובוסים. ביומיים הבאים, כשאנשיו מוסיפים לצאת לסיורים בלעדיו, הוא שב אל אזור הבנק לבדיקות נוספות. כשחזר לבסיס סיכם על דף נייר, שהיה מונח על השולחן בחדרו, את מה שהעלו סיוריו. עכשיו היה בטוח הרבה יותר שיצליח.

השכם בבוקר היום הרביעי נסע לבדיקות בבית החולים. הוא היה הראשון בתור. אחות עיינה במסמך שנתן לו הרופא וערכה שורה של בדיקות שנמשכו כשעה. ג'ורדן ביקש וקיבל אישור שביצע את הבדיקות. זה היה חשוב לו למקרה שיצטרך לספק פרטים על מעשיו באותו יום.

לבוש בבגדים אזרחיים הגיע לבנק שעה קלה לאחר שנפתחו הדלתות. קהל המבקרים היה עדיין דליל מאוד. ידיו מיששו את כובע הגרב ואת האקדח הטעון שהיו מונחים בכיסו. הוא היה קר רוח ועצביו רגועים. הוא ידע בדיוק מה עליו לעשות. שירי לא תתחתן איתו, אלא אם כן יוכיח לה שהוא אדם אמיד. עכשיו הוא יוכל לספק לה את ההוכחה.

.25

רינה אברך התעוררה משנת הלילה בתחושה של בחילה עזה. ברצון הייתה מוסיפה להתכרבל בשמיכה ולהירדם שוב, אבל נקבעה לה פגישה בבוקר, אצל מנהל סניף הבנק שבו עבדה. היא ידעה שתלך

לשם במורת רוח. את מכתב הפיטורין, שעליו חתם מנהל הסניף, קיבלה ימים אחדים קודם לכן עם עוד כמה מפוטרים מעובדי הבנק. הסיבה הרשמית הייתה ייעול וניסיון לקצץ בהוצאות. בנק אנגלו־פלשתינה הרוויח השנה פחות מהמצופה.

לא היה לה כל חשק לחזור אל המקום שממנו פוטרה. לא היה לה מושג מה מבקש לומר לה מנהל הסניף ולמעשה גם לא גילתה עניין בפגישה איתו. למן הרגע שבו ויתר על שירותיה, הוא הפך ליצור מאוס בעיניה. תחילה התכוונה לא להיענות להזמנתו אבל היא לא מצאה בקרבה את העוז לסרב.

בעלה יוסי עדיין ישן כשיצאה מהבית. הוא פוטר מעבודתו שבוע לפני כן, לאחר שתחנת הכיבוי שלו נסגרה. מן הסתם, חשבה רינה, יתעורר מאוחר יותר ויצא לחפש עבודה. היא קיוותה שמזלו יאיר לו היום.

היא ירדה בתחנת האוטובוס הסמוכה לבנק. את הדרך עד לפתח הכניסה עשתה כבר מאות פעמים בשנתיים שבהן עבדה בבנק. תמיד הלכה לשם בצעדים קלילים, בהנאה, בכוונה למלא את תפקידה כהלכה. העבודה הייתה מעניינת, המשכורת טובה, והיא העריכה שאם תגלה מסירות והתמדה תזכה גם לקידום. עכשיו רוצה המנהל לפגוש אותה. לשם מה? הרי את מכתב הפיטורין כבר שלח אליה.

היא עברה באולם הכניסה של הבנק והעיפה מבט של געגוע על כותלי העץ המגולפים, על ציורי השמן ועל פסל האבן של האריה, שניצב ליד גרם המעלות המוליך אל הקומה השנייה.

המנהל המתין לה בלשכתו המרווחת. הוא קם ממקומו ולחץ את ידה.

"זה לא היה תלוי בי," אמר כמתנצל, "היית עובדת טובה, אבל ההנהלה דרשה שנפטר עובדים עם ותק לא גדול. נאלצנו לבחור בכמה מהם, ואת ביניהם."

"אני מבינה," אמרה.

"רציתי רק להגיד לך שהבנק ינסה לעזור לך לעבור בקלות את הזמן שבו תחפשי עבודה. אם תרצי הלוואה..."

היא הייתה גאה מלקבל את הצעתו.

"תודה, אני אסתדר גם בלי הכסף שלכם."

הוא נתן לה המחאה על סכום זעיר. "זו יתרה קטנה שנשארה לזכותך," אמר, "אני מצטער שהסכום קטן כל כך..."

היא לקחה מידיו את ההמחאה. לא נותר עוד מה לומר.

"שלום," אמרה.

"להתראות."

כשיצאה ממשרדו חפז לקראתה גבר תמיר. גופו התחכך בה כשעבר על פניה.

הוא לא ביקש סליחה וזה עורר את כעסה. היא הלכה אל הקופה ופדתה את ההמחאה, אחר כך פנתה לצאת מהבנק.

לא היה לה כל רצון לשוב הביתה בעיצומו של הבוקר. היא התיישבה על ספסל מול הפתח, נהנתה מחום השמש וחשבה על האפשרויות הפתוחות לפניה. היא תוכל אולי להיות פקידה במשרד להנהלת חשבונות, אפילו זבנית. התפקיד לא היה חשוב, חשוב היה רק הכסף.

תומאס ג'ורדן פסע בצעדים מהירים אל חדרו של המנהל. לפני שנכנס לשם כיסה את פניו בכובע הגרב, שבו פרם פתחים קטנים

לעיניים, פתח את הדלת ושלף את אקדחו. ״זהו שוד!״ קרא באנגלית, ״אם אתה רוצה לחיות תעשה בדיוק מה שאגיד לך!״

המנהל החוויר ורעד בכל חלקי גופו.

״תן הוראה שיביאו אליך מיד חמשת אלפים לירות!״ דחק בו ג׳ורדן.

המנהל הרים את שפופרת הטלפון ודרש את הכסף.

״בעוד כמה דקות זה יגיע,״ אמר. הוא התמוטט לתוך כיסא סמוך. ״אני חולה לב,״ הסביר בקול רפה, ״אינני יכול לעמוד יותר על הרגליים.״

פקיד קשיש נכנס לחדר עם שקית בד גדושה. הוא התחלחל למראה השודד בכובע הגרב המכוון את אקדחו למנהל הבנק.

״הבאת חמשת אלפים?״ שאל המנהל.

״כן.״

״ספרת?״

״בוודאי.״

״תמסור את הכסף לאיש הזה!״

הפקיד ציית בהיסוס. ג׳ורדן לקח את השקית.

״תישארו כאן בלי לזוז עוד עשר דקות,״ פקד, ״חברים שלי מחכים בחוץ. אם תצאו לפני הזמן הזה, הם יהרגו אתכם.״

הוא יצא משם, ובהגיעו אל הפתח הסיר את כובע הגרב והחזיר את האקדח לכיסו.

מולו, על הספסל, ישבה רינה. היא זיהתה אותו כאיש חסר הנימוסים שדחף אותה ליד חדר המנהל.

ג׳ורדן מיהר לרחוב המלכים ועלה לאוטובוס הראשון שעצר בתחנה הסמוכה. כעבור זמן קצר מצא עצמו בתחנת האוטובוסים

המרכזית. איש לא שת את לבו אליו כשנכנס לאוטובוס הנוסע
לבסיסו.

26.

באותו ערב לקח ג'ורדן את תרמיל הכסף ונסע לטבריה בלב מתרונן.
הייתה לו בשורה טובה לבחורה שאהב.

הוא המתין עד ששירי סיימה את הופעתה ועלה לדירתה. היא
הציעה לו כוס תה, אבל הוא היה נרגש מכדי לשתות משהו. היא
המהמה שיר ידוע. היו לה כל הסיבות לחוש שביעות רצון. באותו יום
הפקידה סכום נוסף בחשבון הבנק שלה.

קפטן ג'ורדן ניגש ישר לעניין.

"זוכרת שדיברנו על נישואין?" שאל.

כן, היא זכרה.

"אמרת לי שיהיה לנו קשה להתקיים רק מהמשכורת שלי."

היא זכרה גם את זה.

"ובכן," אמר בקול חגיגי, "עכשיו כבר אין שום מכשול בדרך
לחתונה שלנו. אני בן אדם עשיר, שירי."

היא הביטה בו בפתיעה כשפתח את תרמילו וחשף בפניה את
הסכום הגדול שנמצא שם.

"שדדת בנק?" שאלה אותו בחצי חיוך.

"קיבלתי ירושה."

"ממי?"

"דוד שלי מת באנגליה. הייתי קרוב המשפחה היחיד שלו."

"כמה הוא הוריש לך?"

"חמשת אלפים לירות."

היא פלטה קריאת התפעלות.

"זה לא מעט," אמרה.

"אסיים את השירות שלי בעוד שנה ואז נתחתן."

מבטה התעמעם. היא חיבבה את האיש הזה, היא שכבה איתו, אבל לא רצתה בו כבעל. מעולם לא אמרה לו בפירוש שתתחתן איתו.

"מה קרה לך?" שאל, "רצית שאוכיח לך שיש לי כסף. הוכחתי. זה לא מספיק לך?"

"כסף לא ישנה את העובדה שיש בינינו הפרש גילים בלתי סביר. אתה איש מבוגר, אני בחורה צעירה. זה לא ילך."

פניו נעוו בבת אחת. הוא כבר רקם את תוכניות הנישואין שלהם, הוא סיכן את הקריירה שלו כששדד בנק למענה, היא לא תתחמק ממנו עכשיו.

"לא מפריע לי שאת צעירה," כבש את זעמו, "ההפרש בינינו לא גדול מדי. אני הגבר שהכי מתאים לך. אני אוהב אותך, יש לי כסף, וחוץ מדבר אחד או שניים לא מפריע לנישואין שלנו שום דבר."

"מה בכל זאת מפריע לך?" נתלתה במה שאמר.

"מפריע שאנחנו נמצאים בארץ הארורה הזאת. זה לא מקום שמתאים לך ולי. בואי איתי לאנגליה, שם יהיה לנו הרבה יותר טוב."

"אני לא רוצה לנסוע לאנגליה," אמרה. למראה עיניו הבוערות הבינה שתירוציה הגדישו את הסאה.

הוא תפס בידה וכרך עליה את אצבעותיו הנוקשות. זה כאב.

"מה יש לך בארץ הזאת, שירי?" ניסה לשכנעה, "רק שרב וצרות,

כבישים שלא בטוח לנסוע בהם, אנשים מטורפים שנלחמים אחד בשני,
עבודה שלא מוסיפה לך כבוד. לא טוב פה ואף פעם לא יהיה טוב."
הוא הצליח להרגיז אותה.

"אני לא כל כך מתקשה לחיות פה," אמרה.

"אל תגידי לי שאת נהנית גם מהעבודה במועדון."

"מה יש לך נגד העבודה שלי?" הזעיפה פניה.

"כל הדברים שבעולם. בראש ובראשונה, זו לא עבודה מכובדת."

"בעיניי דווקא כן."

היא רצתה שתתפתח מריבה סוערת, היא רצתה שייווצר קרע
ביניהם, היא רצתה שיעזוב אותה לנפשה.

"באנגליה תוכלי להיות פקידה, מוכרת בחנות, מטפלת בילדים.
כל מה שתרצי."

"אני רוצה להיות רקדנית. טוב לי עם מה שאני עושה."

"שמת לב מה קורה סביבך מאז שהתחלת לעבוד במועדון? שמת
לב כמה גברים מחזרים אחרייך פה? זה לא הוגן ולא מוצא חן בעיניי."

הוא חיבק אותה וניסה ללטף את שדיה מתחת לחולצתה. היא
חמקה ממנו.

"תראי," אמר ברוך, "אני רוצה שנסכים בינינו שכאשר נתחתן
תתפטרי ממועדון הלילה, תנתקי כל קשר עם גברים אחרים ותיסעי
איתי לאנגליה. ברור?"

היא משכה בכתפיה באדישות.

"את סתם מתעקשת."

"יש כמה בעיות, תומאס... אתה מבוגר מדי בשבילי. אתה לא
יהודי... אתה רוצה שניסע מכאן, שאפסיק לעבוד... זה לא מתאים לי."

"אבל טוב לנו יחד," התגונן בלהט.

"אתה לא הגבר היחיד שטוב לו איתי. אמנם נוצר בינינו סוג של
קשר, תומאס, אבל אתה פשוט לא מתאים לי."

הוא נעלב עד עמקי נשמתו.

"את לא מצליחה להבין שאני מציע לך את הטוב ביותר."

"בשבילי זה לא הטוב ביותר."

היא הבינה שהוא מתקשה לשלוט על זעמו.

"תשלימי עם העובדות," קרא, "אני אהיה בעלך ואין שום דרך
אחרת. את חייבת להבטיח לי שתפסיקי לעבוד כרקדנית ושלא יהיה
לך שום גבר אחר מלבדי."

"אתה דורש יותר מדי," אמרה בפנים זעופות.

היא פלטה יללת כאב כשתפס בכוח את זרועותיה וטלטלן בכעס.
אחר כך ביקש להפשיט אותה ולשכב איתה. היא טענה שהיא עייפה
מדי וביקשה שיסתלק.

"אולי לא הספקת להכיר אותי," שמט את ידיו בעל כורחו, "אבל אני
מתכוון לכל מילה שאמרתי. אני אגרום לכך שתפסיקי לעבוד במועדון,
אני אסלק כל גבר שמסתובב לידך. לא אתן לשום גבר לראות אותך
עירומה או להניח עלייך יד, לא לפני החתונה ולא אחריה."

27.

כל הדרך חזרה אל הבסיס שחזר קפטן ג'ורדן את שיחתו עם שירי.
היה ברור לו שברגע שהעלה את רעיון החתונה היא נבהלה מהצעד
המכריע שהיא עלולה לעשות. הוא היה משוכנע שהיא אוהבת אותו

לפחות כשם שאהב אותה, גם אם דחתה אותו כשרצה לשכב איתה בלילה. המכשולים שדיברה עליהם נראו לו כעניין של מה בכך, כפערים שאפשר בקלות לגשר על פניהם. בעיה אחת כבר באה על פתרונה. ג׳ורדן הוכיח לה שיש לו כסף שיוכל לסלול את דרכם לחיים נוחים. בכסף הזה ירכוש בית באנגליה וירהט אותו על פי טעמה. נותרו עוד שתי בעיות שחייבות לבוא על פתרונן. ג׳ורדן הניח שלא יהיה לה קושי של ממש לוותר על עבודתה כחשפנית. ממילא, אמר לעצמו, גם היא מבינה ודאי שעבודה מסוג זה אינה מוסיפה לה כבוד, וברור לה שלא תוכל להמשיך להופיע לאורך זמן. אחרי הכול, הגיל ודאי יעשה את שלו. קצין בריטי, ידע ג׳ורדן, יתקשה מאוד לנהל חיי נישואין עם אישה בעלת עבר כשלה, אף שהבין כי לא יהיה לה קל להינתק ממבטי ההערצה והתשוקה הנעוצים בה בכל ערב, ומן העובדה שכל כך הרבה גברים משחרים את חברתה.

כמו תגלית מרעישה שהייתה חבויה במשך שנים מתחת למעטה האדמה, נחשף תומאס ג׳ורדן לתכונות שכלל לא היה מודע להן. הוא גילה שהאהבה מעבירה אותו אט אט על דעתו, משבשת את הלך מחשבתו, מביאה אותו אל ספו של טירוף. לא היה דבר שלא היה מוכן לעשותו כדי לכבוש את לבה של שירי ולהפוך אותה לאשתו. הוא סטה מכל כללי ההתנהגות הנדרשים מקצין של צבא הוד מלכותו: קיבל שוחד, יזם את חיסולו של האיש שהיה מאהבה של שירי, ביצע שוד וזמם בקור רוח פשעים נוספים, שנועדו לבודד את הנערה שאהב מכל קשר שהפריע לו לממש את אהבתו. אם אינה יכולה למלא בעצמה את דרישותיו, חייב יהיה לעזור לה לשוב לחיים נורמאלים, חופשייה מכל קשר עם גבר אחר ועם מקום העבודה שהמיט עליה קלון. הוא חשב על תוכנית פעולה קלה לביצוע. אחרי

חיסולו של גוטליב ושוד הבנק בחיפה כל משימה אחרת נראתה לו כעניין של מה בכך.

עמוק אל תוך הלילה, אחרי שאחרון אורחי המועדון הלך משם והדלתות הוגפו, החנה ג'ורדן את הטנדר שלו הרחק מהמקום, והעלה על כתפיו שק כבד שהוציא מתא המטען. הוא סטה מהרחוב הראשי ופנה אל החצר האחורית של המועדון. בקת אקדחו ניפץ את חלון חדר השירותים וזחל פנימה. המועדון טבל בחשכה סמיכה, וג'ורדן גישש את דרכו אל חדר המשרד. כשהגיע לשם מצא לשמחתו ספה צמודה לאחד הקירות. הוא הרים את המזרן, תחב תחתיו את השק שהביא עמו והחזיר את המזרן למקומו. אחר כך חמק החוצה מבעד החלון המנופץ, נסע לבסיסו ונכנס לחדרו מבלי שאיש הבחין בו.

למחרת בבוקר יצא עם אנשיו לטבריה. הם עצרו ליד המועדון, נכנסו פנימה ועל פי הוראתו תפסו עמדות ליד כל הפתחים. תומאס ג'ורדן פנה אל בעל המועדון. האיש הביט בו בהפתעה. הוא לא ידע על יחסיו של תומאס עם שירי כשם שלא התעניין ביחסיה עם גברים אחרים.

"קיבלנו ידיעה שאתה מחביא כאן נשק בלתי חוקי," אמר ג'ורדן, "באנו לערוך חיפוש."

"שטויות," מחה בעל המועדון, "אני לא מחזיק כאן שום נשק."

"אם כך, אין לך שום סיבה לחשוש."

ג'ורדן פקד על אנשיו לערוך חיפוש יסודי במועדון. הם הסירו את מזרן הספה במשרד וחשפו שק גדוש באקדחים ובתחמושת, שהחרים ג'ורדן אצל פורעים ערבים ולוחמי מחתרת יהודים.

בעל המועדון נדרש להסביר. הוא היה אובד עצות ולא הצליח להבין מי הטמין את הנשק במועדון שלו.

"זו פרובוקציה," קרא, "עשה את זה מישהו שרוצה להזיק לי."
הקצין משך בכתפיו.
"בשלב זה," אמר, "אין לי ברירה אלא לסגור את המועדון שלך עד שתסתיים החקירה. בינתיים אתה עצור."
"אי אפשר לסגור את המועדון," התמרמר האיש, "יש לי רישיון להפעלתו, האנשים שבאים לכאן אינם גורמים שום נזק. לא אוכל להרשות לעצמי להשבית פה את כל הפעילות."
"מצטער," משך ג'ורדן בכתפיו, "היית צריך לחשוב על זה קודם."
"מתי אוכל לפתוח שוב?"
"לא יודע."
הקצין הורה לאנשיו לכבול את האיש באזיקים ולאסוף את הנשק. בעל המועדון הושלך לתא המעצר בבסיסו של ג'ורדן.

.28

הערב לבש מעטה של עגמומיות מרה. רינה ויוסי היו סמוכים אל השולחן בפינת האוכל שלהם, נוגסים ללא תיאבון בארוחת הערב הפשוטה – סלט, חביתה, מעט זיתים וגבינה לבנה. יוסי היה שפל רוח. כל ניסיונותיו למצוא מקום עבודה חדש עלו בתוהו והוא כבר אמר נואש. באותו בוקר איחר לקום ושוטט בחצר הבית ללא כל מטרה. מחשבות קשות מילאו את מוחו: מה יעשה עתה? לאן ילך? היכן ימצא מקור פרנסה?
רינה סיפרה לו על מה שאירע הבוקר: "מישהו שדד את סניף

הבנק. הוא חבש כובע גרב והיה חמוש באקדח. חמשת אלפים לירות
לקח מהם."

"תפסו אותו?"

"הוא הצליח לברוח, אבל אני חושבת שראיתי אותו בלי כובע
הגרב. ישבתי על ספסל מול הבנק כשהוא יצא משם בריצה ונעלם."

"איך הוא נראה?"

"גבוה, רזה, שום דבר בולט במיוחד."

"מסרת עדות למשטרה?"

"לא, כי לא הייתי בטוחה שהוא השודד."

"אני מציע שתלכי מחר למשטרה. מי יודע, אולי זה יעזור להם
לתפוס אותו."

"בסדר, יוסי."

הם עלו על משכבם בשעת ערב מוקדמת.

"מאחלת לך שמחר יעבור בהצלחה," לחשה.

"אני מקווה שמחר יהיה גם לך יום מוצלח."

אחרי חצות, בדממה שאפפה את השכונה החיפאית הקטנה, נשמעה
חריקת בלמים של מכונית, טריקת דלתות והמולה חרישית של
אנשים. הם נכנסו בשער ביתם של בני הזוג אברך ונקשו על הדלת
בקוצר רוח.

רינה העלתה מעיל על גופה והלכה לפתוח. חמישה שוטרים
בריטים התגודדו ליד הדלת. הם החזיקו אקדחים שלופים. אחד מהם
נשא דרגות קצונה ודיבר אליה בעברית.

"שמך רינה אברך?"

"כן."

"בעלך בבית?" שאל.

"הוא ישן," השיבה, "מה קרה?"

"תעירי אותו. שניכם צריכים לבוא איתנו."

"למה?"

"בבסיס שלנו כבר יסבירו לכם."

אחד השוטרים התלווה אליה כשהלכה לחדר השינה. יוסי ניעור משנתו והביט באשתו ובשוטר בעיניים מופתעות.

"מה זה?" שאל.

"שוטרים באו לעצור אותנו," אמרה, "אל תשאל למה. הם לא רוצים להגיד."

"זו בטח טעות, אף פעם לא היו לנו בעיות עם המשטרה."

"אני יודעת, יוסי, אבל נראה לי שאין ברירה. ניסע איתם ונברר את העניין במפקדה שלהם."

השוטרים כבלו את שניהם באזיקים והקדישו שעה ארוכה לחיפוש בבית. אחר כך הכניסום למכוניתם ונסעו משם.

רינה הובאה ראשונה לחדר החקירות של משטרת חיפה. היא התיישבה מול קצין בריטי שדיבר עברית רהוטה. הוא פקד על שוטר להסיר את אזיקיה.

"ספרי לי איפה היית היום," ביקש.

"בבוקר הייתה לי פגישה עם מנהל סניף הבנק שבו עבדתי. הוא פיטר אותי לפני כמה ימים ואחר כך הוזמנתי אליו. הוא הציע לי הלוואה עד שאסתדר ונתן לי יתרה קטנה של כסף שעמדה לזכותי."

"כמה זמן עבדת בבנק הזה?"

"שנתיים."

"מתי הייתה הפגישה שלך עם המנהל?"

"בתשע בערך."

"בדיוק באותה שעה בוצע שם שוד. יש לך קשר לזה?"

"כמובן שלא, אבל נדמה לי שראיתי מישהו בורח מהבנק, הוא היה
גבוה ורזה ולבש מעיל עור. יותר אני לא זוכרת."

"ואם אגיד לך שאת לא רוצה לזכור?"

"למה אתה מתכוון?"

"יכול להיות שאת מנסה להגן על השודד. יכול להיות שמי ששדד
את הבנק הוא בעלך?"

ארשת של תדהמה השתררה על פניה.

"מה גרם לכם לחשוב שבעלי הוא השודד?"

"זה פשוט נראה לנו הגיוני. עבדת בבנק שנתיים, הכרת את כל
סידורי האבטחה, ידעת איפה יושב המנהל וכמה זמן לוקח להוציא
כסף מהכספת. חוץ מזה, את מובטלת. המשכורת שלך לא תגיע עוד.
הצעת לבעלך לגנוב קצת כסף מהבנק כדי שתוכלו להתקיים ברמה
מתקבלת על הדעת."

"זוהי שטות מטופשת."

"איך מצבכם הכלכלי?"

"ככה ככה."

"יש לכם חסכונות?"

"מעט."

"אספנו קצת מידע על בעלך. גם הוא פוטר לא מזמן. איך חשבתם
להתקיים?"

"קיווינו שנמצא עבודה."

הוא שלח אותה להמתין במסדרון. שוטר שמר עליה שלא תימלט.

בעלה הוכנס אחריה לחדר החקירות.

"איפה היית היום?" שאל החוקר.

"בבית."

"כל היום?"

"כל היום."

"למה היית בבית?"

"כבר שבוע אני מחפש עבודה ולא מוצא. נשבר לי. לקחתי יום מנוחה."

"מי היה איתך בבית?"

"אף אחד."

"מישהו ראה אותך שם? השכנים? הדוור?"

יוסי אברך קימט את מצחו בניסיון להיזכר.

"לא חושב שמישהו ראה אותי."

"יש אנשים שטוענים, שהיית הבוקר בסניף הבנק שבו עבדה אשתך ושדדת מהם חמשת אלפים לירות."

הנחקר התקומם.

"הם משקרים. לא הייתי בבנק וגם לא בסביבת הבנק. אמרתי לך שהייתי בבית."

"אבל אין לך הוכחות."

"גם לכם אין."

"איפה הכסף, מר אברך?"

"אין לי מושג. תצטרך למצוא את השודד ולשאול אותו."

החקירה נמשכה עוד זמן מה. יוסי הכחיש בתוקף כל חשד שעלה

נגדו. רינה שוחררה לביתה, בעלה נשאר במעצר. נאמר לו שיישאר שם עד שיהיה ברור לחלוטין שהוא חף מפשע. זה עלול להימשך ימים ואולי גם שבועות.

.29

הערב היורד לא נשא בכנפיו שום סימנים מבשרי רעה. שירי לבשה חצאית קצרה וחולצה הדוקה וירדה מדירתה אל המועדון, כשהיא מצפה לעוד ליל הופעות שגרתי. אבל הדלת הייתה סגורה. אחד העובדים סיפר שהבריטים מצאו נשק חבוי במשרדו של בעל המועדון ועצרו אותו. אובדת עצות התיישבה על ספסל בחוץ. לקוחות הגיעו אבל חזרו כלעומת שבאו, לאחר שהתברר להם שהמועדון נסגר בפקודת הבריטים.

היא שבה לחדרה והכינה לעצמה ארוחת ערב קלה. אחר כך התיישבה מול החלון ובהתה באגם שהשתרע לפניה. המים היו שלווים ופני הירח השתקפו בהם כמו בראי, אבל המראות ריצדו לפניה כבתוך ערפל סמיך שהעכיר את עיניה. מה יקרה עתה? שאלה את עצמה, כמה זמן יישאר המועדון סגור? כמה זמן יעבור עד שישוב הכסף לזרום אליה?

היא תהתה מדוע אין גוטליב מגיע אליה עוד. אחרי שהקפיד להגיע פעמיים בשבוע, חדל פתאום מלבוא. כבר זמן רב שעקבותיו נעלמו. היא שאלה את עצמה אם הוא חולה או מת? כל תשובה הייתה יכולה להיות נכונה.

במידה רבה הצטערה על היעלמו. הוא היה גבר מגושם, נעדר הומור, אבל הוא היה ג'נטלמן אמיתי. תמיד דיבר אליה באדיבות, התעניין בשלומה, לא התמקח. בכל פגישה הייתה שמה לב לאור שקרן מעיניו, לשמחה שאפפה אותו. אף פעם לא שאלה אותו למקור כספו, אבל תמהה איך יכול האיש הזה, שמשכורתו ודאי אינה גבוהה במיוחד, להרשות לעצמו להעניק לה סכומים כה ניכרים. אף פעם לא שכח להגיד לה תודה כשהלך ממנה. "אם לא הייתי נשוי," אמר לה פעם, "הייתי מציע לך נישואין." היא צחקה כששמעה זאת. הפרש הגילים ביניהם היה יותר מעשרים שנה. גם היא וגם הוא ידעו שהקשר ביניהם, יהיו הנסיבות אשר יהיו, לא יחרוג לעולם מגבולות מיטתה.

היא סיימה לאכול ושטפה את הכלים בכיור. ממקלט הרדיו בקע שיר פופולארי. לפתע נמסכה בגופה עייפות מוזרה. רגליה פקו, היא איבדה את שיווי משקלה, התנדנדה מצד אל צד וצנחה תחתיה. גופה היה כבד כעופרת, איבריה קפואים. במאמץ רב נכנסה למיטתה, ותחושה של בחילה עזה טיפסה במעלה גרונה. היא לא הבינה מה קרה לה אבל פחדה שמצבה יחמיר.

היא גלשה ממיטתה אל הרצפה וזחלה אל הדלת, פתחה אותה והוסיפה לזחול במעלה המדרגות לדירת השכנים שמעליה. התשישות שפשטה בגופה האטה את קצב התקדמותה, ולרגעים חששה שתיפח שם את נשמתה מבלי שאיש יוכל להגיש לה עזרה.

בשארית כוחותיה הלמה באגרופה על דלת השכנים. הם נדהמו לראותה על הרצפה.

"תעזרו לי בבקשה," לחשה, "תקראו לרופא."

הם סייעו לה לשוב לדירתה, הכינו לה תה חם ונשארו לידה עד לבוא הרופא.

לאחר שנכנס אל הדירה מדד הרופא את חומה של שירי והעיף מבט בפס העופרת של המדחום.

"מסתבר שאין לך חום," אמר.

"אבל יש לי כאבים."

"איפה?"

"בכל מקום... בגב, בבטן, בחזה. כל הזמן אני רוצה להקיא."

"הרגשת כבר ככה בעבר?"

"אף פעם לא."

"אכלת משהו שאת לא רגילה לו?"

היא ניסתה להיזכר.

"לא."

"את משלשלת? יש לך עצירות?"

"לא."

הוא בדק אותה ארוכות.

מבעד לחלון הפתוח נשמעו צווחות שחפים כמו צריחות של ילדים פצועים. שירי לא הבינה מה קרה לה. מעולם לא הייתה חולה, מעולם לא סבלה כאבים, אף פעם לא איבדה את הכרתה. לא היה לה מושג מה יקבע הרופא. היא קיוותה שלא יהיו בפיו בשורות רעות כלשהן.

הרופא אסף את כליו אל תיק עור גדול.

"את בריאה לחלוטין, גברתי," פסק בחיוך, "רק סיבה אחת יכולה להיות למה שקרה לך. את בהיריון."

"אתה בטוח?"

"לגמרי."

הבשורה טלטלה אותה כעלה נידף. גלים סוערים התנפצו אל כותלי מוחה. מכל הדברים שבעולם, היריון היה הדבר שציפתה לו

פחות מכול. האם תעז להביא לעולם ילד שאין היא יודעת מיהו אביו?
האם האב הוא יעקב גוטליב או תומאס ג'ורדן או אחד מהגברים
הרבים האחרים שהכניסה למיטתה? ואם אכן תחליט ללדת, איך
תגדל את הילד? היא ייסרה את עצמה שלא נזהרה די הצורך בעת
ששכבה עם הגברים שלה. לא עלה בדעתה שהיא מעמידה בסכנה
את המשך עבודתה. איך תוכל להוסיף לרקוד כשכרסה בין שיניה?
היא לכסנה מבט אל הרופא שעמד בסמוך לה. עיניו חייכו ולבה שתת
דם.

.30

הרופא המליץ על מנוחה בת יומיים. השכנים שלחו לדירתה אוכל
שהכינו במיוחד בשבילה וביקרו אצלה לעתים תכופות.
מרבית הזמן שכבה שירי במיטתה. היא הייתה חיוורת ותשושה
וראשה המה ממחשבות קשות. ברור היה לה שבמוקדם או במאוחר
יהיה עליה להגיש את התפטרותה מהמועדון. היה לה אמנם די
והותר כסף לכלכלתה לטווח ארוך, אבל עכשיו כסף לא היה עוד
העיקר. מחשבותיה נסבו על הוולד שהיא נושאת בבטנה. יהיה זה
בלתי אפשרי לגדל את הילד כאם חד־הורית. נשים שעשו זאת נדונו
לבידוד חברתי ולהוקעה כזונות חסרות מוסר. בלית ברירה חשבה
על האפשרות להינשא לתומאס, אף שחושיה הזהירו אותה מפני
צעד כזה. נישואין היו יכולים להבטיח שלפרי בטנה יהיה אבא, וגם
אם לא יהיו אלה נישואין מתוך אהבה, יעלו חייה, לפחות לכאורה,

על בסיס שיהיה בו כדי לאפשר לה נוחות מסוימת ובית חם לבנה או לבתה.

תומאס בא לבקרה למחרת בלילה. היא קמה בקושי ממיטתה, פתחה לו את הדלת ביד כבדה ושקעה בכורסה מיד לאחר מכן. גופה עטה חלוק מרופט ועל פניה הרפויים לא היה כל סימן של איפור.

"התעלפתי אתמול בערב," אמרה, "אני עדיין לא מרגישה כל כך טוב."

"מה קרה לך? את חולה?"

"אני בהיריון, תומאס."

הוא הביט בה כאדם שנחבט בראשו ממוט ברזל. למה בעצם ציפתה? שיצהל משמחה? שיאמר לה שאין בשורה טובה מזו? שיחזור וידבר איתה על נישואיהם? תחת זאת שאל בזעם עצור: "של מי הילד, שירי?"

"שלך, כמובן." היא לא יכלה להוציא מפיה תשובה אחרת. כי מה תגיד? שהוולד הוא בנו של איל הון ערבי? של מחזר יהודי נדיב? של אחד מתוך הגברים הרבים שחלקו איתה את יצועה?

תשובתה הוציאה אותו מכליו. פניו האדימו כסלק ועיניו הצטמצמו. הוא קרב אליה וסטר לה בעוצמה על לחייה. ראשה היטלטל כראש של בובה מסמורטטת.

"זונה," תומאס לא הצליח לשלוט בעצמו, "איך את יודעת שהוא הילד שלי?"

היא שתקה.

"אולי הוא הילד של החבר הטוב שלך גוטליב," אמר בלגלוג, "שמעתי שהוא מת. הוא ידע שאת בהיריון ממנו?"

היא נרעדה. גוטליב מת? קשה היה לה להאמין שהאיש שהאיש תאב החיים הזה, האיש שידע להתרגש כמו ילד, איננו עוד בין החיים.

"הוא בא לטבריה כמה פעמים בשבוע," צעק תומאס, "הוא דפק אותך וחזר הביתה. מה בכלל מצאת בזקן הזה?"

"הוא היה רק ידיד," מלמלה וידעה שאין בהכחשתה כדי לשכנע את ג'ורדן, "לא היה בינינו שום קשר של אהבה."

"אני לא טיפש, שירי. האיש נשאר אצלך לילות שלמים. מה עשיתם ביחד? דיברתם על בתי הכנסת של צפת?"

עיניו זרו אימה ואגרופו התנופף וחבט היישר בפניה. היא פחדה שישאיר על חלקת עורה סימנים כחולים של שטפי דם.

"עכשיו את ודאי מוכנה כבר להתחתן איתי," צרח, "את רוצה שאני אגדל את הילד של הבן זונה הזקן. זה מה שאת רוצה, נכון?"

שוב אגרוף. זרזיף של דם ניגר מקצה פיה. בשולי מוחה צצו לפתע מראות אחרים של אותו אדם, שהצטיין בנימוסיו הטובים ולימד אותה אנגלית. הוא התוודה בפניה על אהבתו, התעקש להינשא לה, אבל גם בחלומותיה הגרועים ביותר הוא לא נראה לה כחיית טרף.

היא פרצה בבכי.

"הוא הבן שלך, תומאס. הוא הבן של שנינו."

הקצין הבריטי קם ממקומו.

"אף אישה," הטיח בה מילים שחרצו בה פצעים חדשים, "אף אישה לא רימתה אותי כמו שאת רימית. הייתי מוכן לקטוף בשבילך את הירח, להוריד לך כוכבים מהשמיים. קניתי לך טבעת, הבאתי לך כסף, רציתי לקשור את חיי בחייך, ואת שכבת עם מישהו אחר שעשה לך ילד." הוא פלט קללה מזוהמת.

"תפסיק," התחננה.

"זה לא יעבור לך בשקט," איים, "אני אחסל אותך ואת כל מה שחשוב לך, ואת תחזרי להיות מה שאת, זונה מלוכלכת שמוכנה להיכנס למיטה עם כל מי שמשלם לה."

היא תפסה בידו. לטוב או לרע הוא היה משענתה היחידה, האיש היחיד שיוכל לחלץ אותה ממצוקתה.

"תירגע," ביקשה, "בוא נדבר על זה כמו שני אנשים מבוגרים."

הוא ניער את ידה בשאט נפש.

"אל תעזוב אותי... בבקשה..."

הוא קרע את הדלת ויצא מהדירה. היא אזרה כוח וכשלה אחריו במורד המדרגות.

"חכה, חכה רגע, תומאס."

הוא יצא אל הרחוב. היא הדביקה אותו ואחזה בשולי מקטורן המדים שלו. עכשיו הייתה מוכנה לעשות למענו הכול, כדי לא לאבד אותו. הוא היה ההצדקה לקיומה ולקיומו של התינוק.

"עזבי אותי!" צרח.

הוא שלח את רגלו ובעט בבטנה. היא התקפלה והתמוטטה על מרצפות המדרכה, מתענה בכאביה. בשארית כוחותיה צעקה "הצילו!", וקיוותה שמישהו ישעה לצעקותיה.

תומאס ג'ורדן רץ אל מכוניתו.

פרק ג'

אהבה

1.

איתן גפני אימץ את עיניו כדי שיוכל למצוא את דרכו באפלולית
ששררה ברחוב הראשי של טבריה. מספר פנסי הרחוב היה מועט
מדי והנורות הפיצו אור קלוש שמשך אליו גדודי פרפרים מעופפים.
איתן נהג במכונית מסחרית קטנה, שלקח בהשאלה כדי לנסוע לחוות
צאן בגליל, שם עמדו להתכנס כמה מחבריו בארגון ההגנה לפגישה
דחופה.

הרחוב היה כמעט ריק מכלי רכב. החנויות היו סגורות ומנעול
כבד תלה על דלת מועדון הלילה. איתן העיף מבט על השלט הצבעוני
שהבהב ללא הרף, תזכורת יחידה שנותרה מאתר הבילוי הפופולארי
שנסגר ללא הודעה מוקדמת.

איתן לא ביקר שם מעולם. מועדון חשפניות לא עורר בו כל
עניין, ובדל המידע על המועדון הגיע לאוזניו מסיפוריהם של אנשים
ששמעו סיפורים מאנשים אחרים. כל המחשבות נעלמו ממוחו ברגע

171

שבו שמע את הזעקה ואת קולות הבכי שבאו אחריה. הזעקה בקעה מפיה של אישה שהגיחה מפתח הבניין שבו שכן המועדון וקרטעה אל המדרכה ברגליים כושלות. איתן הספיק לראות גבר שבועט בה ונמלט מהמקום. צעקות העזרה שלה הדהדו ברחוב השקט.

לרגע חכך איתן בדעתו אם לרדוף אחרי הגבר האלמוני. במחשבה שנייה החליט שייטיב לעשות אם יטפל תחילה באישה. הוא עצר את מכוניתו וקרב אליה בדיוק כשכרעה תחתיה והשתרעה על המדרכה. בידיו החזקות נשא אותה למכוניתו ונסע במהירות לבית החולים הסקוטי.

בחדר המיון השכיבו את שירי על אלונקה. הכרתה הייתה מעורפלת ועיניה עצומות. הרופאים בדקו את גופה וגילו חבלות קשות בפניה, שבר בצלעותיה ודימום בבטנה. לא הייתה להם כל ברירה: הם נאלצו לשים קץ להיריון וביצעו הפלה מהירה.

כשישב בחדר ההמתנה ניגשה אל איתן אחות וביקשה פרטים אישיים על הפצועה. הוא לא ידע להשיב.

"עברתי שם רק במקרה," הסביר, "אין לי מושג מי היא."

שירי קיבלה טיפול ראשוני בחדר המיון והועברה למחלקה הפנימית. איתן הלך בעקבותיה. זריקות ההרגעה הרדימו אותה והוא נשאר ליד מיטתה מבלי לדעת מדוע. לכאורה לא הייתה לו כל סיבה להישאר. הוא לא ראה את האישה הזאת מעולם, הוא רק עשה את חובתו בהביאו אותה למקום שבו תוכל לקבל עזרה. עכשיו, אחרי שקיבלה את הטיפול הדרוש, קשה היה להניח שתתעורר לפני שיאיר הבוקר. הוא הציץ בשעונו. שעת הפגישה שלו חלפה זה מכבר. אם ירצה בכל זאת להגיע לחוות הצאן, יירשם לחובתו איחור של שעות אחדות. הוא לא היה בטוח שחבריו יחכו לו.

הוא הסמיך כיסא אל המיטה והתיישב. עיניו בחנו את פניה של
שירי, שיופיין הסתמן מבעד לתחבושות המתוחות עליהן. הוא תהה
מה הניע מישהו לפגום באכזריות ביופי הזה?

חצי ירח שט לאיטו ברקיע האפל ואורו ריצד מבעד לצמרות
העצים שטיפסו עד אדן חלונה של שירי. היא שכבה ללא ניע, נושמת
בכבדות. לפתע פלטה מפיה אנחה כבדה. מבלי משים שלח איתן את
ידו לעברה וליטף את שיערה. מגע גופה הסב לו צמרמורת נעימה. מי
היא בכלל, שאל את עצמו.

הוא היה גבר נאה, פניו חטובים, שיערו השחור מתולתל, עיניו
הירוקות בורקות. הוריו התגוררו בקיבוץ אפיקים. הוא נולד שם
וכשבגר הלך ללמוד הנדסת בניין בטכניון של חיפה.

היו לא מעט נשים שהלכו שבי אחרי מראהו ופיקחותו. הוא
קיים קשרים עם אחדות מהן. היו יחסים שנמשכו חודשים אחדים,
היו כאלה שנמשכו פחות. הוא לא מצא את האישה שיאהב ובעת
האחרונה הוא לא חשב כלל על נשים. היו לו עיסוקים חשובים בארגון
ההגנה שמילאו את מרבית זמנו הפנוי.

איש לא בא לבקר את שירי עד הבוקר. כשפקחה את עיניה הביטה
בתמיהה בגבר הזר שישב ליד מיטתה.

"איפה אני?" לחשה.

"בבית חולים."

"מי אתה?"

"קוראים לי איתן. אני הבאתי אותך לכאן."

"מה קרה לי?"

"מישהו היכה אותך וברח. את רוצה לספר לי על זה?"

היא שבה ועצמה את עיניה.

"אני לא זוכרת שום דבר," אמרה.

.2

כשפקחה שירי את עיניה כעבור שעות אחדות, איתן עדיין היה שם. הוא שתה קפה שהכינה לו אחת האחיות והביט בשירי בדאגה. היא החזיקה בבטנה, פניה נעוו מייסורים.

"כואב לי," נאנקה.

איתן הזעיק רופא. "הכאבים שלך בלתי נמנעים," אמר הרופא לשירי, "תקבלי אמנם עוד תרופות הרגעה אבל הן יקלו עלייך רק לתקופות קצרות. נסי לגלות סבלנות. עברת אירוע לא קל. גם חבלה גופנית וגם הפלה. יעבור זמן עד שתשובי לאיתנך."

לכאורה היה עליה להיות מרוצה שהריונה הופסק. עכשיו אמורים חייה להימשך כקודם. ייתכן מאוד שהמועדון ישוב לפעילות, ההופעות שלה יחודשו, הכסף יוסיף לזרום. אם כך, מדוע אינה שבעת רצון? מדוע מעורר בה אובדן הילד מועקה כבדה כל כך? לפתע חשבה שבעצם, עמוק בקרבה, השתוקקה לילד הזה. היא רצתה בו אולי משום שלידתו הייתה יכולה להביא שינוי, שבעמקי לבה רצתה שיתחולל. הטיפול בילד לא היה מאפשר לה לשוב לעבודתה, לארח גברים בכל לילה ולנהל אורח חיים פרוע וחסר אחריות. הילד היה יכול להפוך אותה מנערה הרפתקנית, שמוכנה לעשות הכול תמורת כסף, לאם אוהבת, שכל מעייניה נתונים לבנה. הילד הבטיח עתיד

שונה, רגוע ונטול סכנות, בינה לבינה הודתה שמיצתה כבר את מלוא ההנאה מריקודי עירום מול קהל של גברים מיוחמים, משיחות פיתוי משמימות ומסחיטת מידע ביטחוני עבור הלקוח הערבי שלה. מבלי שתרגיש בכך, כבר הייתה, כנראה, מוכנה להעלות את חייה על מסלול חדש והילד עתיד היה לאפשר לה לעשות זאת. עתה, אחרי ההפלה, תיאלץ לשוב בלית ברירה לאותו אורח חיים מתיש ומורט עצבים שנפשה קצה בו. זה העכיר את מצב רוחה.

איתן שם לב למבעם העגום של פניה.

"יש משהו שאוכל לעשות בשבילך?" קטע קולו את חוט הרהוריה.

היא הביטה בו ארוכות.

"למה שתעשה בשבילי משהו?" אמרה בקול חרישי, "הרי אתה בכלל לא מכיר אותי."

"את צודקת," אמר והחל לקום, "אולי אני בכלל מיותר כאן."

אבל היא לא רצתה להישאר לבד.

"חכה, אל תלך," ביקשה, "תביא לי בבקשה כוס מים, בסדר?"

הוא מילא את מבוקשה.

"אפשר לשאול אותך שאלה אישית?" העז לאחר שהגיש לה את הכוס.

"בבקשה."

"הייתי איתך מאז שנכנסת לבית החולים, ורק דבר אחד לא ברור לי: למה לא נמצא כאן בעלך?"

היא יכלה לבדות שקר כלשהו, אבל נמאס לה לשקר.

"אין לי בעל," אמרה.

"אבל ההיריון..."

"תראה," הוסיפה, "למרות שאנחנו לא מכירים, אני רוצה שתדע,

175

שהילד הזה אמור היה להיוולד ללא אבא רשמי. כשסיפרתי על ההיריון שלי לגבר שהיה בן זוגי, הוא הגיב בכעס והיכה אותי. הוא גרם לי להפיל את הילד."

"זה נורא," קרא איתן בהתרגשות, "לא הגיע לך לסבול כל כך הרבה."

היא חשה עידוד קל כשנוכחה לדעת שאכפת לו. בו במקום רצתה לספר לו פרטים נוספים על חייה, אך הוא לא הניח לה לדבר.

"אם את לא רוצה, את לא חייבת לספר לי שום דבר," אמר.

"תודה," לחשה, "אני מעריכה את ההתחשבות שלך."

אבל היא סיפרה לו בכל זאת. היא גילתה לו מהו עיסוקה האמיתי, היא סיפרה על מה שהתרחש כמעט בכל לילה בדירתה. מימיה לא הייתה גלוית לב כל כך, אבל האיש הזה, משום מה, הפיח בה אמון. היא חשה שלא ינצל אותה לרעה.

איתן האזין לה בקשב רב, ואחר כך התנצל שעליו ללכת. הוא הבטיח לחזור בערב.

"אני יודעת שלא תחזור," אמרה, "אבל היה נעים להכיר אותך. תודה על כל מה שעשית למעני. שלום לך."

הוא רפרף בכף ידו על כף ידה החיוורת.

"תשמרי על עצמך," אמר והלך.

היא הסבה ראשה אל הכר ופרצה בבכי. בצד הכאבים שייסרו אותה ועוגמת הנפש שמילאה את קרביה, צפה ועלתה ההכרה שבעצם היא מתנהלת לבדה בעולם, רחוקה ממשפחתה, ללא חבר אמיתי אחד שיוכל לסעוד אותה ברגעיה הקשים. היא הייתה בודדה בעולם אנוכי השוחר אך ורק את טובתו שלו, המשתמש בה לצרכיו ולמיצוי הנאותיו

והופך אותה לקרבן שאינו מסוגל לבחור את דרכו הנכונה בחיים. אכן, בעולם הזה היה גם כסף, הרבה כסף, אבל בפעם הראשונה בחייה לא עורר בה הכסף כל התרגשות. לפתע הוא הפך למובן מאליו, לאמצעי טכני בלבד. היא רצתה יותר מכך, היא רצתה להתרגש וליהנות מכל הדברים הקטנים שאף פעם לא היו לה: תשומת לב אמיתית, אהבה, חום אנושי. היא רצתה לחיות.

איתן לא חזר בערב. נאבקת בהשפעתן של גלולות ההרגעה שאמורות היו להפיל עליה שינה, היא השאירה את שמורות עיניה פקוחות וציפתה לבואו של הגבר האלמוני שרק את שמו הפרטי ידעה. היא הכירה לו תודה על שסטה מדרכו כדי להביא אותה לבית החולים ועל שהיה איתה בשעותיה הקשות ביותר מבלי שציפה ממנה לתמורה. הוא לא סיפר לה דבר על אודותיו, הוא גילה השתתפות כנה בסבלה וזה היה העיקר. מתהפכת במיטתה חשבה על הגברים שהיו לה. במשך שנים השלתה את עצמה שהיא מצויה בגג העולם, מבוקשת ונערצת, נהנית מחייה. אבל עכשיו, במיטת בית החולים, גילתה לפתע אמת כואבת: איש לא אהב אותה באמת, וגם היא לא אהבה איש.

רק כשעלה השחר הצליחה להירדם לשעה קלה. בשש בבוקר העירה אותה משנתה אחות קשישה ונתנה לה גלולות שרשם הרופא. קולה של האחות הדהד בחדר הריק ומעיניה נשקף מבט רווי רחמים. רק חולים מעטים היו בודדים כמו שירי. רק חולים מעטים לא זכו לביקור משפחתי או להמולת חברים סביב מיטתם. רק אדם אחד פקד את חדרה של שירי וגם הוא נעדר אמש והבוקר.

אחר כך הגישו למיטתה ארוחת בוקר. שירי אכלה רק מעט וכאביה פחתו במקצת. היא ניסתה לקום ממיטתה ולהתקדם צעדים אחדים, אבל נאלצה לשוב ולשכב. הפציעה וההפלה התישו את כוחותיה.

בשמונה הגיע הרופא, בדק אותה ארוכות והודיע לה שבתוך יומיים או שלושה תוכל להשתחרר מבית החולים. הבשורה שיצאה מפיו לא עוררה בה שמחה. לא היה לה כל חשק לשוב לבמת ההופעות של מועדון הלילה ולדירה שלה באותו בניין. היא רצתה לפתוח דף חדש.

איתן חזר בצהריים. בגדיו היו מקומטים וטבעות שחורות עיטרו את עיניו. הוא התיישב ליד מיטתה.

"איך את מרגישה?" שאל.

"קצת יותר טוב. מה קרה לך?"

"רציתי מאוד לבוא אלייך מוקדם יותר", אמר בנימת התנצלות, "אבל הייתי צריך לסיים כמה עניינים דחופים."

היא לא שאלה במה הוא עוסק וסיפרה לו כי ייתכן שתעזוב את בית החולים בקרוב.

"אעזור לך להגיע לדירה שלך," הציע.

"אני לא רוצה לחזור לשם."

הוא לא שאל מדוע. הוא ניחש.

היא השתוקקה לחבק אותו משום שגילה הבנה רבה כל כך.

"תראה," אמרה, "אני לא יודעת למה סיפרתי לך את האמת על חיי, אבל חשתי הקלה כשעשיתי זאת. לא רציתי ממך דבר, רק רציתי שתקשיב לי."

"הבנתי שאת רוצה לשנות את חייך. יש לך מקצוע?"

"אין לי."

"מה תעשי?"

"אחפש עבודה, אחפש דירה."

הוא שלה את ארנקו. "אלווה לך מעט כסף. זה יעזור לך עד שתמצאי עבודה ודירה."

היא נופפה בידה לאות שלילה.

"תודה, אבל יש לי מספיק כסף משלי."

הוא משך בכתפיו: "כרצונך," אמר והחזיר את ארנקו לכיסו.

"אתה עסוק גם היום?" שאלה.

"למה את שואלת?"

"כי אני לא רוצה שתלך," הודתה.

הוא שלח אליה חיוך שובה לב.

"אוכל להישאר איתך כל היום," אמר, "לקחתי חופשה."

"לא היית צריך לעשות זאת בשבילי."

"רציתי להיות איתך. הרגשתי שגם את רוצה שאהיה כאן."

"צדקת."

"אני שמח שכך את חושבת."

"ספר לי קצת על עצמך," ביקשה.

"אני מהנדס ויש לי עוד כמה עיסוקים חשובים. ההורים שלי גרים בקיבוץ, אני גר בצפת."

"אתה נשוי?"

"עדיין לא."

"יש לך חברה?"

"לא."

"למה?"

"כי לא מצאתי."

"איך זה ייתכן? אתה בחור נאה ובעל מקצוע. נשים צריכות לגלות בך עניין."

"היו באמת כאלה שגילו בי עניין, אבל אף אחת לא הייתה לרוחי."

"מה חיפשת?"

"מישהי שתגרום לי לאהוב אותה, מישהי שתבין אותי, שתתמוך בי, שתהיה לנו שפה משותפת."

"שכחת לציין אולי שהיא צריכה להיות יפה?"

"ממש לא. היופי לא חשוב לי, העיקר שתהיה בן אדם."

הוא ביקש שלא תדאג לו אם לא יגיע אליה לעתים תכופות. "מצב הביטחון בדרכים הורע מאוד," אמר, "זו ממש מלחמה. כל אחד עלול להיפגע."

דבריו עוררו בה חרדה.

"אני פוחדת," אמרה. עד עתה התנהלו חייה בבועה חתומה, רגועה לכאורה, רחוקה מרחק רב מכל המתרחש סביב. הייתה זו הפעם הראשונה שלבה נמלא פחד. היא הושיטה את ידה אל איתן ואצבעותיה לפתו בכוח את אצבעותיו.

"תשמור עליי," ביקשה וחשה לפתע כל כך שבירה ופגיעה, זקוקה ביתר שאת למישהו שיבין אותה.

3.

מעצרו של יוסי אברך כחשוד בשוד הבנק מנע ממנו לממש את המטרה החשובה ביותר שעמדה לפניו: למצוא עבודה.

משכורתו של יוסי היוותה את עיקר ההכנסה המשפחתית. רינה עבדה כפקידה בחצי משרה בבנק וממשכורתה שילם הזוג את שכר

הדירה וחלק מהוצאות המחיה. כשפוטר יוסי הם נאלצו להשתמש פחות בחשמל, קנו מוצרי מזון בסיסיים בלבד, ומצב רוחם נעכר כשחשבו על העתיד. איך יוכלו להביא ילדים לאוויר העולם, כשמצבם הכלכלי אינו מאפשר להם לשאת בהוצאות הכרוכות בגידול ילד?

מאז קיבלה רינה מכתב פיטורין מהבנק, רוקנו היא ובעלה בלית ברירה את חסכונותיהם, וכשזה לא הספיק לוו מעט כסף מקרובי משפחה. הם ידעו שלא יוכלו להחזיק מעמד לאורך זמן. תקוותם היחידה הייתה מצויה במרחק של שלוש שעות נסיעה צפונה, בצפת. הם כתבו לעורך הדין המקומי שנהג לייצג את יעקב גוטליב, אביה של רינה, ושאלו אם המנוח הותיר ירושה כלשהי. עורך הדין השיב כי גוטליב השאיר צוואה, וכי בבוא העת יוזמנו היורשים למשרדו של הפרקליט, כדי לשמוע מה נכתב בה.

רינה הניחה שאביה לא השאיר אחריו רכוש רב. אמנם היה לו בית, אולי גם קצת כסף בחשבונות הבנקים, כנראה גם ביטוח חיים וגם אם זה לא יהיה סכום עתק שהשאיר אחריו, כל סכום, קטן ככל שיהיה, יוכל להקל על חייהם של בתו ובעלה.

אחרי שאביה, אמה ואחותה נהרגו בהתקפת הפתע בדרכם הביתה, נותרה רינה היורשת היחידה והיא חיכתה נואשות להודעת עורך הדין על הכסף ועל הרכוש שייפלו בחלקה.

למחרת היום שבו נעצר יוסי על ידי המשטרה הבריטית. ישבה רינה בביתה נואשת, חושבת על הדרכים שבהם תוכל לגייס כסף לשכירת עורך דין שינסה לשחרר את בעלה, הגיע המכתב מעורך הדין הצפתי. המועד להקראת הצוואה כבר נקבע. נותרו עוד ארבעה ימים עד אז. אם לא ישחררו בינתיים את בעלה, הגיעה רינה למסקנה, תצטרך לנסוע לצפת בעצמה.

יוסי לא שוחרר והיא נאלצה לנסוע באוטובוס לעיר הולדתה, הגיעה למשרדו של עורך הדין והתיישבה מולו.

הפרקליט התנצל שהטריח את רינה במיוחד מחיפה. "אבל לא הייתה ברירה. לפי החוק, צוואה חייבים לקרוא בפני היורשים."

הוא ביקש להמתין מעט, משום שהזמין אדם נוסף שהצוואה מתייחסת אליו. רינה לא ציפתה שיהיו יורשים נוספים, אבל היא לא שאלה שאלות. היא הניחה שאביה ודאי הוריש בצוואתו סכום מסוים למישהו שהיה חייב לו. היא יצאה אל המרפסת, מילאה את ריאותיה באוויר ההרים הצונן ובחנה את הסמטאות שבהן עברה עליה ילדותה. שום דבר לא השתנה. הרובע היהודי הישן הוסיף להדיף ניחוחות בישול וצחנת שלוליות. המצב הכלכלי הקשה נתן בו את אותותיו. באחרונה לא נבנו בתי מגורים חדשים, קייטנים מיעטו להגיע, שלטי "חדר להשכיר" החלידו על שערי כניסה ושתי חנויות לממכר ספרי קודש ותשמישי קדושה חיכו לשווא לקונים ברחוב הראשי סמוך למלון היחיד של הרובע היהודי, "מלון תפארת."

הפרקליט יצא אל המרפסת והזמין את רינה להיכנס פנימה. "אני לא מעוניין שתחכי יותר מדי," אמר, "אף אחד מלבדך לא הגיע, ולכן אתחיל בקריאת הצוואה כפי שקבעתי."

רינה עקבה בדריכות אחרי ידיו של עורך הדין שפתח תיק קרטון אפור ושלה מתוכו מסמך מודפס במכונת כתיבה. לאט, בקול נטול גוון, קרא הפרקליט את הצוואה:

אני, יעקב גוטליב, בהיותי בדעה צלולה, מרצוני החופשי, ללא כפייה או לחץ או השפעה כלשהי ובנוכחות שני עדים, מבטל בזה כל צוואה

182

אחרת שעשיתי אי פעם, בכתב או בעל פה, ואין לכל צוואה שעשיתי פרט לצוואה זו כל תוקף.

הנני מצווה את כל רכושי, ביתי בצפת וכל כספי הביטוח וזכויות מכל סוג שהוא, לגברת שירי קושמרו, מרחוב הגליל 24 בטבריה."

ולראיה באתי על החתום, יעקב גוטליב.

הפרקליט נשא עיניו אל רינה.

"יש פה גם חתימות של שני עדים שהיו נוכחים בעת כתיבת הצוואה. זה הכול."

"מה זאת אומרת זה הכול?" התנערה רינה מההלם שאחז בה, "מי זאת בכלל שירי קושמרו, ומה פתאום אבא השאיר לה את כל מה שהיה לו?"

"אני לא מכיר אותה," אמר הפרקליט, "הזמנתי אותה להיום לשמוע את הקראת הצוואה אבל היא לא באה. אני מבין ללבך ומשתתף בצערך על שאבא שלך הוריש הכול לאישה שאינך מכירה."

"אפשר לערער על הצוואה?"

"רק אם היא ניתנה בנסיבות בלתי חוקיות, למשל תחת לחץ, או שמישהו זייף אותה. מכל הבחינות הצוואה הזאת, אני יכול להעיד, חוקית בהחלט."

"אבא שלי הסביר לך למה הוא מנע מהבת שלו, כלומר ממני, לקבל את הירושה?"

"הוא לא נתן שום הסברים."

נפלה דממה. רינה התייסרה בקרבה על העוול שנגרם לה, עורך הדין הביט בה ברחמים.

183

.4

מי זו שירי קושמרו, תהתה רינה, מה היה הקשר בינה לבין אבא שלי? מה הייתה הסיבה שהוריש לה ורק לה את כל רכושו?

לפני שתחליט איך להתמודד עם הבשורה המרה, היה עליה למצוא תשובה לשאלה שקדחה במוחה. היא הניחה שיש ודאי מי שיודע את האמת, אבל מי? בצפת לא היו לה כל קשרים עם אנשים שהכירו את אביה באורח אישי. היא העבירה במוחה את כל האפשרויות ומצאה לבסוף שם אחד: מרים, מזכירתו של אביה, האישה שהייתה יד ימינו ואמורה הייתה לדעת עליו הכול. היא תדע ודאי להשיב על שאלתה.

רינה הלכה אל המשרד של הרובע היהודי וצעדה היישר לחדרה של מרים. מזכירתו של גוטליב זיהתה אותה מיד. היא זכרה את רינה כשהתייפחה בבית העלמין על קברו הטרי של אביה. פניה של מרים היו עדיין מצועפות במעטה של צער. היא לא התאוששה ממותו של מאהבה.

"אוכל לגזול כמה דקות מזמנך?" שאלה בתו של גוטליב.

"בבקשה," מרים הזיזה לפינת שולחנה את המסמכים שבהם עיינה.

"את הכרת את אבא שלי טוב יותר מרבים אחרים," אמרה רינה, "הוא הוריש את כל רכושו לאישה אחת. שמה שירי קושמרו. מה את יודעת עליה?"

מרים שמעה את השם הזה בפעם הראשונה. היא שלחה אל רינה מבט תמה.

"אין לי מושג מי זאת," משכה בכתפיה.

"תנסי להיזכר אם אבא דיבר עליה, אם היא ביקרה אצלו בצפת, אם קיבל ממנה מכתבים?"

"למיטב ידיעתי לא היה שום דבר כזה. אביך לא הזכיר את השם שירי קושמרו אפילו פעם אחת, ואני לא ראיתי אותה כאן אף פעם. ככל שאני יודעת, מכתבים היא לא שלחה."

"זה ודאי לא ענייני," הוסיפה מרים, "אבל כדאי שתדעי שאבא שלך היה על סף פשיטת רגל. הוא הוציא מהבנק את כל הכסף שהיה לו ואין לי מושג בשביל מה."

"אולי הוא השקיע בעסקים?"

"הוא לא השקיע בשום עסק. לאבא שלך לא היה חוש לעסקים. הוא התעניין רק בדבר אחד, בקידום הרובע היהודי של צפת."

"חבל שאינך יודעת יותר," אמרה רינה בצער, "תליתי בך כל כך הרבה תקוות. חשבתי שתעזרי לי."

היא קמה ממקומה ומרים ליוותה אותה אל הדלת.

"מה את מתכוננת לעשות?" שאלה המזכירה.

"אני רוצה ללכת אל הבית של הוריי. אקח משם כמה דברים שיהיו לי מזכרת מהם."

"אבוא איתך," החליטה מרים. היא לקחה את מעילה ויצאה עם רינה.

ברגליים רועדות ובלב כבד הלכו שתיהן אל הבית. תמיד התאוותה מרים לדעת איך נראה ביתו של המאהב שלה מבפנים. היא לא הייתה שם מימיה, וזמן רב חלף מאז ביקרה רינה בבית שבו נולדה.

כשנכנסו פנימה מיהרה רינה לפתוח את החלונות כדי למלט את האוויר הדחוס שרבץ בין הכתלים. כל דבר בבית הוריה הזכיר לה את ימי ילדותה: הריח של הרהיטים הישנים, התמונות על הקירות,

הציפוי הרקום של הספה בסלון, מקלט הרדיו המגושם, פינת האוכל וכלי המטבח.

רינה הסירה מהקיר ציור נוף של צפת ולקחה פסלון ברונזה קטן, דיוקן של רב ישיש עטור זקן. מרים סבבה בין הכתלים, סקרה את תכולת החדרים ודימתה לחוש בריח הגוף של יעקב גוטליב. חייה מאז לכתו היו אפורים מתמיד. יחסיה עם בעלה הוסיפו לצלוע.

רינה פתחה כל ארון ונברה בקרביה של כל שידה, כמו ציפתה לגלות שם סוד רב משמעות. בחדר העבודה של יעקב גוטליב ניצבה מכתבה גדולה מעץ ששימשה אותו שנים רבות. רינה ניגשה אליה ופתחה מגירה אחרי מגירה. היו שם תיקי פרוטוקולים של ישיבות שערכה הנהלת הרובע היהודי, העתקי תוכניות לבניית בתי כנסת חדשים, התכתבויות באנגלית עם אנשי השלטון הבריטי והתכתבויות בערבית עם הנכבדים הערבים.

במגירה התחתונה היא נתקלה במעטפה חומה, מודבקת היטב. היא פתחה אותה ומצאה בה כרזת פרסום של מועדון הלילה "ספלנדיד" בטבריה. על הכרזה התנוססו שני צילומים של צעירה יפהפייה. באחד התמקד הצילום על פניה, בשני – היא נראתה רוקדת בעירום על במת עץ קטנה. בצדה של אחת התמונות נרשם בכתב יד מסולסל: "לאהובי היקר, שלך לנצח, שירי."

רינה הראתה את הצילומים למרים. מזכירתו של גוטליב הביטה בהם ארוכות וחשה שהחדר מסתחרר סביבה. עתה הבינה, שיעקב גוטליב הסתיר ממנה את העובדה שהייתה לו מאהבת נוספת, צעירה ונאה יותר. הוא גם לא גילה שהוריש לה את כל כספו.

רינה קיפלה את הכרזה והניחה אותה בארנקה.

"אני חייבת לפגוש את האישה הזאת," אמרה.

5.

האוטובוס שירד בכביש צפת־טבריה התפתל בין הרי הבזלת בנסיעה זהירה, אטית ומורטת עצבים. כל הדרך חשבה רינה על האישה שהיא מבקשת לפגוש. היא לא ידעה איך תקבל שירי את פניה, האם תהיה נעימת הליכות או גסת רוח, האם תסכים לספר על יחסיה עם אביה של רינה, האם כבר נודע לה תוכן הצוואה? האם ייכמרו רחמיה על בתו של גוטליב ותיאות להחזיר לה חלק מהרכוש, או שמא תהיה קשת עורף ותאמר שהיא זקוקה לכסף הזה, שכבר תכננה מה תעשה בו ושאין לה כל רצון לוותר עליו?

בניגוד לצפת שרוח צוננת פילחה תדיר את אווירה, השתרעה טבריה מעולפת בחומה היוקד של השמש. אנשים מעטים סבבו ברחובות, נופשים בודדים טבלו במרחצאות.

בידיה של רינה הייתה הכתובת שהעתיקה במשרדו של עורך הדין. היא לא התקשתה למצוא את הבית שבקומתו הראשונה שכן מועדון הלילה "ספלנדיד". היא בחנה את השמות על דירות המגורים ולא מצאה את השם שירי, אך כמה שאלות שהציגה לדיירים האחרים הובילוה לדירה בקומה השנייה, שעל דלתה התנוסס השם איזבל. נקישה מהססת על הדלת ואחריה עוד אחת. איש לא השיב. רינה הוסיפה לנקוש עוד פעמים אחדות עד שאמרה נואש.

היא החליטה להמתין מחוץ לבית עד שהדיירת תשוב לדירתה. כשירדה במדרגות, עלה מולה בצעדים מהירים קצין בריטי, שלא העיף בה מבט אבל פניו היו מוכרות לה. היא לא נזקקה לזמן רב כדי לזהות את האיש שחלף על פניה במנוסתו מהבנק. היא הבינה שבידיה

מצוי עתה המפתח לפענוח תעלומת השוד. אם ייעצר החשוד ישוחרר בעלה מיד, אבל זה לא היה פשוט כל כך. עד שתפנה למשטרה יסתלק בוודאי הגבר האלמוני ועקבותיו לא ייוודעו.

הלומת מחשבות התיישבה על ספסל מול הבית. מקץ דקות אחדות ראתה את הקצין יוצא מהפתח, צועד במהירות לעבר סמטה סמוכה ונעלם. היא קמה ממקומה ועקבה אחריו, אבל כשהגיעה אל הסמטה, שבה נבלע האיש, לא ראתה דבר פרט לבתים שתריסיהם היו מוגפים מפאת החום הכבד.

היא שבה על עקבותיה אל דירתה של שירי, אבל גם עתה לא היה שם איש. הערב ירד והאוטובוסים עמדו לחדול מנסיעותיהם אל הערים המרוחקות.

רינה עלתה לאוטובוס האחרון לחיפה, ושמה פעמיה היישר לקצין החקירות. במרתפו של אחד מאגפי אותו בניין היה עצור בעלה.

כשהגיעה לשם הייתה שעת ערב מאוחרת. הקצין כבר לא היה במשרדו. היא אמרה ליומנאי שבידיה מידע חשוב על השוד בבנק ולא תוכל להמתין עד הבוקר. היומנאי הזעיק את קצין החקירות.

הקצין שחקר אותה ואת בעלה קידם את פניה בהבעה עניינית.

"ראיתי שוב את האיש ששדד את הבנק," אמרה, "זיהיתי אותו מיד."

"איפה פגשת אותו?"

"בטבריה."

"איפה בטבריה?"

"הלכתי לבקר אישה אחת וגם הוא נכנס אל הבניין."

"את יודעת את שמו?"

"לא. אני רק יודעת שהוא קצין בריטי."

החוקר שלח אליה מבט מפקפק.

"זה לא מספיק," אמר, "אני צריך שם וכתובת. הייתי רוצה גם לדעת לאיזו יחידה הוא שייך."

"מצטערת."

הקצין רכן אליה.

"אני מעריך מאוד את המאמצים שלך לשחרר את בעלך," אמר, "אבל אם חשבת שתוכלי להיכנס לכאן ולספר לי על איזה קצין אלמוני שנראה לך כמו השודד, את טורחת לשווא."

"כלומר, אתם לא תעשו שום דבר כדי לאתר אותו?"

"אני אגיד לך מה אעשה: ארשום לפניי את מה שסיפרת. יותר מזה לא נראה לי שאוכל לעשות."

"ובעלי, מה יהיה עליו?"

"בעלך יישאר בינתיים במעצר. עדיין לא סיימנו לחקור אותו."

.6

בידו השמאלית נשא איתן את מזוודתה הקטנה של שירי כששוחררה מבית החולים. ידו הימנית לפתה את מותניה ותמכה בה כשירדה אט אט במדרגות, חלשה וחיוורת. מגעו החם הסב לה הנאה.

הוא הסיע אותה אל בניין מגוריה בטבריה. כשהגיעו אל המקום, ראתה את מנעולי הברזל הכבדים תלויים עדיין על דלת הכניסה של המועדון. בעל חנות שכנה סיפר לה שבעל המועדון טרם שוחרר ממעצרו.

היא נכנסה עם איתן לחדר המדרגות ופתחה את תיבת הדואר שלה. היה בה רק מכתב אחד מעורך דין שלא הכירה. היא הכניסה אותו לארנקה מבלי לפתחו ועלתה במדרגות אל הקומה השנייה. בדירתה נותר הכול כפי שהיה: המיטה שבה בילתה לילות תמימים עם מאהביה, השולחן הישן, שני הכיסאות ומנורת הלילה. לפתע חשה זרות גדולה, כאילו ביקרה בדירה לא לה. בכל מעודה רצתה להסתלק משם ולא לשוב עוד לעולם. "אצטרך למצוא מקום מגורים אחר," אמרה לאיתן.

"סמכי עליי," אמר לה בקול בוטח, מתעלם מההפתעה שהצטיירה על פניה למשמע תגובתו המאופקת, "כבר מצאתי לך מקום לגור בו."

הוא ביקש שתארוז את מעט מיטלטליה ונשא אל המכונית את חפציה – שמלות אחדות, מקלט רדיו וכמה ספרים. שירי הלכה בעקבותיו. הם נסעו שעה קלה בכביש העוקף את הכינרת, חלפו על פני מטעי בננות עמוסי פרי ונכנסו בשעריו של קיבוץ אפיקים.

"סיפרתי עלייך להורים שלי," אמר, "הם מחכים לך."

היא חשה אי־נוחות.

"אינני רוצה להיות להם לטורח," אמרה.

"זו בכלל לא טרחה," הרגיע אותה, "יש להם חדר נוסף, החדר שבו אני ישן כשאני מגיע לקיבוץ. תוכלי להתמקם בו בנוחיות. אני בא לשם רק לעתים רחוקות."

הוא עצר ליד בית אבן קטן. אישה נאה חייכה אליהם מן הפתח.

"את ודאי שירי," אמרה, "איתן דיבר עלייך כל כך הרבה."

החדר שהועמד לרשותה היה קטן ונוח. חלון גדול, מכוסה ברשת מגן מפני חרקים נשקף אל גן נוי מטופח ולא הצליח למנוע את משב הרוח החם והבשום שזרם אל החדר. בתחושה של מבוכה סידרה שירי

את בגדיה בארון העץ הקטן, שעה שאמו של איתן הגישה לה תה ועוגיות. בעלה, גבר צנום שכתפיו רחבות, אמר בקול נעים: "תרגישי פה בבית. כל חבר של איתן הוא כמו בן המשפחה שלנו."

איתן השתהה עוד זמן מה, אחר כך התנצל ונסע. הוריו לקחו את שירי לארוחת ערב בחדר האוכל הקיבוצי, וזה רק הגביר את מבוכתה. מימיה לא הייתה בקיבוץ ולא אכלה בחדר אוכל כה גדול, מימיה לא לחצה כל כך הרבה ידיים של אנשים חייכנים. "שירי היא חברה של איתן," הציגה אותה אמו לפניהם, ושירי גייסה את כל כוחותיה להחזיר להם חיוך נטול דאגות.

כשחזרו לחדר אמרה לה אמו: "אני מבינה שאת מחפשת עבודה. תוכלי לעבוד אצלנו בקיבוץ, יש הרבה תפקידים שתוכלי למלא. במטבח, במכבסה, בגן הילדים. אבל זה יהיה בסדר אם תרצי לחפש עבודה מחוץ לקיבוץ. תוכלי לצאת בבוקר באוטובוס ולחזור מתי שתרצי."

שירי הייתה קרובה לדמעות. האנשים הטובים האלה לא דרשו ממנה דבר בתמורה לאירוחה, לא כסף ולא עבודה קשה. היא חשה, שכמו בנם גם הם יעמדו לצדה ככל שתזדקק.

אף שמיטתו של איתן הייתה נוקשה מדי לטעמה של שירי, היא זחלה לתוכה, נרדמה מיד וישנה עד הבוקר שינה עמוקה ללא חלומות. כשפקחה את עיניה הרחיב ניחוח הפריחה את נחיריה ומילא את ריאותיה בתחושה רעננה. היא הלכה עם הוריו של איתן לסעוד ארוחת בוקר בחדר האוכל ואכלה בתיאבון ירקות טריים וביצים שנאספו באותו בוקר בלול. דומה היה לה שמימיה לא אכלה ארוחה טעימה כל כך.

היא חששה לקבל על עצמה תפקיד בקיבוץ, פחדה שתיאלץ לעבוד בתנאים שלא הורגלה להם ותאכזב את האנשים שנתנו בה את אמונם. היא העדיפה לחפש עבודה במקום אחר. למחרת נסעה באוטובוס לטבריה, העיר הסמוכה. היא נשמה לרווחה כשאיש לא זיהה אותה שם. תחילה ביקרה בסניף הבנק שבו החזיקה את כספה. היא הוציאה סכום כסף קטן לכיסוי הוצאותיה המיידיות והחלה לחפש עבודה.

שירי שבה אל הקיבוץ לאחר שכיתתה רגליה לשווא כל היום. בטבריה מוכת האבטלה לא היה צורך בעובדים. פעמים אחדות עברה על פני המועדון הסגור. היא שמחה שלא תשוב לשם לעולם.

בחדרה, בבית הוריו של איתן באפיקים, פתחה שירי לראשונה את המכתב שאספה מתיבת הדואר בבניין מגוריה בטבריה כשהגיעה לשם עם איתן לקחת את חפציה. המכתב נשא עליו שם וכתובת של עורך דין שלא הכירה. הפרקליט ביקש שתבוא למשרדו בצפת לקריאת צוואתו של יעקב גוטליב המנוח. התאריך שבו נקב כבר חלף.

7.

מכונית "מרצדס" מפוארת נכנסה בשערי אחוזתו של מוסטפה עלאמי ועצרה ליד פתח הבית. מתוכה יצא נהג חובש כובע מצחייה שחור, ועל ידיו כפפות לבנות. הוא הודיע לשומר כי הביא איתו משלוח מיוחד מהנסיך פאהד אל עזיז בסעודיה.

השומר הנחה את הנהג לפתח הבית. מוסטפה עלאמי עצמו טרח להגיע אל הפתח כדי לקבל את פני האורח. הנהג מסר לידיו איגרת מהנסיך, חזר למכונית והוציא שתי תיבות קרטון גדולות מתא המטען. על התיבות נכתב באותיות שחורות גדולות:

עבור העלמה באשירה עלאמי. עכו.

הנהג חזר למכוניתו ונסע לדרכו.

מוסטפה עלאמי קרא את האיגרת באוזני אשתו.

בכתב יד מסולסל נכתב בה:

נכבדי

לכבוד הוא לי לשלוח תשורה צנועה לבתכם, המיועדת לי לאישה. אני מקווה שהשי יישא חן בעיניה.

פאהד אל עזיז

בתיבות הקרטון נארזו כמה קופסאות תכשיטים מרופדות בקטיפה, שמלות ונעליים, צעיפים ולבנים. כולם נקנו בחנויות נבחרות בלונדון ונשאו תוויות של מעצבים מהשורה הראשונה.

בשביל פארידה ומוסטפה עלאמי גודש המתנות היווה הפתעה רבתי. הם התייחסו אמנם ברצינות להודעת הנסיך כי יינשא לבאשירה, וציפו שבתוך שנים אחדות יקיים איתם הסעודי שיחה על סדרי החתונה, אבל לא עלה בדעתם שעוד קודם לכן ישלח מתנות יקרות ערך לבתם. זו הייתה הצהרת כוונות שאין מפורשת ממנה.

הם העבירו את התיבות לחדרה של בתם. הילדה בת השבע נעצה עיניים נדהמות בתכשיטיה ובמלבושים האופנתיים.

"הכול בשבילי?" שאלה.

"כן, הכול בשבילך," אמרה פארידה.

"מי שלח את זה?" שאלה.

"הנסיך," השיבה אמה ברוך, "הנסיך שיהיה בעלך."

באשירה לא ירדה לפשר דבריה של אמה. היא זכרה את הנסיך, שביקר בביתם והחליף איתה מילות נימוס אחדות, היא לא שמעה כשאביה הבטיח אותה לנסיך.

לבאשירה לא הייתה שום סיבה למהר. חייה באחוזה לא יכלו להיות טובים ונעימים יותר. פרט לאומנת שטיפלה בה במסירות והיקנתה לה נימוסים טובים, שכרו הוריה מורה שלימדה אותה קרוא וכתוב, אנגלית וכמה מקצועות בסיסיים. באשירה התגלתה כתלמידה מעולה, החלה לקרוא ספרים ושוחחה באנגלית מעוררת התפעלות עם קציני ממשל בריטים שהתארחו בביתה.

סדר היום שלה הכיל כל מה שהיה יכול לאפיין בת עשירים ערבית. לעתים נדירות יצאה אל הרחוב וגם אז רק בליווי האומנת שלה. כל עולמה התרכז בביתה ובסביבתו. היא הייתה מטופחת מאוד, מיודדת רק עם בנותיהם של שכנים עשירים לא פחות. בערבים סעדה עם הוריה ולא פעם גם עם אורחיהם החשובים בחדר האוכל המפואר של המשפחה. האוכל הוכן על ידי צוות טבחים מיומן בפיקוחו של שף ותיק מביירות, שהתגורר בדירה שהועמדה לרשותו באגף העובדים של הבית. צוות של מלצרים הגיש את המנות בכלי כסף.

נישואיה הצפויים של באשירה לנסיך בעתיד הלא רחוק נראו בעיני רבים כעובדה קיימת. קרובי משפחה קינאו במשפחת עלאמי על הזיווג הנדיר. רבים מהם קיוו שיזמינו אותם לטקס.

לא הייתה כל דרך להפר את הבטחת ההורים, את התחייבותם להשיא את בתם לסעודי עתיר ההון. הבחירה של הנסיך בילדה

הקטנה הייתה מחווה של כבוד, חיבור נכסף לאחת המשפחות העשירות ביותר בעולם. העובדה שכבר היו לנסיך נשים אחדות הייתה חסרת משמעות. במזרח התיכון רשאי גבר מוסלמי לשאת יותר מאישה אחת.

לבאשירה עצמה לא היה אפוא כל סיכוי. גם אם לא תרצה, היא תיאלץ להינשא לנסיך ולהיכלא בהרמונו. זה עלול לקרות כשתגיע לגיל הבגרות, אולי שנה לאחר מכן, אך לא מאוחר יותר.

.8

קפטן תומאס ג'ורדן חשב שהוא יוצא מדעתו. שירי נעלמה כאילו בלעה אותה האדמה וכל ניסיונותיו לאתרה עלו בתוהו. הוא שדד למענה בנק, חיסל את אחד ממאהביה, סגר את מועדון הלילה שבו הופיעה בתקווה שתישאר חסרת עבודה ותזדקק לעזרתו, הוא אפילו הראה לה את נחת זרועו כאשר חשד שנכנסה להיריון ממישהו אחר. הוא הוסיף להאמין שתתרצה בסופו של דבר ותיאות להינשא לו, ובמוחו גיבש כבר תוכניות לעתיד: בכסף ששדד יקנה לה בית, ישכנע אותה לחדול לעבוד ולהפוך לאשתו החוקית. אולי יסכים שתלד את הילד בתנאי שתמסור אותו לאימוץ. הוא לא רצה לחיות בעינוי מתמיד של המחשבה שאין זה בנו.

יותר מכל דבר אחר השתוקק לפגוש אותה, לחבק את גופה החטוב, להתעלס איתה באבדן חושים. בכל יום, עם ערב, החזיר את יחידת הסיור שלו משטחי פעילותה אל בסיסה וקיווה שלא יזעיקו

אותו לפעילות נוספת בלילה. הוא היה עייף אבל לא עייף עד כדי כך שיוותר על נסיעה לטבריה כדי לחפש שם את שירי.

למרות הדרך הארוכה ורבת החתחתים מחיפה לטבריה, הוא נסע למועדון הלילה שוב ושוב, נהג להחנות את המכונית ליד המועדון, בדק אם המנעולים סוגרים על הפתחים ונקש על דלת דירתה של שירי. היא לא הייתה בבית בשום ערב מהערבים שבהם ביקר קפטן ג׳ורדן בטבריה, וזה הוציא אותו מכליו. בדמיונו ראה אותה בדירתו של גבר אחר, חולקת איתו את מיטתו, מתעלמת כליל מקיומו של ג׳ורדן. הוא חקר כל אחד מדיירי הבית שבו התגוררה, אך איש לא ידע לאן נעלמה. הוא עבר בכל בתי המלון בעיר ושאל אם שכרה שם חדר. הוא קיבל רק תשובות שליליות. בודד ומאוכזב היה שב עם בוקר לבסיסו בחיפה, נחוש להוסיף ולנסוע לטבריה גם בערבים הבאים עד שימצא את האישה שהטריפה את דעתו.

לא הייתה לו כל נקודת אחיזה, שום קצה חוט שיוביל אותו אליה. הוא לא ידע את כתובתם של הוריה. שירי הזכירה אותם רק בדרך אגב. הוא לא ידע את שמות ידידיה ואת כתובותיהם. הוא לא ידע אם יש ברשותה די כסף כדי לכלכל את עצמה. ברור היה לו רק שהיא נעלמה ולא השאירה כל עקבות.

בלית ברירה שחרר ממעצר את בעל מועדון הלילה. הוא האמין שפתיחת המועדון תגיע לאוזניה של שירי והיא תחזור לעבוד שם, אבל גם ימים אחדים לאחר ש״ספלנדיד״ פתח שוב את שעריו, שירי לא הייתה שם. במקומה הופיעה רקדנית עירום אחרת, הרבה פחות מצודדת, הרבה פחות מפתה. תומאס שם לב שמספר המבקרים במועדון פחת במידה ניכרת.

הוא עדיין לא ויתר. שוב נסע לטבריה, שוב התדפק לשווא על דלת דירתה ושוב חיכה לה עד עלות השחר ליד הבית. הוא היה שקוע במחשבות על אודותיה ביום ובלילה ועשה את עבודתו כלאחר יד. השטח בער. היו עוד תקריות בין ערבים ויהודים, היו עוד חילופי אש ומארבים, הוא ואנשיו יצאו לסיורים ארוכים באזורים מועדים לפורענות, אבל עשו מעט מאוד כדי להפריד בין הנצים. זו לא המלחמה שלי, חשב ג'ורדן, מה שחשוב לי באמת אלה החיים שלי עם שירי.

נואש המתין שוב ושוב לבואה הביתה. הוא נמנם על ספסל מול ביתה, וחש ברע כשכל תקוותיו לראות את האור עולה בחלונה עלו בתוהו. הוא חיפש לשווא פתקים שתלו מחזריה על דלתה ופתח את תיבת הדואר שלה בניסיון למצוא שם מכתבים.

ולילה אחד, בבואו לטבריה, היה בתיבת הדואר מכתב מאת עורך דין בצפת. תומאס ג'ורדן פתח את המעטפה. בפנים היה מכתב המיועד לשירי. היא הוזמנה להגיע למשרדו של הפרקליט לצורך קריאת צוואתו של יעקב גוטליב. לא היו במכתב שום פרטים נוספים על הצוואה ועל מה שכתוב בה.

תומאס ג'ורדן החזיר את המעטפה לתיבת הדואר. הוא הניח שאם לא ימצא אותה שם בביקורו הבא, אות הוא ששירי חזרה.

9.

במשך זמן רב, עד לאותו לילה נורא שבו הרים עליה תומאס ג'ורדן את ידו ושם קץ להריונה, האמינה שירי שאורח חייה מתנהל בנתיב

שאינו עשוי להשתנות במהרה. המתח ששרר מדי ערב בחללו של מועדון הלילה, החיזורים הלוהטים, הכסף שזרם ללא הפוגות – כל אלה נראו לה כפיסגת שאיפותיה.

כשאושפזה בבית החולים שבו איבדה את ולדה ואת כוחותיה, אבד לה משהו נוסף – הרצון לשוב אל חייה הקודמים. במיטת בית החולים היה לה די והותר זמן לחשוב. לפתע, הבינה כמה שבריריים היו חייה, כמה ארעי היה ביטחונה ששום דבר רע לא יאונה לה. היא הורגלה למחוק מזיכרונה כל מה שלא היה לה נוח: גברים מעיקים, רקדניות צעירות שלטשו עין לתפקידה, העובדה שבכל יום אפשר היה לפטר אותה ללא פיצוי, להשליכה מדירתה ולהתעלם מקיומה. היא ידעה שלא תמיד תישאר צעירה, יפה ומושכת. בעל המועדון היה תאב בצע וחסר רחמים. הוא העסיק אותה על תנאי, הוא לא ירחם עליה כשתאבד את קסמה. הטלטלה שעברה הרסה את גאוותה ואת ביטחונה העצמי והותירה אותה בודדה מתמיד.

היא לא יכלה להתמודד עם כל זה לבדה. דרוש היה לה גבר תומך ואוהב, חזק ואמין שיעמוד לצדה כשהיא מתייסרת בלבטים, מהססת לצעוד בנתיב חדש, פוחדת ליפול למהמורות הרבות האורבות לה.

איתן נכנס לחייה ברגע הנכון, כמו בהינף של מטה קסם בידי הגורל. הוא עצמו לא הבין עד כמה נזקקה לו. בעדינות, בתבונה וברגישות טיפל בה בבית החולים ומחוצה לו, לא הציג שאלות מיותרות ולא העיק עליה בתביעות גבריות. היא לא האמינה למשמע אוזניה כשסיפר לה על החדר שהעמיד לרשותה בקיבוץ. הוא לא חייב היה לה דבר, הוא לא צריך היה לדאוג למגוריה, אבל בחושיו המחודדים הבין עד כמה היא זקוקה לעזרה וידע מה עליו לעשות למענה.

מימיה לא חדר גבר כלשהו למחשבותיה כמו האיש הצעיר הזה. איתן היה שם כל הזמן, במוחה, בלבה, בכל מה שעשתה, גם אם לא היה יכול תמיד להיות נוכח בגופו. היא רק לא הצליחה להתרגל לכך שלעתים חלפו ימים אחדים עד שבא לקיבוץ, עייף, רעב ובגדיו מזוהמים בבוץ ובאבק. היא שאלה אותו היכן הוא עובד קשה כל כך והוא טווה תמיד סיפור על פרויקטים הנדסיים גדולים שהיה מעורב כביכול בהקמתם. לא אחת רצה לספר לה את האמת, אבל חשש להסתכן. אחרי ככלות הכול הוא הכיר אותה רק זמן קצר ולא היה בטוח שתוכל לשמור סוד. גם להוריו סיפר על תפקידו כמפקד ההגנה בצפון באיחור רב. שמירת הסוד הייתה טבועה עמוק בו ובאנשיו. היא הייתה ערובה חיונית לביטחונם.

איתן הקדיש את מעט שעות הפנאי שלו לשהייה בקיבוץ. כשהגיע לשם מיהר לחדרה של שירי עוד לפני שנפגש עם הוריו. הוא רצה לשמוע את קולה, להסתכל בעיניה הכחולות ולמלא את כל מאווייה. היא רצתה לדעת מדוע לא יוכל לבקר יותר. אני מאוהבת בו, אמרה לעצמה, נהנית מייסורי אהבתה ומתקוותה להדק עמו את הקשר.

אלמלא פחדה שלא יפרש נכון את רצונה, הייתה נכנסת איתו למיטה ומתוודה בפניו על האהבה שהיא רוחשת לו. היא נמנעה לעשות זאת משום שידעה שהוא שונה מכל הגברים שהכירה. הוא הסעיר את רגשותיה בהליכותיו הנעימות, ביושרו ובחזותו הנוקשה שעמדה בסתירה להתנהגותו העדינה כלפיה והיא פחדה לעשות לקראתו צעדים נועזים מדי.

שירי קיימה קשרים הדוקים עם הוריו ולמדה לחבב אותם. אמו לימדה אותה לאפות את עוגות השמרים שאיתן אהב, לכבס ולגהץ את בגדיו. היא קטפה יום יום פרחים טריים והניחה אותם באגרטל

בחדרה, מצפים לבואו. כשהגיע, לא הרבה לדבר, אבל היא זכרה היטב כשהיה אומר לה תמיד עם בואו – "התגעגעתי אלייך." הוא שמח כשסיפרה לו שהחליטה בסופו של דבר לעבוד במטבח הקיבוץ כדי לא ליפול למעמסה. היא השכימה בכל בוקר לעבודה, לבה מלא על גדותיו בשמחה. תאוותה לכסף שככה לחלוטין והיא חדלה לחשוב על חשבונות הבנק שלה. הדבר היחיד שמילא את לבה היה אהבתה לאיתן. היא קיוותה שזה יהיה הדדי.

.10

היחסים בין הילד למחמוד היו אופייניים ליחסים בין אח בוגר לאח צעיר ממנו. נאמן להבטחתו למנהיג הארגון, גילה מחמוד מידה רבה של אהבה ומסירות כלפי הילד. כששב הביתה מעבודתו, עשה תמיד את צעדיו הראשונים אל חדרו, הביא לו מתנות, הרבה לשחק איתו בכדור בחצר, גולל בפניו את תולדותיהם של ערביי ארץ ישראל וקרא באוזניו ספרים שנכתבו על זכותם הקדמונית של הערבים על הארץ. הילד שתה בצמא את דבריו, אף שלא ירד לעומקה של משמעותם. הוא אהב להימצא בחברתו.

באחר צהריים אחד, כשמחמוד שב הביתה, הוא גילה כי הוריו אינם מצויים שם. הם לא הרבו להיעדר מהבית, ומחמוד סבר שיצאו לביקור כלשהו. הילד שיחק בחדרו וביקש לצרף אליו את מחמוד. שלא כדרכו דחה מחמוד את ההצעה.

"יש לי רעיון יותר טוב," אמר בהחלטת פתע, "בוא איתי."

"לאן?"

"נלך לטייל קצת בכפר."

מחמוד אחז בידו של הילד ופתח את השער. הילד אהב את מחמוד, סמך עליו והשתוקק ללכת בעקבותיו.

"בוא," האיץ בו מחמוד ומשך בידו, "אל תחשוש. יהיה בסדר."

הילד ציית בהיסוס.

הם יצאו אל הרחוב.

בכיכר הכפר התגודדו סביבם כמה תושבים שפניהם חורשות רע. הם הביטו בתיעוב בילד היהודי ואחד מהם קרא לו להסתלק מהכפר. "יהודי מזוהם," צעק כלפיו. מחמוד ניגש אל האיש הצועק וללא שהיות הטיח אגרוף קשה בפניו. האיש נאנק ומחה בזרועו זרזיף דם שהחל לזלוג מאפו. "זהו האח שלי," קרא מחמוד, "אוי למי שינסה לפגוע בו."

"מה רצה האיש הזה?" שאל הילד, "למה הוא צעק 'יהודי'?" עד לאותו רגע לא היה לו מושג שאיננו ערבי.

"זה היה איש רע," השיב מחמוד, "שכח אותו."

בעין מג'דל ידעו הכול שמחמוד הוא בעל קשרים הדוקים עם אנשי טרור ערבים. אם הוא מגן על הילד, חשבו, מוטב לא להתגרות בו. הנקהלים בכיכר העיר התפזרו במהירות לדרכם.

מחמוד והילד סיירו עוד זמן מה בכפר. התקרית בכיכר עשתה לה כנפיים ואנשים בחרו להתעלם מהשניים. לא מעטים מהם התייחסו עדיין לילד כאל נטע זר, כאויב שהסתנן לקהלם, אבל לא העזו לומר זאת בנוכחותו של מחמוד.

הם שבו הביתה עם ערב. פאטמה ועבד קידמו אותם בפנים מודאגות.

201

"לאן הלכתם?" תבעה לדעת.

"לטייל. מהיום אקח אותו לטיולים רבים בסביבה."

היא לא השתכנעה עדיין.

"זה מסוכן, מחמוד," אמרה, "יש מספיק אנשים רעים בכפר שלא יראו בעין יפה את הטיולים שלכם."

"אבל אמא," התערב הילד, "עשינו טיול נפלא, מחמוד הראה לי כל מיני מקומות מעניינים. אנא, תרשי לנו לצאת שוב."

הרופא הביט במחמוד בחיבה.

"תבטיח שתשמור עליו כאילו היה הדבר הכי יקר לך," ביקש, "אני לא רוצה שיקרה לו משהו רע."

"מחמוד שומר עליי מצוין," העיר הילד, "הוא אפילו הרביץ למישהו שקרא לי יהודי."

"מי קרא לך יהודי?" נחרדה פאטמה.

"איש אחד. אני לא מכיר אותו."

"נדבר על זה בפעם אחרת," אמרה פאטמה, "עכשיו לך לישון."

"שמעת?" שאלה את בעלה כשהילד עלה לחדרו.

"שמעתי," השיב עבד, מהורהר. מה שקרה לילד, חשב, הוא אישור ברור לדבריו של מוכתר הכפר שאמר כי אין זה סוד שילד יהודי גדל בביתם.

"מה נעשה, עבד?"

"מה את מציעה?"

"אני חושבת שלא תהיה לנו ברירה אלא לספר לאכרם את האמת. אני לא רוצה שישמע את זה שוב מאנשים אחרים."

"את צודקת. מתי נספר לו?"

"עכשיו. בוא נעלה אליו. הוא ודאי ער עדיין."

הם עלו לחדרו, שקועים במחשבות. לא היה להם מושג כיצד יגיב על
מה שהיה בדעתם לספר לו, איך זה ישפיע על יחסו אליהם בעתיד ועל
התנהגותו בכלל.

הילד יצא מחדר האמבטיה והתכוון להיכנס למיטתו. הוא הופתע
למראה פאטמה ועבד הנכנסים לחדרו.

"לא רצינו להפריע לך לישון," אמר הרופא, "אבל זה נראה לנו דחוף."
הילד תלה בהם עיניים שואלות.

"יש כמה דברים שעליך לדעת," אמר עבד, "פאטמה ואני חשבנו
שלא נצטרך לספר לך אף פעם, אבל נראה שעכשיו אין מנוס."

פאטמה הנהנה. גם היא הבינה שהנסיבות לא מותירות לה ולבעלה
כל ברירה.

"אספר לך סיפור קטן," התחיל הרופא, "כשהיית בן ארבע נסעת
עם המשפחה שלך במכונית מחיפה לצפת. בדרך ארבו למכונית כמה
ערבים מזוינים. הם הרגו את כל הנוסעים מלבדך. בין ההרוגים היו
גם הוריך."

הנער התקשה להבין.

"ההורים שלי?" רעד קולו, "חשבתי שאתם ההורים שלי."

"במקרה הזדמנתי למקום," המשיך הרופא, "לקחתי אותך אלינו
הביתה ומאז גידלנו אותך כאילו היית הילד שלנו. חשבנו שתישאר
תמיד שלנו."

"לא נכון," ניסה הנער למחות, "אני לא מאמין שזהו סיפור אמיתי."

"אף פעם לא שיקרנו לך," אמר הרופא, "ההורים שלך היו יהודים,
אכרם, זו עובדה."

203

"אני יהודי?" הרים הנער את קולו, "זה לא יכול להיות. גדלתי כערבי, אני מדבר ערבית, אני חושב כערבי."

"נכון שגידלנו אותך כערבי," אמרה פאטמה, "קיווינו שלא נצטרך לספר לך את האמת."

"ולמה השארתם אותי אצלכם?"

"כי היית פצוע ונדרש הרבה זמן עד שהחלמת. חוץ מזה ידענו שהוריך כבר אינם בין החיים ואין מי שיגדל אותך. החלטנו שאתה תהיה הילד שלנו."

הילד חשב על מה שאמרו. היה לו קשה לעכל את הדברים, להפנים את העובדה שבמחי שיחה אחת אמורים חייו להשתנות.

"גם אם נולדתי יהודי," אמר לבסוף, "אל תדאגו. אני לא רוצה לחזור ליהודים. אתם ההורים שלי ואני אשאר ערבי כל חיי."

.11

צעיר מקורזל שיער ניגש אל מחמוד אל באדר באתר הבנייה שבו עבד ולחש לו: "מוסטפה רוצה לפגוש אותך בארבע אחר הצהריים באותו מקום שבו כבר נפגשתם."

"מה הוא רוצה?"

"לא יודע."

בשעה שנקבעה נכנס מחמוד בצעדים מהירים אל מרתף המאפייה. מוסטפה הגיע בלוויית שני שומרי ראש מזוינים. הוא לחץ את ידו של מחמוד.

"עבר הרבה זמן מאז נפגשנו," פתח, "לא שמעתי ממך שום דבר על הילד היהודי. כבר חששתי שלא תקיים את ההבטחה שלך."

"אני תמיד מקיים הבטחות."

"התקדמת איתו?"

"התקדמתי לאט, אבל אני חושב שאני נמצא בדרך בטוחה."

"איך הילד מתייחס אליך?"

"כמו אח. אני משחק איתו בכדור ומספר לו סיפורים על ערביי ארץ ישראל. לפני שבועיים לקחתי אותו לטיול בכפר. הילד נהנה מאוד מהטיול, והצלחתי לשכנע את ההורים שלי שייתנו לי רשות לטייל איתו גם להבא."

"מצוין. הוא ילד נבון?"

"מאוד. הוא חכם ואמיץ, בעל תפיסה מהירה וכושר גופני מעולה."

"מתי תתחיל לאמן אותו?"

"בקרוב מאוד."

"תעשה את זה בזהירות ובחוכמה."

"סמוך עליי."

"אמרתי לך כבר, שאני מצפה שהילד הזה יהיה אחד מטובי הלוחמים שלנו. חשוב שתיקח את זה בחשבון."

"בוודאי."

"ואסור כמובן שהוריך יחשדו אפילו לרגע."

"סמוך עליי. לא אתן להם שום סיבה לחשוד."

"איך הקשר בין הילד ובינם?"

"הם מתייחסים אליו כאל בן, והוא מתייחס אליהם כאילו היו ההורים שלו."

"הוא כבר יודע שהוא יהודי?"

"כן, אבל הוא לא מוכן להשלים עם זה. הוא אמר להורים שלי שהוא יהיה תמיד ערבי."

"עוד מישהו יודע את האמת על הילד?"

"הרבה יודעים. המוכתר של הכפר סיפר לכולם."

"למה?"

"כי הוא דרש מאבא שלי לסלק את הילד. אבא לא הסכים."

"בכפר ודאי כועסים על אביך."

"לא רק בכפר. גם בכפרים בסביבה. מספר המטופלים שלו פחת במידה רבה אחרי שנפוצה השמועה על הילד היהודי."

"זה ודאי פגע בהכנסותיו של אביך."

"כן. זה פגע מאוד."

"אני מציע שתעזור לו, תציע לו חלק מהשכר שאתה מקבל."

"הצעתי, אבל אבא שלי הוא איש גאה. הוא לא רוצה ממני כסף."

מוסטפה עלאמי שקע בהרהורים. אחר כך שלף מכיסו חבילת שטרות ומסר אותם למחמוד.

"שים לב," אמר, "בכל חודש תכניס כמה שטרות למעטפה ושים אותה בתיבת הדואר של הבית שלך, בלי שאף אחד ישים לב. אביך כנראה יחשוב שזה בא מתומך אלמוני. מאחר שלא ידע למי להחזיר את הכסף, הוא ודאי ישתמש בו."

הם נפרדו לעת ערב. מחמוד מיהר לביתו. הילד חיכה לו.

"למה לקח לך כל כך הרבה זמן היום?" שאל.

"הייתה לנו המון עבודה."

מחמוד שיחק עם הילד בשש בש ואחר כך קרא לו פרק בהיסטוריה של ארץ ישראל.

"זה לא בסדר שהיהודים רוצים לכבוש את הארץ מידי הערבים,"
העיר הילד, "מה אנחנו יכולים לעשות כדי שזה לא יקרה?"

"אנחנו יכולים להילחם בהם," השיב מחמוד.

"הם חזקים?"

"כן, אבל אנחנו חזקים ורבים יותר. אנחנו ננצח."

"הלוואי," אמר הילד.

אחרי שנרדם הניח מחמוד כמה שטרות במעטפה, חמק החוצה
ותחב אותה לתיבת הדואר.

הרופא מצא את המעטפה למחרת בבוקר. הוא פתח אותה, הזעיק
את פאטמה והראה לה את הכסף.

"מי היה יכול לשלוח את הכסף הזה אלינו?" שאלה.

"לא יודע. אולי זה אדם טוב שאכפת לו מה שקורה לנו."

"הכסף בא לנו בדיוק בזמן," אמרה בהקלה, "אנחנו ממש חנוקים."

.12

פעמים אחדות קראה שירי את המכתב ששיגר אליה עורך הדין
הצפתי ובו הזמין אותה למשרדו לקריאת הצוואה של יעקב גוטליב,
האיש שאהב אותה ושילם תמורת השעות שהייתה איתו. היא שיערה
שהשאיר לה משהו בצוואתו, שאם לא כן לא היה עורך הדין מזמן
אותה אליו למשרדו. הסקרנות התעוררה בה. היא ביקשה לדעת מה
בדיוק הוריש לה גוטליב, אבל תאריך קריאת הצוואה כבר עבר ובלבה
עמדה תחושה של החמצה. היא התיישבה ליד השולחן בחדרה בקיבוץ

וכתבה לעורך הדין שלצערה לא יכלה להגיע במועד, אבל תעשה כל מאמץ כדי לבוא אליו אם יקבע תאריך חדש.

כעבור שבועיים הגיע מכתב תשובה. עורך הדין ביקש שתבוא אליו בכל מועד שייראה לה, והיא החליטה לנסוע בשבוע שלאחר מכן.

אבל משהו קרה לפני נסיעתה. היא שמעה נקישה על הדלת דקות אחדות לאחר שחזרה מעבודתה במטבח.

שירי פתחה.

אישה צעירה, בלתי מוכרת, עמדה בפתח.

"את שירי?" שאלה. היה לה קול רך ונעים.

"זו אני ומי את?"

"אני רינה, הבת של יעקב גוטליב."

שירי נעצה בה מבט. כן, היה דמיון מסוים בין האב לבת. את עיניה הירוקות ירשה רינה מן הסתם מאביה.

"בואי, היכנסי," הציעה שירי, "אני מצטערת. לא התכוננתי לקבל אורחים. הייתי אופה עוגה אילו ידעתי..."

"לא צריך," אמרה רינה, "באתי לביקור קצר מאוד."

"איך מצאת אותי?" שאלה שירי.

"עורך הדין מצפת סיפר לי ששלחת לו תשובה על ההזמנה שלו. הכתובת על המעטפה הייתה של הקיבוץ."

היא התיישבה על הספה.

"רק רציתי להכיר אותך מעט," אמרה רינה, "אני יודעת שהיו לך יחסים מיוחדים עם אבי."

"היו לי," אמרה שירי בקצרה.

"נפגשתם הרבה?"

"כמה פעמים... הוא אמר לי שאינו יכול לחיות בלעדיי. הוא קרא
לי 'קרן השמש שלי'..."

"אני יודעת שהיחסים בינו לבין אמא שלי לא היו טובים. הוא היה
זקוק מאוד לאהבה."

"הרגשתי."

רינה קמה ללכת ובתוך כך אמרה: "חיכיתי לך אצל עורך הדין
כשהקריאו את הצוואה שלו. אבל לא באת."

"לא באתי כי קיבלתי את המכתב באיחור."

האורחת השפילה את עיניה.

"את יודעת מה כתוב בצוואה?" שאלה.

"אין לי מושג."

"אבי הוריש לך את כל מה שהיה לו, הבית, כספי הביטוח, הכול.
עד כדי כך הוא אהב אותך."

שירי הוכתה בתדהמה.

"ומה הוא השאיר לך?" שאלה את האורחת.

"שום דבר."

"איך זה יכול להיות? היו ביניכם יחסים טובים?"

"כן."

"אולי הוא חשב שיש לך מספיק כסף ולכן לא היה עליו להשאיר
לך דבר."

"הוא לא היה יכול לחשוב שיש לי כסף. כתבתי לו שבעלי ואני
מובטלים ומתקשים לגמור את החודש."

"ממה אתם חיים?"

רינה פלטה צחוק יבש, נטול שמחה.

"מהחסכונות האחרונים שלנו, מהלוואות של מכרים."

תחושה מוזרה פקדה את שירי. עד לא מכבר הייתה הציפייה לקבל סכום כסף גדול ממלאת את לבה שמחה. עכשיו, פתאום, כשצוואתו של גוטליב מבטיחה לה בוודאי לא מעט כסף, חשה שהדבר אינו מצליח לרגש אותה. היא לא הייתה מסוגלת לרדת לעומקו של השינוי שחל בה. בעבר הלא רחוק הייתה מוכנה לעשות הכול כדי לצבור ממון רב ככל האפשר. עכשיו כסף שוב איננו משאת נפשה. המהפך בחייה היה גדול ומשמעותי. היא חיה בתנאים נזיריים בחדר דל בקיבוץ, יש לה מישהו שהיא אוהבת בכל לבה והיא מאושרת. היו ימים, שבהם שכחה כמעט כל מה שקרה לפני שהגיעה אל הקיבוץ. היו ימים שבהם לא זכרה כלל שרקדה עירומה במועדון לילה.

"אני מעריכה מאוד את מה שאביך עשה בשבילי," אמרה שירי, "אני יודעת שהוא היה מאוהב בי והשתדלתי להעניק לו הרבה אהבה. הצטערתי מאוד שמת, אך אני לא ראויה לקבל את הרכוש שלו למרות שביקש להעביר אותו אליי. את רואה, אני חיה בקיבוץ ויש לי כל מה שאני צריכה. אין לי מה לעשות בכסף של אבא שלך. את זקוקה לו ודאי הרבה יותר ממני."

"לא," אמרה רינה, דמעות בעיניה, "לא באתי לבקש ממך שתוותרי על מה שאבי רצה לתת לך. רציתי רק להכיר אותך, להבין את מהות הקשר בינך לבין אבי... לא אגזול עוד מזמנך... להתראות."

"רק רגע," תפסה שירי בידה, "התכוונתי לכל מילה שאמרתי. אכתוב לעורך הדין שאני מבקשת להעביר את הכסף אלייך."

"תודה, זה מאוד יפה מצדך, אבל אני חייבת לכבד את רצונו של אבי."

"אילו נשאר בחיים, הייתי משכנעת אותו לשנות את הצוואה שלו לטובתך. אני שבה ואומרת: אין לי כל רצון לקחת את הכסף הזה."

רינה פרצה בבכי קורע לב.

"את לא מתארת לעצמך כמה זה מרגש אותי. את אישה מופלאה,
שירי."

.13

הם ישבו על ספסל ליד המסגד הגדול של הכפר ואכלו פלאפל
להנאתם. השמש נטתה לגלוש אל שיפוליו המערביים של הרקיע.
מתפללים נכנסו למסגד, חלצו את נעליהם וכרעו על השטיח בתפילה.

שניהם שתקו שעה ארוכה. מאז החל מחמוד לגולל בפני הנער את
ההיסטוריה של ערביי ארץ ישראל, גילה היהודי המאומץ עניין גובר
והולך ביחסי הערבים והיהודים. פאטמה במתכוון לא דיברה איתו על
כך, והוא היה צמא ללמוד, שאל שאלות רבות וביקש לדעת עוד ועוד.
הוא הזדהה עם רגשות הקיפוח של הערבים וטיפח שנאה כלפי כל מה
שסימלו היהודים. מחמוד תיאר את היהודים כאדונים מתנשאים תאבי
שליטה ואת הערבים כאנשי עמל ישרים ועניים, הנאבקים לשווא
בשרירות לבם של היהודים.

מחמוד היה שבע רצון מהתקדמותו של הנער. הוא חש שהבחור
הפך לאוהד מושבע של המאבק הערבי. השלב הראשון בתוכניתו של
מוסטפה עלאמי הוכתר בהצלחה.

הנער נשא עיניו אל המסגד.

"למה אנחנו לא נכנסים?" שאל.

"כי אני לא אדם דתי," השיב מחמוד.

"רק אנשים דתיים מתפללים במסגד?"

"בעיקר."

"לי מותר להיכנס?"

"בבקשה."

הנער נכנס פנימה, חלץ את נעליו וכרע לצד שורה של מתפללים. כשקם על רגליו שאל אותו מחמוד אם נשא תפילה.

"כן, התפללתי לניצחונם של הערבים."

הם יצאו מהמסגד וטיילו בסמטאות הכפר. הנער שקע בהרהורים.

"על מה אתה חושב?" שאל מחמוד.

"כשתפרוץ המלחמה," אמר, "שנינו נשתתף בה?"

"בוודאי."

"יהיו לנו רובים?"

"כמובן."

"ונהרוג יהודים?"

"הרבה."

"איפה הם נמצאים, היהודים האלה?"

"הם גרים בכל מיני יישובים שהקימו על האדמות שלנו. אתה רואה את הכביש הראשי שעובר ליד הכפר?"

"כן."

"הרבה מהמכוניות שנוסעות בו הן של יהודים. הם נוסעים לכפרים ולערים שלהם, מביאים לשם חומרים לבניית בתים וגדרות, מזון וכלי נשק."

"אבל למה אנחנו בכלל נותנים להם לנסוע למקומות שהם מתבצרים בהם?"

"אנחנו משתדלים לשבש את נתיבי הנסיעה שלהם, חוסמים את הדרכים, יורים עליהם, אבל זה לא עוזר. הם עקשנים מאוד, היהודים. הם לא פוחדים."

"למה שלא תהרסו את היישובים שלהם?" שאל הנער.

מחמוד צחק.

"גם זה יגיע."

"צריך יהיה לגייס הרבה לוחמים כדי לנצח."

"אני יודע."

"כל ערבי חייב יהיה לקחת נשק ולהילחם," קרא הנער בלהט.

"אתה צודק."

"נצטרך להתאמן הרבה, למצוא תכסיסים חכמים, לדעת לא לפחד."

"חבל שאתה לא מנהל את המלחמה שלנו," חייך מחמוד.

"כשאהיה גדול, אלחם ביהודים עד שלא תהיה להם ברירה והם יצטרכו לברוח מהארץ הזאת."

הם סטו לשביל צר שהוביל אל הוואדי הרחוק.

"לאן אנחנו הולכים?" שאל הנער.

"לבקר חברים שלי."

"מי הם?"

"לוחמים שכבר התנסו בקרבות עם היהודים."

הם גלשו במורדות הוואדי והגיעו עד קרקעיתו הצחיחה. על רצועת העפר הצרה, תזכורת יבשה לנתיב המים שזרם שם בשצף בימי החורף, הסתמנו טביעות נעליים. מחמוד הלך בעקבותיהם, ולבסוף גילה את מה שחיפש. ארבעה גברים צעירים, בני גילו של מחמוד, ישבו על סלע, הפיחו אש בגחלים והכינו קפה. הם קידמו בשמחה את פניו של האורח וחיבקוהו בחום. "התגעגענו אליך," אמרו.

אחד מהם שאל מי הילד.

"זה האח שלי," השיב מחמוד, "שמו אכרם."

"הוא יודע מה אנחנו עושים?" נזרקה שאלה נוספת בחשש.

"הוא ידע."

לכל אחד מהם היה כלי נשק טעון, אקדח או רובה. הם כיבדו את אורחיהם בקפה, אחר כך נטלו את כלי הנשק ופסעו בשורה עורפית בנתיב הוואדי. בהגיעם לעיקול חד, הציבו כמה כלונסאות משברי עצים, הציבו עליהם קופסאות ובקבוקים, התרחקו וירו. חלקם החטיא את המטרות, חלקם פגע בהן בדיוק רב. גם מחמוד ירה. הוא היה הטוב מכולם.

"איך אתה יודע לירות טוב כל כך?" שאל הנער.

"לימדו אותי."

"תן גם לי לירות."

"עדיין לא, אכרם. אבל אני מבטיח לך: גם תורך יגיע."

14.

שעות הלילה זחלו לאיטן. אגלי טל צחורים כיסו את עלוות העצים ואת עלי הכותרת של הפרחים. מרחוק, מלב השדות, עלתה יללה של תן בודד.

זמן מה לפני עלות השחר הופרה הדממה על ידי השאון שהקימה עגלה רתומה לסוס בדרכה אל השדות. ברפת החלו הפרות לגעות, ועל השביל העובר מתחת לחלון חדרה של שירי רשרש קול צעדיהם של

חברי קיבוץ, שהלכו לחדר האוכל כדי לחטוף ארוחת בוקר מוקדמת לפני העבודה. שירי פקחה את עיניה אל תוך החדר שהתנער אט אט מאפלולית השחר. גם הלילה הייתה לבדה. את איתן לא ראתה כבר יומיים, והוריו אמרו לה שאין להם כל מושג היכן הוא.

העדרויותיו התכופות עוררו בה תהיות. היא חשה שהוא כרוך אחריה, ולא הבינה מה מונע ממנו להגיע לעתים תכופות יותר. האומנם הוא כבול למחויבויות מקצועיות שתבעו ממנו להקדיש להן את כל זמנו? האם יש לו אישה אחרת? הוא בא לקיבוץ לרוב בשעות הלילה או הבוקר המוקדמות, התקלח ושקע בשינה עמוקה. כשהתעורר ביקשה ממנו שוב ושוב שיספר לה לאן נעלם. כהרגלו פלט משהו על פרויקטים גדולים ועבר לנושא אחר.

שירי קמה מהמיטה, התלבשה בבגדי העבודה שהיו גדולים ממידותיה והתכוננה ללכת למטבח. קול צעדים נשמע מהשביל בחוץ. הדלת נפתחה ואיתן עמד בפתח. זרועו הימנית הייתה חבושה בתחבושת מזוהמת, על צווארו נקרש דמו סביב שרטת עמוקה.

"נפצעת," נבהלה, "בוא, אטפל בך."

הוא הניח לה להובילו אל הברז בחצר. היא הביאה איתה תחבושת חדשה וחבילת צמר גפן, ניקתה בסבלנות את פצעיו וחבשה את ידו.

"איך נפצעת?" שאלה בדאגה.

"ערבים הציבו לנו מארב בדרך שבה נסענו."

"לנו? מי היה שם?"

"צוות המהנדסים שלי," מלמל.

"היו גם הרוגים?"

"למזלנו לא."

"תבטיח לי להיזהר בפעם הבאה."

"אשתדל, שירי."

היא החזירה אותו אל החדר. הוא השתרע על המיטה ועצם את עיניו. קרני השמש העולה הסתננו מבעד חרכי התריס וציירו פסי אור על פניו החיוורים.

בצהריים הביאה לו ארוחה חמה בכלים שלקחה מחדר האוכל והעירה אותו משנתו כדי שיאכל. הוא בלע את האוכל בנגיסות גדולות, כמי שלא בא לפיו דבר מאכל כבר זמן רב.

"אני רוצה שתבין," אמרה שירי, "קשה לי מאוד עם ההיעלמויות שלך. אני רוצה שתהיה פה יותר זמן."

הוא כילה את המזון שהביאה לו.

"גם אני רוצה," אמר, "אין דבר שאני רוצה יותר, אבל מוטלות עליי משימות חשובות שגוזלות את כל זמני."

"למה אתה יוצר תמיד את הרושם שאתה עוסק במשהו סודי שאסור לך לגלות פרטים עליו?"

"כי זה מסוג הדברים שלא מדברים עליהם," היסס.

"אתה יכול לסמוך עליי. אני יודעת לשמור סוד."

איתן שלח אליה מבט חם. היא עמדה מולו, בבגדי קיבוץ פשוטים וחסרי חן, ואף על פי כן הלך לבו שבי אחרי יופייה. הקשר ביניהם התהדק ככל שחלף הזמן. במוקדם או במאוחר, ידע, יהיה עליה לדעת. הוא לא יוכל להסתיר מפניה את האמת. חושיו אמרו לו שלא תדליף את המידע שימסור לה לשום אדם אחר.

"אני חבר בהגנה," גילה.

היא כבר שמעה דברים אחדים על הארגון ועל הסכנות האורבות לחבריו. פחד־פתאום לפת את גרונה.

"כמה זמן אתה כבר שם?" יותר משרצתה לדעת, לא רצתה שיפסיק

לספר לה, לגלות מה שהסתיר ממנה עד כה.

"אני שם מגיל שמונה עשרה. היום אני בן עשרים ושמונה. עשר שנים אני כבר בהגנה."

"מה בדיוק אתה עושה שם?"

"אני מפקד אזור הגליל."

"זה תפקיד מסוכן, נכון?"

"נכון."

"תבטיח לי שתחשוב פעמיים לפני שאתה יוצא למשימה."

"אני יכול רק לומר לך, שמאז שהכרתי אותך אני נזהר מאוד."

מילותיו החמות הרטיטו את לבה. היא רכנה אליו ונשקה אותו ארוכות על שפתיו.

הוא חיבק אותה בידו הבריאה וליטף את פניה.

"כבר חשבתי שלא תרצי אותי אם אספר לך את האמת," אמר.

"אתה פשוט עיוור," סנטה בו, "אתה לא רואה שאני אוהבת אותך?"

יחסיהם עברו לשלב חדש, מהודק יותר. שוב לא היה אכפת לה אם יחשוב שהיא אישה קלת דעת, בעלת עבר מפוקפק. מבחינתה היא הייתה עכשיו אישה אחרת, שהשתוקקה לגבר שלה בכל מאודה. היא לא זכרה שאי פעם רצתה כל כך במישהו.

החדר הוצף באור, הדלת הייתה סגורה והמיטה סתורת המצעים חיכתה להם. היא הפשיטה אותו לאיטה ומשכה אותו אליה. מגע גופו העירום והחם העביר בה צמרמורת. "כל כך חלמתי על הרגע הזה," לחש. הוא שכב איתה כאילו לא נותר בעולם דבר מלבדם, כאילו אין מחר.

"אף פעם לא ידעתי אהבה כזאת," מלמל כמתוך חלום.

"גם אני לא, יקירי."

.15

סביב שולחן הדיונים במחלקת החקירות של משטרת חיפה הסב צוות החוקרים הבריטים, שהופקד על פענוח תעלומת השוד בבנק אנגלו-פלשתינה בחיפה. עד לרגע זה לא התגלו שום עקבות, הכסף לא נמצא, ובתא המעצר בקומת המרתף ישב חשוד צעיר שעדיין לא נאספו נגדו הוכחות של ממש.

"לא נוכל להחזיק אותו לנצח," אמר ראש צוות החקירה, "חקרנו אותו ולא הצלחנו להוציא ממנו הודאה. שלחנו אליו לתא מדובב מקצועי, אבל גם הוא לא הצליח להשיג מידע שיעזור לנו. ברור שללא הוכחות אי אפשר להגיש נגדו כתב אישום. הייתה אצלי אשתו של החשוד וניסתה לשכנע אותי שזיהתה את השודד כקצין בריטי. לא היו לה שום פרטים, ואני הבנתי מיד שהיא מנסה להציל את בעלה באמצעות סיפור בדוי. סילקתי אותה מכאן."

החוקרים שמעו את דבריו בשתיקה מנומסת.

"תשלחו את הבחור הביתה עוד היום," פקד החוקר הראשי, "שימו עליו מעקב. אולי הוא יעשה שגיאה ויתחיל לפזר כסף או ילך לשדוד שוב."

רינה אברך חיכתה בחדר ההמתנה של בית המעצר לאישור שיאפשר לה לבקר את בעלה. לפתע ראתה אותו יוצא מהדלת ללא אזיקים, מחזיק בידו את התיק שאיתו נכנס לכלא.

הוא חיבק אותה בשמחה.

"שחררו אותי," אמר, "אין להם שום דבר נגדי."

"תודה לאל".

הם נסעו לביתם באוטובוס, בדרך סיפרה לו על ביקורה אצל שירי שוויתרה על ירושת אביה של רינה.

"זה בא לנו בדיוק בזמן," אמרה, "הגענו ממש עד הפרוטה האחרונה".

"איך מצאת אותה?" שאל יוסי.

"זה לא היה קל. בהתחלה נתן לי עורך הדין מצפת את הכתובת שלה בטבריה. נסעתי לשם ולא תאמין, ראיתי את השודד נכנס לאותו בית ויוצא משם אחרי כמה דקות".

"עקבת אחריו?"

"ניסיתי ולא הצלחתי".

"בדקת אצל מי הוא ביקר באותו בית?"

"לא...".

"היית צריכה לעשות זאת. זו הייתה יכולה להיות דרך לגלות אותו".

הם ירדו בתחנה שליד ביתם וצעדו במהירות לעבר הבית, כמו דחק בהם מישהו למהר.

"אל תסתכלי לאחור," אמר יוסי לפתע, "עוקבים אחרינו".

היא התחלחלה.

"הם עדיין לא מאמינים שאתה חף מפשע," אמרה בקול שקט.

"שחררו אותי, אבל כנראה שאינם רוצים לוותר לגמרי על הסיכוי שאגלה להם בהיסח הדעת משהו שהם לא יודעים".

למחרת נסעו לטבריה. הם שמו לב שאיש לבוש חליפה בהירה עלה אחריהם לאוטובוס והתיישב לא הרחק מהם.

219

בבית שבו התגוררה שירי היו רק שלוש דירות מאוכלסות. רינה
ויוסי הקישו על דלתותיהן. הדיירים קיבלו את פניהם בחשד. כששאלו
אם ביקר אותם קצין בריטי בשבועות האחרונים. כולם השיבו בשלילה.

"המסקנה המתבקשת היא," אמר יוסי, "שהקצין רצה כנראה לבקר
את שירי, וכשלא מצא אותה בבית, הסתלק במהירות מהמקום. נוכל
לברר אצלה מי הוא היה. אולי היא תעזור לנו לגלות אותו."

הם נסעו לאפיקים והמתינו לשירי עד שסיימה את עבודתה במטבח.
היא הופתעה למראה השניים שחיכו לה.
"זה בעלי," הציגה רינה את יוסי בפני שירי. השניים לחצו ידיים.
"קודם כול, תודה על המחווה הבלתי רגילה," אמר, "אנחנו יודעים
שלא היית חייבת לוותר על הירושה. אני מקווה שיגיע יום שבו נוכל
להודות לך כמו שצריך."
שירי הנהנה במבוכה.
"בואו, היכנסו," הציעה.
רינה סיפרה על מעצרו של יוסי ועל הביקור בטבריה.
"חשבנו," אמרה, "שהקצין שביקר בבית שבו גרת הוא השודד של
הבנק בחיפה."

שירי שקעה לרגע במחשבות. לא היה לה ספק, שהאיש שביקש לבקר
אותה בהיעדרה היה תומאס ג'ורדן. היא זכרה היטב שאמר לה, כי
קיבל ירושה וכי עתה הוא איש עשיר שיוכל לממן את כל צרכיה.
ייתכן מאוד ששיקר לה. ייתכן שכספו נשדד מהבנק. עתה נקרתה
לפניה סוף סוף ההזדמנות למנוע ממנו לחפש אחריה.
"אני לא בטוחה שאוכל לעזור לכם," אמרה, "אבל אתן לכם שם

של קצין בריטי שחיזר אחריי בלי הפסקה. הוא רצה להתחתן איתי
ואני לא הסכמתי. כשגיליתי לו שאני בהיריון הוא היכה אותי. יכול
להיות שזה האיש שביקר בבית שבו גרתי."

היא נקבה בשמו של קפטן תומאס ג'ורדן.

"הוא לא טיפש," אמרה, "יהיה לכם קשה למצוא נגדו הוכחות."

"תסמכי עלינו," אמר יוסי בקול בוטח.

16.

הלילה ירד, כבד ואפוף מסתורין. ד"ר עבד אל באדר ואשתו כיבו
את האור במטבח ובחדר האורחים, פתחו בשקט את דלת חדרו של
הנער והציצו לעבר המיטה. הנער שכב ללא זיע ועיניו עצומות. בחדר
הסמוך היה מחמוד שרוע במיטתו. השעה הייתה כמעט עשר בלילה.
הרופא ואשתו עלו על משכבם ונרדמו מיד.

הנער ומחמוד העמידו פנים שהם ישנים. הם שכבו במיטותיהם
אבל נותרו ערים. בערך בחצות התלבשו וחמקו בחשאי מהבית, יצאו
אל החצר ומשם לרחוב. טנדר ישן המתין להם מעבר לפינה. היו בו
כחצי תריסר צעירים מעין מג'דל ומכפרים סמוכים. בידיו של כל אחד
מהם היה כלי נשק. בכיסיהם היו רימוני יד.

הנער ומחמוד קפצו לתוך הרכב אחרי שמחמוד הוציא ממסתור
החצר את אקדחו. הנער לא היה אמור לשאת נשק. הוא הצטרף אל
הנוסעים ביזמתו של מחמוד, כדי לטעום בפעם הראשונה את טעמה
של פעולה קרבית.

221

הטנדר נסע במשעולי עפר שהיו שרויים בחשכה כבדה. אורות
הפנסים לכדו ארנבת שחצתה את הנתיב. הגלגלים קיפצו על פני
אבנים ומהמורות, וחלקי המתכת שקשקו ברעש כעומדים להתפרק.

הרכב עצר בשולי הדרך, לא הרחק מיישוב יהודי שנם את שנתו.
הנוסעים קפצו החוצה. הם צעדו באלם לעבר היישוב וצנחו על
הקרקע כשהגיעו אל הגדר.

שני שומרים עברו על פניהם, האירו את סביבתם בפנסי כיס ולא
הבחינו בהם. דקות אחדות חלפו, ואז חתכו שניים מהחבורה את גדר
התיל במספרי ברזל גדולים. האחרים זינקו אל הפרצה, עברו דרכה אל
היישוב ונזהרו מלעורר רעש. מלול סמוך נשמעו קולות של תרנגולות
שהקיצו בבהלה. ברפת געתה פרה.

השומרים חלפו שוב על פניהם של הצעירים ששכבו על הקרקע,
מטלטלים את פנסיהם לאורך השביל שבו עברו. הם עישנו סיגריות,
שוחחו בשקט ולא ראו דבר.

הצעירים הזדקפו על רגליהם. פקודה חרישית עברה מפה לאוזן.
הם דרכו את כלי הנשק, קרבו אל חגורת הבתים הקיצונית ופתחו באש
מרוכזת. השומרים התעשתו במהירות והמטירו לעברם אש. מאחד
הבתים זינק גבר וירה. הצעירים כיוונו אליו את נשקם והוא התמוטט
בו במקום. הם שלפו את רימוני היד והשליכו אותם לעבר הבתים.
מקרוב נשמעו צווחות אימה של נשים ובכי של ילדים. הנער מצא
מקלט מאחורי גזע עץ. הוא עקב משם אחרי חילופי הירי כאילו היו
מחזה על במה. בלבו לא היה כל פחד.

מכמה בתים זינקו החוצה גברים שהחזיקו בכלי נשק וירו ללא
מטרה. המגינים קרבו אל התוקפים ללא חשש. הם לא חדלו לירות.
מחמוד חש צריבת קליע חדה ברגלו הימנית, אבל הוא התעלם ממנה

בלהט הקרב. אחד הצעירים הסמוכים אליו פלט זעקה כשקליע פילח את ראשו. הוא השתרע על הקרקע ללא רוח חיים שעה שחבריו הוסיפו לירות.

חילופי היריות נמשכו עוד זמן מה. שוב נשמעה פקודה קצרה בערבית. חבורת התוקפים החלה לסגת. האש הפילה בהם קרבן נוסף. הם גררו את שני ההרוגים לעבר הפרצה בגדר, העלו אותם לטנדר ופתחו בנסיעה מטורפת. בדרך, בעיבורו של שדה חרוש, עצר הטנדר להרף עין. גופות ההרוגים נטמנו בבורות שניכרו בחיפזון, והטנדר המשיך בדרכו לעין מג׳דל ופרק את משאו. הצעירים התפזרו לכל עבר. הנער ומחמוד הלכו הביתה. הכפר היה דומם ואפלה עמדה בחלונות הבתים.

"איך הרגשת?" לחש מחמוד.

"הייתי חסר אונים," השיב הנער, "חבל שלא היה גם לי רובה."

"בשבוע הבא נצא לאימונים ואחר כך אדאג לכך שכשתצטרף לפעולה, גם לך יהיה נשק."

מחמוד נשא מבט אל ביתו ופניו החווירו. אור עמד בחלונות הקומה הראשונה. כשנכנסו בדלת קידמו את פניהם אמו ואביו.

עבד אל באדר השפיל מבטו אל השרטת ברגלו של מחמוד שהדם נקרש עליה.

"מה קרה לך?" תבע לדעת.

"טיילנו, נשרטתי. זה שום דבר."

"טיילתם באמצע הלילה? לאן?"

"סתם ככה, בכפר."

עבד אל באדר חש שבנו משקר.

"שוב הלכת לתקוף יהודים?" קרא האב בזעם.

מחמוד שתק. הוא קיווה שגם הנער לא יוציא מפיו מילה.

"הבטחת לי שלא תחזור אל החברים שלך," המשיך הרופא, "הבטחת ולא קיימת, ועכשיו אתה גורר אחריך גם את אכרם."

חיוורת כסיד ניצבה פאטמה בין בנה לבין בעלה וספקה כפיים בבהלה. היא חשה שעולמה מתמוטט עליה.

.17

מחמוד שכב במיטתו פעור עיניים, שקוע במחשבות. זעמם של הוריו נוכח הגילוי על פעילותו המחודשת נגד היהודים לא הפתיע אותו. הוא ציפה שבמוקדם או במאוחר, לאחר שיעבור הנער אימונים יסודיים ויצטרף לחבורת הלוחמים, יעזוב גם מחמוד את בית הוריו וישוב ללחום. הוא זכר את הבטחתו של מוסטפה עלאמי להעניק לו תפקיד בכיר בארגון לאחר שהנער יהפוך ללוחם מן המניין.

פעולת הלילה סיפקה למחמוד הזדמנות טובה להתרשם מהנער שהתלווה אליו. הוא התפעל מאומץ לבו, מכך שלא ידע פחד גם ברגעים הקשים ביותר. מצאה חן בעיניו בקשתו לצייד אותו בנשק בפעם הבאה. במידה רבה זקף מחמוד את חינוכו הצבאי של הנער לזכותו. הוא הביא לו חוברות וספרים, שסיפרו בהרחבה על נישולם של הערבים מאדמותיהם באמצעות תחבולות עורמה של היהודים. הוא הפיח בו שנאה כלפי היהודים ורצון להשתתף בפעולות לחימה כנגדם. הנער היה חזק ובריא ונראה היה כי יוכל לעמוד ללא קושי בתלאות אימונים וקרבות עיקשים. מחמוד זמם להוציאו בהקדם מבית

הרופא ולהעבירו למקום מגורים רחוק, שבו יוכל לפגוש לוחמים ערבים, לשמוע סיפורי גבורה ולצאת באין מפריע לפעולות לחימה.

הנער התקשה להירדם. הוא חשב בהתרגשות על פעולת הלילה, שיחזר במוחו כל פרט – הנסיעה אל היעד, הפריצה אל היישוב היהודי, קרב היריות, ההרוגים. הצעקות וקולות הנפץ רעמו עדיין באוזניו, ובלבו הודה למחמוד על שזימן לו חוויה מרגשת כל כך. בעת ובעונה אחת שם לב לעובדה, שמראה הגופות הדוממות לא עורר בו יותר מתחושה של השלמה. הוא התייחס למותם של השניים כאל חלק בלתי נפרד מהמאבק המתנהל בארץ. סכנות ארבו בכל עבר והיה זה סביר שבכל פעולה ייהרגו לוחמים. שבוי בתחושה הברורה שהערבים צודקים, לא ראה הנער דרך אחרת להפגין את תמיכתו בהם אלא בהצטרפות למלחמה העקובה מדם נגד האויב הציוני. הוא ציפה שכבר בפעולה הבאה ישתתף בקרב כשווה בין שווים.

עם זאת צר היה לו על הרופא ואשתו, שכעסו על השתתפותו בפעולה. הוא היה כרוך אחריהם מאוד וגמל להם בהערכה ובאהבה. הם גידלו אותו לתפארת וחינכו אותו כמיטב יכולתם. הם לא דרשו ממנו דבר והוא לא הבין מדוע, בהיותם ערבים, לא קידמו בברכה את ניסיונו הקרבי הראשון.

עד שעת לילה מאוחרת ישבו פאטמה ועבד רכוני ראש בחדר האורחים של ביתם וחששו לומר זה לזה את אשר עם לבם. המצב הבלתי צפוי שאליו נקלעו תבע מהם לעשות הערכה חדשה של חייהם ולהגיע להחלטות קשות. הם נוכחו לדעת שמאז שב מחמוד לגור בביתם התהדק הקשר בינו לבין הנער. תחילה התבוננו בהם הרופא ואשתו בחיבה כשהיו שקועים בקריאה או במשחק. הם היו בטוחים שהנער

משפיע לטובה על מחמוד. הם היו גאים על כך, שבנם מצא עבודה מהוגנת וקיבל משכורת נאותה. פאטמה כבר החלה לחשוב על שידוך הולם עבורו. לפתע התהפכה הקערה על פיה. התברר להם כי מחמוד שיקר. הוא הטה לצדו את הנער, הוא גרר אותו למחוזות אסורים והרי-סכנה.

"אני לא מצליח להתאושש," נאנח הרופא, "מה נעשה?"

"לא יודעת," מלמלה פאטמה.

"אכרם כבר ילד גדול," הוסיף עבד בקול נכאים, "בעוד כמה חודשים יהיה בן שתים עשרה. מחמוד ניצל את התמימות שלנו ועשה לו שטיפת מוח רצינית. כך זה לא יוכל להימשך."

"אולי נשלח את מחמוד ללמוד בביירות, רחוק מהמלחמה," הציעה פאטמה.

הרופא הניד את ראשו מצד אל צד.

"זה יקר, פאטמה, ומצבנו הכספי גרוע מאי פעם. לא נוכל להרשות את זה לעצמנו."

הם קיבלו עדיין מדי חודש את מעטפת הכסף האנונימית, אבל זה הספיק רק למימון צורכיהם הדחופים. שכר לימוד בביירות לא נכלל ברשימת הצרכים האלה.

"אני פוחד שלא יהיה מנוס מהחלטה כואבת," לחש עבד.

"חששתי שתגיד את זה."

"יש רק דרך אחת למנוע מאכרם להצטרף לתנועת ההתנגדות הערבית. אם אנחנו לא רוצים לגדל טרוריסט נוסף בבית, נצטרך להחזיר אותו ליהודים."

"אבל... אבל הוא הבן שלנו... הרי רצינו כל כך שיישאר אצלנו לנצח."

"אין ברירה, פאטמה. אסור לו להילחם ביהודים. אסור לנו להניח לו ללכת בדרך שאין ממנה חזרה."

.18

בטרם הנץ השחר קם מחמוד ממיטתו ויצא בחשאי מהבית. הוא לא הלך למקום העבודה שלו. תחת זאת נסע באוטובוס לכפר ערבי למרגלות הר מירון. במקום הזה התגוררו רבים מחבריו לכנופיה. הוא ביקש לחפש שם בית שבו יוכל הנער להתגורר.

מחמוד מצא את מבוקשו בנקל. הבית הראשון שאליו נכנס היה בדיוק מה שחיפש. במשפחה שהתגוררה בבית רחב הידיים שניצב למרגלות ההר, היו שני גברים, אחד מהם היה ידידו הקרוב של מחמוד. מחמוד הציע לשלם תמורת מגוריו ומגורי הנער. בעלי הבית רצו לדעת מדוע הוא מבקש לעקור לשם.

"האח שלי חייב לעזוב את הבית," הסביר, "ההורים שלנו לא מרשים לו להשתתף בפעולות לחימה."

בו במקום הוצע לנער חדר מרווח בבית המשפחה. מחמוד שאל אם יוכל גם הוא לגור שם ונענה בחיוב. הוא הבטיח שלא יהיו לטורח, ובעלי הבית סירבו לקבל ממנו תשלום. "האח שלי ואני זקוקים בסך הכול למיטות לישון בהן. חלק גדול מהזמן שלנו יוקדש לאימונים ולפעולות נגד היהודים," אמר מחמוד.

בלב קל יצא מחמוד בדרכו חזרה לעין מג'דל. הוא האמין, שיוכל לשכנע את הנער לבוא איתו בו ביום אל מקום מגוריהם החדש.

בבוקר התעורר הנער וירד לחדר האוכל כדי לאכול. הוא מצא שם את הרופא ואשתו שותים קפה ומשוחחים בלחש.

"איפה מחמוד?" שאל.

השניים משכו בכתפיהם.

"אולי הוא כבר יצא לעבודה," אמרה פאטמה.

"אני אוהב אותו. הלוואי שכבר אוכל להיות כמוהו, לוחם אמיץ, בז לסכנות."

"אתה עדיין ילד, אינך יודע מה טוב בשבילך.", העיר הרופא.

"אני כבר לא ילד ואני יודע מצוין מה אני רוצה."

"מה בדיוק אתה רוצה?"

"להילחם ולנצח."

"על מה אתה נלחם?"

"אני נלחם נגד אלה שעשקו אותנו, שגזלו מאיתנו את אדמותינו. זו מלחמה צודקת, ואנחנו ננצח בה. חבל רק שלא כל הערבים שותפים למאבק."

"אולי כי לא כל הערבים חושבים שזוהי מלחמה מוצדקת."

"אני מבין שגם אתם לא מצדיקים את המלחמה."

"נכון. אנחנו סבורים שצריך ליישב סכסוכים, וגם את הסכסוך הזה, בדרכי שלום. מלחמה מביאה לשפיכות דמים, להעמקת השנאה, בוודאי לא לפתרון."

"אתם טועים," מחה הנער, "היהודים עקשנים ואתם לא מבינים שמלחמה היא הפתרון היחיד. חובתו של כל ערבי להשתתף במלחמה הזאת. אתם ואני לא יכולים לשבת ולהסתכל מהצד במי שנלחם להגשמת העקרונות המקודשים לנו ביותר. לי זה כבר ברור לגמרי: אני אצטרף לתנועת ההתנגדות הערבית ואצא למלחמה."

הוא נשמע נמרץ ונחרץ. עיניו בערו וכפות ידיו הפכו לאגרופים כשדיבר.

"יש משהו שיוכל להניע אותך לחשוב אחרת?" שאל הרופא.

"שום דבר, ועכשיו אתם רוצים להיפטר ממני?"

"אנחנו רוצים להחזיר אותך למקום שאליו אתה שייך. שם כבר ידעו מה לעשות איתך."

"אני חושב שפשוט נמאס לכם ממני משום שהחלטתי להיות לוחם, ואתם יודעים שאינכם יכולים למנוע את זה ממני."

"אנחנו לא רוצים שתסכן את חייך," אמרה פאטמה, "יהיה לנו קשה מאוד לחיות בלעדיך. אתה בחור מקסים, חכם ורגיש והבאת לנו הרבה נחת. אבל יש רגעים בחיים שצריך לחתוך בבשר החי, להחליט בניגוד לרגשות. זה הרגע."

הוא הביט בפניהם הטובות ובעיניהם האוהבות. הוא ידע שהוא גורם להם צער נורא.

"איך אוכל לעזוב אתכם?" קולו נחלש ועיניו דמעו, "אני הרי הבן שלכם, אתם ההורים היחידים שיש לי... אתם לא יכולים לסלק אותי מכאן רק משום שהחלטתי ללכת בדרך שאינכם מסכימים לה."

.19

היה צריך להיחפז, לארוז במהירות, לצאת לדרך לפני שמחמוד יגיע וישים קץ לתוכנית של הוריו.

פאטמה ארזה את מיטלטליו של הנער במזוודה. הוא ניצב לידה ועקב באי־נחת אחרי מעשיה.

"אני רוצה לחכות למחמוד," אמר.

"אין לנו זמן," הפטירה, "כשיחזור הביתה נספר לו מה קרה."

"הוא יכעס מאוד. הוא לא רוצה לוותר עליי ואני לא יכול לוותר עליו."

פאטמה לא השיבה. הרופא נכנס לחדר ונשא את המזוודה אל מכוניתו.

"בוא איתי," אמר.

הנער ניתק בקושי ממקומו ופסע בצעדים איטיים בעקבות הרופא. הוא לא ידע לאן פניהם מועדות, ולבו נקרע בקרבו. הוא לא הצליח עדיין להפנים את הגילוי על מוצאו, להבין כיצד ישפיעו הדברים האלה על חייו. במשך שנים ידע שהוא ערבי מבטן ומלידה, דיבר ערבית שוטפת והזדהה עם מצוקותיו של העם הערבי בארץ ישראל. עכשיו התהפך הגלגל. מעתה יהיה עליו להשלים עם היותו חלק מהעם היהודי, שבו ראה עד עתה אויב מר ונמהר. איך יסתגל לתפנית הדרמטית? איך יוכל לשים קץ לחיים שעיצבו את אישיותו? מה יקרה לו עתה?

גם הרופא לא ידע לאן בדיוק פניהם מועדות. בעיתונים שבהם קרא על רצח הוריו של הנער, סופר שהם התגוררו בצפת. עבד אל באדר תכנן לנסוע לצפת ולהשאיר את הנער באחד מבתי הכנסת, או ליד תחנת המשטרה. יותר מזה לא היה לאל ידו לעשות.

המכונית זזה ממקומה, ועיניה הדומעות של פאטמה ליוו אותה עד שנעלמה בעיקול הרחוב.

במשך כל הנסיעה לא החליפו הרופא והנער אף מילה. שניהם היו שקועים במחשבות. לבו של הרופא כאב על הפרידה הבלתי צפויה ועל החיים הריקים המצפים לו בלעדי הנער שאהב כבנו. לבו של

הנער פקד עליו לא להשלים עם גזירת הגירוש ולעשות כל מאמץ לחזור אל מחמוד ואל קבוצת הלוחמים שלו.

הם עצרו למלא דלק בתחנה קטנה, קילומטרים אחדים לפני צפת. מולם, על פסגת ההר הסמוך, היו פזורים בתי העיר שאליה ביקש הרופא להגיע. הרופא יצא מהמכונית והנער יצא בעקבותיו. הוא חיפש את חדר השירותים.

התא הקטן והמצחין שכן בביתן סמוך בשיפוליו של חורש עבות, אבל הנער לא נכנס פנימה. ללא שהיות פתח במרוצה אל תוך החורש. מאחוריו שמע את קולו של הרופא קורא נואשות בשמו. "אכרם, תחזור בבקשה. אכרם, אני מחכה לך."

הנער אטם את אוזניו והמשיך לרוץ ללא מטרה. הוא לא ידע היכן הוא נמצא, לא הכיר את המקום ואת הדרכים המסתעפות ממנו. הוא ניגף בגזעי העצים, נשרט בשיחים הקוצניים, התנשם עמוקות ולא חדל לרוץ. כל שידע היה שהוא מבקש להתרחק משם, לנתק מגע, להתחמק מהנסיעה אל היעד העלום בעיר ההררית הקטנה שבה לא הכיר איש.

המאמץ היה קשה וממושך. הוא טיפס על סלעים והידרדר במדרונות. בגדיו נקרעו וסוליות נעליו איימו להתפרק. פה ושם צצו יישובים גדולים וקטנים. הוא התרחק מהם, עקף שדות שבהם עבדו חקלאים ופסח על הכבישים הראשיים, מחשש שייתקל במכוניתו של הרופא המחפש אחריו.

הערב ירד. בחלונות בתיהם של היישובים הסמוכים עלה האור והחקלאים החלו לשוב מהשדות ברגל או על גבי עגלות רתומות לסוסים. הנער הרווה את צימאונו ממים שדלפו מצינור השקיה. הוא

היה רעב. במטע של תפוחים קטף כמה פירות, אבל הם לא היו בשלים עדיין ולשונו צרבה ממיצם החמוץ של התפוחים הקטנים. הוא ירק את שאריות הפרי וחיפש משהו אחר שיפיג את רעבונו. התאווה לאוכל הייתה חזקה ממנו. בזהירות קרב אל יישוב קטן, בתקווה שיוכל למצוא שם מזון כלשהו. הגדר הסבוכה מנעה ממנו להיכנס פנימה. הוא שוטט לידה בניסיון למצוא פרצה כלשהי כשלפתע שמע קולות רמים בעברית. הוא לא הבין מילה, אבל חש שעליו להתרחק משם. בטרם עשה זאת, פילח צרור כדורים את האוויר. הוא שמע קליעים שורקים ליד ראשו והשתטח על הקרקע. בזחילה מאומצת חזר אל השדות, הזדקף והמשיך ללכת.

הלילה התעבה. הירח הסתתר מאחורי חשרת עננים, והחושך הכביד על מנוסתו של הנער. מדי פעם עצר כדי להחליף כוח, ותחושה של חוסר אונים חלחלה בקרבו. הוא הבין שזוהי בריחה חסרת תוחלת. לא היה לו מושג לאן יגיע ומה יקרה לו. אילו הכיר את האזור היה שם פעמיו לכפר ערבי ומנסה למצוא שם מחסה. אפו רחרח, בתקווה לאתר ריחות עשן ונביחות כלבים המאפיינות יישוב ערבי, אבל איתרע מזלו והוא לא פגש שום כפר כזה בדרכו.

חשש כבד מילא את לבו. הוא פחד מפני הבוקר הקרוב, מפני האור שיציף את היקום. לאור היום יהיה חשוף פי כמה, מטרה קלה לקליעי רוביהם של היהודים. הוא יוכל אמנם להסתתר בנקיקים ובחורשות, אבל ללא מזון לא יעלה בידו להחזיק מעמד לאורך זמן. לרגעים עלה בדעתו כי הבריחה מהרופא הייתה משגה. היה עליו להניח לעבד להביא אותו לריכוז כלשהו של יהודים ולהימלט מהם בצורה מחושבת יותר. אבל במחשבה שנייה נראה לו ששום יהודי לא היה מקדם את פניו בשמחה. הוא הרי שמע לא מעט על אכזריותם

וקשיחותם של היהודים. העובדה שהוא שולט אך ורק בערבית עלולה הייתה להפנות כלפיו חשד כבד.

השעות חלפו באיטיות מורטת עצבים ועייפותו של הנער גברה. ההליכה קשתה עליו. הוא האט את צעדיו ועיניו נעצמו כמעט מאליהן. הרעב הציק לו ביתר שאת, ומידת הזהירות שלו פחתה כשגמר אומר לנסות שוב להיכנס למקום יישוב ולחפש מזון.

אפרוריות שבישרה את ראשית השחר החלה להסתמן במזרח כשנקרה לפניו קיבוץ גדול. הוא הבחין בשומרים שסיירו הרחק ממנו וגילה כי יוכל בנקל לעבור את הגדר הדלילה. ללא שהיות נכנס פנימה, פסע בשבילי האבן הצרים ונזהר שלא לפגוש בשומרים. הוא פחד להיכנס אל אחד הבתים וחיפש מקום בטוח יותר שבו אולי ימצא מזון. כעבור שעה קלה עלה באפו ניחוח של כיכרות לחם אפויות. הוא הלך בעקבות הריח, פתח דלת והבחין בתנור גדול שניצב בחדר רחב ידיים. ליד התנור, בתיבות עץ גדולות, נערמו כיכרות של לחם טרי. הנער קרע נתחים גדולים מאחת הכיכרות ולעס אותם במהירות. בחדר סמוך הוא מצא ארגזי ירקות ושלה מתוכם מלפפונים ועגבניות. רק לאחר שהשביע את רעבונו חש שרגליו אינן נושאות אותו. הוא צנח ליד התנור, התכרבל ביריעת ברזנט בלויה ועצם את עיניו. אם רק יוכל לישון מעט, אמר לעצמו, יחזרו אליו כוחותיו והוא יוכל להמשיך במנוסתו.

פרק ד'

שבוי

.1

בעת שרקדה במועדון הלילה בטבריה, נהנתה שירי מלא מעט שעות־יום חסרות מעש, שבהן הייתה חופשייה לעשות כל שיעלה על רוחה עד שעת ההופעה שלה. היא נהגה לישון עד שעה מאוחרת וכשהתעוררה כבר עמדה השמש במרכז השמיים והעיר שקקה פעילות. בקיבוץ, לעומת זאת, היה עליה לקום לפני כולם בשעה שהשמש עדיין נחבאה מאחורי ההרים. עובדי המטבח היו תמיד משכימי קום, הראשונים שיצאו ממיטותיהם. לא היה קל לשירי להסתגל לאורח החיים החדש. בתחילה נזקקה לשעון מעורר, אבל אט אט הפכה גם ההשכמה המוקדמת להרגל. הזמן החולף לימד אותה לשכוח שבעצם לא מזמן היה הכול אחרת.

שירי התלבשה במהירות ונשקה לאיתן שהגיע גם הלילה בשעה מאוחרת, תשוש ותאב שינה. היא צעדה על השביל המוליך לחדר האוכל. יחד עם שתי חברות קיבוץ אחרות היה עליה לערוך את

השולחנות, להניח עליהם לחם וירקות, לשלוק ביצים ולהרתיח מים לקפה לארוחת הבוקר.

כשנכנסה למאפייה לקחה כמה כיכרות לחם ופנתה לחדר האוכל. לפתע נדמה היה לה שהבחינה במשהו מוזר. היא שבה על עקבותיה ורגליה ניגפו במישהו ששכב על הרצפה, מכורבל ביריעת ברזנט. אחוזת בהלה קרבה אליו וראתה נער שחור שיער ובהיר עור שהיה שקוע בשינה עמוקה. היא טלטלה אותו פעמים אחדות, עד שפקח את עיניו והביט בה בבעתה. הוא הבין שהיא יהודייה ולא היה לו ספק שתשים קץ לחייו ברגע שייוודע לה שהוא ערבי.

"מי אתה?" שאלה בעברית. הוא לא הבין אבל הניח שרצתה לדעת את שמו.

צמרמורת של אימה חלפה בגופו. "שמי אכרם," מלמל.

אט אט הזדקף ונעמד על רגליו. על ידיו ופניו נראו סימני שריטות, בגדיו היו קרועים ונעליו בלתי ראויות להליכה. שירי הורתה לו באצבעה לבוא אחריה והוא ציית. היא הושיבה אותו ליד אחד השולחנות בחדר האוכל והגישה לו ביצים, ירקות וכוס חלב. הוא אכל בהיסוס, בפחד, בתחושה שזו תהיה, קרוב לוודאי, סעודתו האחרונה.

חברי קיבוץ משכימי קום נקהלו סביבו בחדר האוכל וביקשו לדעת מי הוא. חלקם ידע ערבית. הנער סיפר כי ברח מביתו, היה רעב ונכנס לקיבוץ למצוא מזון.

אחד הנוכחים, קשיש לבן שיער משך בכעס בידו של הנער.

"תסתלק מכאן," צעק, "שלחו אותך לרגל אחרינו. תחזור לערבים שלך."

קולות נוספים הצטרפו אליו. מספר הסובבים את הנער הלך וגדל. חלק גדול מהם תבע בקולות רמים לגרשו מהקיבוץ.

הנער קם ממקומו והחל ללכת לעבר הפתח. שירי עצרה בעדו.

"הוא לא ילך מכאן לפני שיקבל טיפול רפואי," קולה הרם גבר על כל הקולות האחרים, "הוא רק ילד. אל תהיו אכזרים אליו."

היא החזיקה בידו של הנער ומשכה אותו החוצה. דלת המרפאה לא הייתה נעולה. שירי דחקה את הנער פנימה, חיטאה את פצעיו והשקתה אותו במים מכד חמר שניצב על השולחן. הוא הניח לה לעשות בו כרצונה. החשש שלו מפניה פג במהירות. היא זכרה כמה מילים בערבית שלמדה מלקוחותיה במועדון הלילה. היא הבינה כשאמר לה "תודה".

כמה חברי קיבוץ הלכו בעקבותיהם אל המרפאה. הם תבעו עדיין שהנער יעזוב מיד את המקום.

"אני אביא לכאן את איתן והוא יחליט," אמרה.

כמו מילת קסם פעל שמו של איתן על הנוכחים. הכול ידעו כי הוא בנם של שניים ממייסדי הקיבוץ, בעל תפקיד בהגנה, בחור רציני ואמין. הם ידעו שאפשר לסמוך עליו.

"איפה הוא?" שאל אחד מהם.

"הוא בחדר. לכו לקרוא לו."

2.

איתן הגיע לאחר דקות אחדות. הוא היה לבוש במכנסיים קצרים ובחולצת ספורט לבנה והביט בסקרנות בנער שהיה מוקף בכתריסר מחברי הקיבוץ.

שירי סיפרה לו מה אירע. האנשים מסביב לא זעו, מבטיהם היו
זועמים.

איתן ביקש להישאר לבדו עם הנער, וחברי הקיבוץ התפזרו באי־
רצון.

"מה שמך?" שאל איתן בערבית.

"אכרם." הנער הישיר מבט לעיניו של השואל. הוא חיפש בהן
סימנים למשטמה או לאכזריות. הוא ראה רק אישונים בהירים, נטולי
רשעות, שלא הרפו ממנו.

"מאין אתה?" הוסיף איתן לשאול.

"מעין מג׳דל."

"בן כמה אתה?"

"שתים עשרה."

"למה באת לקיבוץ?"

"ברחתי מהבית. רבתי עם ההורים שלי."

"מתי ברחת?"

"אתמול בבוקר."

"הלכת דרך הכביש?"

"לא. פחדתי שאבא שלי יחפש אותי שם."

"אם כך, באיזו דרך הלכת?"

"הלכתי דרך ההרים ביום ובלילה."

"אתה משקר, אכרם."

"אמרתי לך את כל האמת."

"אתה יודע מה המרחק בין עין מג׳דל לכאן?"

"לא."

"בערך תשעים קילומטרים. אף בן אדם לא יכול להגיע לכאן

בהליכה דרך ההרים בזמן קצר כל כך."

"הלכתי מהר."

"תפסיק לשקר לי, אכרם. מישהו הסיע אותך לפחות חלק מהדרך. מי זה היה?"

איתן הציג עובדות שאי אפשר להתכחש אליהן. הנער הבין שאין לו ברירה אלא לומר את האמת: "אבא שלי, עבד, לקח אותי במכונית מהבית, אבל ברחתי לו באמצע הדרך.

"אמרת שרבת איתו. מה פתאום הוא הסיע אותך במכונית שלו?"

"הוא רצה להביא אותי לצפת."

"למה?"

מחשבה מהירה עברה במוחו של הנער. הוא היה יכול לבדות שקר מלבו, אבל הבין שהאמת תוכל רק להועיל לו. אם הוא אכן יהודי, חברי הקיבוץ לא יעזו לגעת בו. האמת הייתה עבורו תעודת ביטוח, ערובה לחיים.

"אבא שלי טוען שאני יהודי."

איתן נדהם. האם הערבי משקר לו שוב?

"אני לא מבין," אמר.

הנער סיפר לו על שיחתו הקשה עם הרופא ואשתו. "הם אימצו אותי לפני שנים אחרי שנפצעתי ליד עין ג'מאל בהתקפה על המכונית שבה נהרגו ההורים שלי. הם נתנו לי שם ערבי ולימדו אותי כל מה שמלמדים ילדים ערבים."

איתן נזכר בסיפור ההתקפה על המכונית. כבר אז היה חבר בהגנה וזכר שהרצח האכזרי הפך לשיחת היום ביישוב היהודי וגרר פעולת תגמול נועזת. הוא הניח שהנער ניצל מההתקפה הרצחנית. הוא זכר ששמו היה דני.

239

"אתה זוכר משהו מילדותך?" שאל את הנער.

"שום דבר."

"במשך כל השנים שגדלת בעין מג'דל לא סיפרו לך שאתה יהודי?"

"בהתחלה לא נתנו לי לצאת מהבית, כנראה כדי שלא אפגוש אנשים שיודעים את האמת. אחר כך הלכתי לבית הספר בכפר. אנשים רבים ידעו שאני יהודי וההורים שלי אישרו את זה."

"אמרת שההורים המאמצים שלך רצו שתישאר איתם תמיד. מה פתאום הם גילו לך שאתה יהודי?"

"כי הם לא רצו שאצטרף לקבוצת לוחמים ערבית."

"הצטרפת?"

"הם לקחו אותי רק לפעולה אחת."

"מה עשית שם? ירית ביהודים?"

"לא היה לי נשק. הם רק רצו שאראה איך הם נלחמים."

"איך הם הגיעו אליך?"

"דרך מחמוד. הוא הבן של הרופא."

"כל הלוחמים הערבים שפגשת באו מעין מג'דל?"

"לא, גם מכפרים אחרים."

"מי המפקד שלהם?"

"מחמוד."

"אתה זוכר עוד שמות?"

"חוץ ממחמוד? אף אחד."

"אתה יודע איפה מצבורי הנשק שלהם?"

"לא."

איתן חכך בדעתו. הנער הציב לפניו בעיה.

"מה אתה רוצה שנעשה איתך?" שאל.

הנער רצה לבקש שיחזירו אותו הביתה, אבל החליט לא לומר זאת. הוא לא היה בטוח שהרופא ואשתו יסכימו לקבלו. הוא ידע שהכפר כולו יחרים אותו ומחמוד, מן הסתם, יחשוש להטיל עליו משימות לחימה לאחר ששהה עם יהודים. היה עליו להשיב על שאלתו של איתן וזה לא היה קל.

"אני רוצה לחיות," השיב בכנות.

איתן נפנה לשירי וסיפר לה על השיחה שניהל עם הנער.

"מה את מציעה שנעשה איתו?" שאל.

"קודם כל נלביש אותו בבגדים נקיים," השיבה.

האספה הכללית של הקיבוץ התכנסה בדחיפות בשעות הערב. הייתה זו הפעם הראשונה שחברי הקיבוץ נקראו לאספה כללית בטווח זמן כה קצר. ההזמנה נתלתה על לוח המודעות של חדר האוכל והעתקים חולקו בחדרי המגורים על ידי תלמידי המוסד החינוכי של הקיבוץ. אף שלא צוין הנושא שיועלה לדיון – לא היה ספק בקרב איש מחברי הקיבוץ שמדובר בעניין חיוני.

על במת חדר התרבות, שמעליה הושמעו בדרך כלל קונצרטים והרצאות, עלה איתן ועמו נער נבוך. חברי הקיבוץ שהשכימו קום כבר פגשו את הנער בחדר האוכל. כמה מהם אף תבעו את גירושו המידי מהקיבוץ.

הס הושלך באולם כשאיתן החל לדבר. בקול מדוד אמר:

"הבוקר קרה בקיבוץ משהו חסר תקדים. נער מהכפר הערבי עין מג'דל נמצא ישן ליד תנור המאפייה לאחר שברח מהבית. נוכחותו בקיבוץ עוררה כעס מובן. היו חברים שתבעו לסלק אותו מכאן. חקרתי את הבחור. הוא טוען שאומץ על ידי משפחה ערבית בעין מג'דל

לאחר שהוריו היהודים נהרגו בידי כנופיית טרור. הוריו המאמצים גילו לו כי הוא יהודי."

רחש עמום, כמו זמזום רחוק של דבורים, חלף באולם. ההפתעה הייתה מוחלטת.

"בדקתי את סיפורו של הנער," אמר איתן, "התברר שאכן הייתה התקפה רצחנית על מכונית שנסעה מחיפה לצפת לפני הרבה שנים. עד עתה חשבו שכל נוסעיה נהרגו. עכשיו התברר שהיה ניצול אחד: ילדו של זוג שנהרג בהתקפה. זכרתי ששמו דני. בדקתי במקורות שלי בצפת והם מאשרים שאכן זה היה שמו. עכשיו הוא עומד כאן לצדי."

אנשים החליפו דברים נרגשים. בתולדות אפיקים לא נערכה מעולם אספה כללית מתוחה כל כך. לרוב הועלו לדיון בעיות במטעי הפרי או ברשת ההשקיה. אף פעם לא נדון נושא כה טעון.

מישהו קם ממקומו וקרא:

"אולי הוא בכל זאת ערבי שמעמיד פנים. אולי הוא מרגל שנשלח אלינו על ידי הכנופיות?"

איתן היסה את הוויכוח שהתעורר בין הנוכחים.

"הנער מספר שכנופיית טרור באזור שבו הוא גר ניסתה לגייס אותו לשורותיה, ועל רקע זה פרצה מריבה בינו לבין הוריו המאמצים. בעקבותיה החליט לברוח. הוא הגיע אלינו אחרי הליכה ארוכה בהרים."

הנער עקב אחרי הדיון מבלי להבין מילה. מבטו שוטט על פני הנוכחים. לעתים נדמה היה לו שהם מבקשים את רעתו, לפעמים חשב שהם דורשי טובתו.

"אתה מאמין לו?" הפנתה אישה בשורה הראשונה שאלה לאיתן.

"כן. אני מרגיש כשמשקרים לי, ולמיטב הבנתי זה לא אחד המקרים האלה."

כולם ידעו שיש לו רקע ביטחוני עשיר. הוא הכיר ערבים כאת כף ידו. הם האמינו לו.

"אז מה אתה מציע?" הוסיפה האישה לשאול.

"אני מציע לתת לבחור מחסה בקיבוץ, לשלוח אותו ללמוד ולעבוד בשעות הפנאי שלו. אסור לנו לשכוח שהוא יתום, יהודי ומבולבל בגלל מה שעבר עליו. אני מעמיד את הצעתי להצבעה. מי בעד?"

הורם ים של ידיים, יותר ממחצית הנוכחים תמכו בהצעתו של איתן.

"החלטנו להשאיר אותך בקיבוץ," אמר איתן לנער, "זה לא יהיה פשוט. אני מניח שתעבור משבר קשה, יהיה עליך ללמוד ולעבוד ולהיות ראוי לאכסניה הזאת."

הנער לא ידע מה לומר. פיו נשאר חתום ורק עיניו התלחלחו מדמעות. הוא עצמו לא ידע אם היו אלה דמעות של עצב או של שמחה.

.3

מהחדר הסמוך הסתננו ניחוחות של קפה וקטעי שיחה של גבר ואישה. הם דיברו בלחש כדי שדני לא יתעורר. הוא שכב במיטה מתקפלת בחדרו של איתן ושנתו נדדה. רק לפני ימים אחדים ישן עדיין בבית הוריו המאמצים בעין מג'דל. אתמול הוא נרדם מול תנור האפייה בקיבוץ, והלילה הוא ישן בבית שקט, מוקף עצים ודשאים מטופחים. מבעד לקירות הדקים שמע את הוריו של איתן משוחחים ביניהם.

243

המהפך טלטל אותו מן הקצה אל הקצה. הוא חשב על כל מה שקרה לו למן הרגע שנמלט מהרופא הערבי. מוחו עבר תמורות שכמותן לא ידע מימיו. תחילה חשש שהיהודים יפגעו בו לרעה, אבל הפחד נגוז במהירות. למן הרגע שבו נודע להם שהוא יהודי, העניקו לו את התחושה שהוא אחד מהם. שירי התיישבה לצדו בארוחות בחדר האוכל כדי למנוע תקריות, אבל כבר לא היה צורך בכך. רבים מחברי הקיבוץ ניגשו לשולחן, לחצו את ידו ואיחלו לו התאקלמות מהירה. אחרים אמנם הביטו בו עדיין בחשד, אבל לא עשו דבר כדי לבטא את תחושותיהם.

האוכל היה חדש ומוזר. בעין מג'דל אכל פיתות, ניגב חומוס, טבל קרעי פיתה בטחינה, נהנה ממאכלים ערביים אופייניים כמו סינייה, מקלובה ומוחסאן. הוא צלה שיפודי בשר וקבב בחצר ושתה מים צוננים מכדי חרס. בקיבוץ אכל לחם, לראשונה אחרי שנים רבות, בארוחות הצהריים הביאה לו שירי שניצל ולפתן של פירות יבשים שלא ערבו לחיכו.

האוכל היה רק סממן אחד של השינוי. שינוי נוסף, מהותי הרבה יותר, הביאה עמה השפה החדשה. העברית נשמעה לו כשפת חרטומים, אך ללא בקיאות בשפה לא יוכל ללמוד באורח סדיר במוסד החינוכי. איתן טרח ומצא מורה שהתנדבה ללמד את דני עברית. היא פגשה אותו בביתה בכל יום אחרי שסיימה את עבודתה במוסד החינוכי של הקיבוץ.

המורה שלטה בערבית כמו בעברית. דני לא זכר אף מילה עברית שלמד לפני אירוע הדמים שבו נהרגו הוריו, אבל למורה מהקיבוץ הייתה כל הסבלנות הנדרשת, ואט אט הצליח להחליף איתה דברים,

ליצור קשר מילולי עם שירי ולהבין את הנחיותיו של הממונה על הרפת שבה עבד בשעות הבוקר. אחרי שנים של בטלה בבית הוריו המאמצים הייתה העבודה בשבילו בבחינת שינוי מרענן.

הוא למד להאכיל את הפרות ולחלוב אותן, להפריד את השומן מהחלב ולהפיק חמאה, שנמכרה כולה לסוחרים חיצוניים. פעם התלווה לשירי שלקחה אותו לביקור אצל רופא שיניים בחיפה. העיר הגדולה, השוקקת, היכתה את דני בתדהמה. מימיו לא ראה אנשים וכלי רכב רבים כל כך, מימיו לא ראה חנויות, בתי דירות גבוהים, ובעיקר – ים כחול המשתרע עד האופק. הוא חש כאסיר שיצא לחופשי מתא כלא מחניק, שבו שהה שנים רבות.

בכל פעם שהגיע איתן אל הקיבוץ הוא נפגש עם מורתו של דני ושמע מפיה על התקדמותו של הנער. היא דיברה בהתפעלות על תשוקת הלימודים של התלמיד שלה, על יכולת הקליטה המהירה שלו ועל המאמץ שהשקיע בשינון החומר. אחרי זמן מה המליצה לשבץ אותו בכיתת לימוד של המוסד החינוכי. היא האמינה, שכוח הרצון שלו יסייע לו להתגבר שם על כל מכשול.

המוסד החינוכי הציב בפני דני אתגר חדש. היה עליו להעתיק לשם את מגוריו, להסתפק בחדר שבו היו לו עוד שני שותפים, להכין איתם שיעורים, להתרחץ ולאכול בצוותא. פגישות עם בני משפחה בקיבוץ היו בדרך כלל קצרות. לרוב הן לא חרגו משעה קלה של ביקור בכל יום אחר הצהריים.

חבריו ללימודים קיבלוהו בחום. הוא צירפו אותו לנבחרת הכדורגל שלהם, עזרו לו להכין שיעורים ולימדו אותו לחיות בשיתוף. דני עשה כמיטב יכולתו להשתלב במסגרת החדשה, למד לוותר, לא להתווכח,

להימנע מתלונות ולצאת ללא ערעור לכל עבודה שעשו לאחר הלימודים – בשדה, בבניין ובחדר האוכל שלהם. הם טיפחו איתו קשרי ידידות, הזמינו אותו למסיבות, צירפו אותו לטיולים בסביבה והתפעלו מכושרו הגופני.

בעין מג׳דל למד רק מקצועות בסיסיים: קריאה, כתיבה, חשבון. המוסד החינוכי בקיבוץ לימד אותו הרבה יותר – גיאוגרפיה, היסטוריה, אנגלית וספרות עברית. הוא התקשה לקרוא בספרי הלימוד, אבל המורים לא זקפו זאת לחובתו. הם חיכו בסבלנות עד שישתלט על השפה. לא היה להם ספק שבמרוצת הזמן זה יקרה.

שבועות אחדים לאחר שנכנס למוסד החינוכי כתב דני מכתב בערבית להוריו המאמצים בעין מג׳דל:

יקרים שלי,

צר לי שלא הצלחנו להיפרד כראוי. רציתי להביע בפניכם את תודתי העמוקה על השנים הרבות שבהן הענקתם לי אהבה וחינוך. תרמתם הרבה מאוד לעיצוב האישיות שלי ואני מקווה שאוכל בבוא היום להשיב לכם כגמולכם.

אני בריא ושלם. מצאתי בית אצל יהודים שמטפלים בי במסירות רבה. אני לומד בבית ספר, עובד ונהנה. אל תדאגו לי.

שלכם,
אכרם (דני)

4.

העגלון חבש כובע קש, ששוליו המרופטים לא הצליחו לחסום את קרני השמש שחרכו את עור פניו. הוא זירז את סוסו, שמשך את עגלת העץ הישנה העמוסה בחול ובמלט, עצר אותה ליד בניין הולך ונבנה, פרק את תכולתה ותלה שק מספוא מול פיו של הסוס. בכל יום, משעת בוקר מוקדמת, הובילה העגלה חומרי בניין לאותו אתר בנייה. העגלון העייף מחה את הזיעה שניגרה על מצחו. הוא התיישב על ערימת חול ושקע במחשבות טורדניות. חלק מלקוחותיו היו חייבים לו כסף, שלא טרחו לשלם מסיבות שונות ומשונות. הסוס שלו כבר היה זקן, ומן הראוי היה להחליפו בבהמה צעירה ורעננה יותר. בנוסף לכל אלה יצרן המצבות תבע מקדמה עבור בניית המצבה על קבר אשתו שנפטרה לפני שבועות אחדים. ביתו הרעוע שיווע לשיפוצים לפני הגשם, אבל כיסיו היו ריקים. חשבון הבנק שלו הוקפא, ואיש מחבריו המעטים לא היה מסוגל לתת לו הלוואה.

הוא הסיר את שק המספוא מפי הסוס, וחזר להתנהל בעגלה אל המקום שבו הטעין את חומרי הבניין. הוא כעס על עצמו שאינו מצליח להיחלץ ממצוקותיו, ותהה אילו צרות נוספות צופן לו העתיד. לא שלא עשה כל מה שהיה יכול כדי להקל על עצמו. כך למשל, ביקש פעמים אחדות ממפקד ההגנה באזור לשלם לו ולו גם סכום סמלי תמורת סליק הנשק והתחמושת, שהיה טמון מתחת לרצפת האורווה שלו. הוא קיבל רק תשובות מתחמקות. בסופו של דבר ההגנה הודיעה לו שלא תוכל לשלם משום שפשוט אין לה כסף. אילו היו הדברים תלויים בו לא היה מוכן מלכתחילה להסתבך בעניין הסליק, אבל

אשתו לחצה עליו להסכים. ההגנה הצילה את הוריה הקשישים ממוות בעת הפרעות, שערכו הערבים בתושבי צפת באוגוסט 1929. היא לא שכחה להם זאת, וכשביקשו להטמין באורווה נשק ותחמושת בלתי חוקיים – הסכימה מיד, בניגוד לדעתו של בעלה שסבר כי הדבר מסוכן מדי.

העגלון התנהל בעגלת המשא שלו בסמטאותיה של צפת, עקף את חנות המכולת שלבעליה כבר היה חייב סכום נכבד, וחשב על המזווה הריק שלו ועל ארוחת הערב שלא יוכל להכין. מקומתו השנייה של בית סמוך צעקה אישה בקול גדול "ביוב!" אך האזהרה הגיעה לאוזניו מאוחר מדי. הסוס שלו ספג את חלקו הגדול של דלי שפכים שניתך מלמעלה. העגלון גידף.

    תוך שהוא ממשיך לנסוע, סקר ללא עניין את הכרוזים שהודבקו על קירות הבתים. חלקם היה של ההגנה, חלקם של ארגוני המחתרת האחרים, אצ"ל ולח"י. הכרוזים הוקיעו את עמדתם החד־צדדית של הבריטים, שתמכו בערבים בסתר או בגלוי. בכך לא היה כל חדש, אבל בצד הכרוזים האלה הודבק כרוז שהעגלון טרם ראה כמותו. בראש הכרוז התנוססה כותרת בעברית ובאנגלית: "**1000 לירות פרס**". אחריה, באותיות בולטות נאמר: "**ממשלת הוד מלכותו תשלם 1000 לירות פרס למי שיביא מידע על אנשי מחתרת יהודים או ערבים, או יגלה את מיקומם של מחבואי נשק בלתי חוקיים.**"

    בהמשך צוין מספר טלפון שאליו יש לפנות עם המידע המבוקש.

    העגלון עצר לרגע, קרא את הכרוז בעיון והעתיק בחשאי את מספר הטלפון על פיסת נייר מפנקס הקבלות שלו. הכרוז דיבר אל לבו. היה לו בדיוק המידע שהבריטים רצו והפרס הגדול נראה לו כמטחווי

248

הושטת יד. בכסף הזה יוכל לשלם לנושיו ועוד יישאר לו סכום לא קטן.

זו הייתה מתנה משמיים. איש מאנשי ההגנה לא יוכל לדעת שהיה זה הוא שהלשין עליהם. הבריטים ודאי ישמרו את הסוד.

הוא נכנס לתא טלפון ציבורי וחייג את מספר הטלפון שצוין בכרוז.

קול של גבר השיב לו באנגלית. העגלון ביקש ממנו לדבר בעברית והאיש נענה לו.

"זה בקשר למידע שאתם מחפשים על נשק של ההגנה..." אמר העגלון.

"מה אתה יודע?"

"אני יודע איפה הם מחביאים את הנשק שלהם."

"איפה אתה נמצא?" שאל הבריטי.

"בצפת."

"או קיי," הייתה התשובה, "תחכה מחר בעשר בבוקר בשער מנזר 'האם הקדושה' בהר כנען. נשלח אליך מישהו מאיתנו."

.5

תומאס ג'ורדן שמע בקשב רב את ההוראות שנמסרו לו, אסף את החבילה שהכילה 1000 לירות במזומן, חתם על קבלה, הצדיע ויצא מחדר המפקדה. הוא כינס את אנשיו והודיע, כי הוטלה עליהם משימה חשובה, וכי יצטרכו להיות מוכנים ליציאה למחרת בשמונה בבוקר. אחד מהם ביקש לקבל פרטים נוספים, אך ג'ורדן היסה אותו בנימה

חסרת סבלנות. "כשיגיע הזמן תדע הכול," אמר ופרש לחדרו.

מאז נכנס לתפקידו הקפיד ג'ורדן למלא בצייתנות את הוראות הממונים עליו. כל מי שקיים איתו קשר העריך אותו כקצין מוכשר, חכם ורב תושייה. זקפו לזכותו את השקט היחסי שהשתרר באזור הצפון מאז החל למלא את תפקידו.

בלילה, כשלא היה צריך לעטות עליו את אצטלת המנהיג העשוי ללא חת, היה לבו נשבר מגעגועים לשירי. הוא לא הצליח להבין לאן נעלמה, היכן היא מתגוררת ומה מעשיה. מועדון הלילה בטבריה שב אמנם לפעילות, אבל שירי לא חזרה לרקוד שם, והשכנים לא ידעו דבר על אודותיה. "היא פשוט קמה ועזבה הכול," אמר לו אחד מהם, "היא לא השאירה שום הודעה, שום מכתב." אילו היה יכול לפגוש אותה שוב, ולו לזמן קצר בלבד, היה מתנצל על יחסו אליה, על פרץ האלימות שאחז בו. בהזדמנות זאת היה מתוודה שוב על אהבתו אליה, מבקש שתיתן לו הזדמנות נוספת ומבטיח לשאת אותה על כפיים אחרי שתינשא לו.

בחודשים האחרונים, מאז לכתה, נדדה שנתו כמעט בכל לילה, וכשהיה נרדם לבסוף חלם עליה שוב ושוב. אף שלא היה דתי, הלך לכנסייה בכל יום ראשון, לבקש מאלוהים שיפגיש את שניהם שוב. מפקדיו ציינו לשבח את ביקוריו בכנסייה. הם ראו בכך ביטוי לערכיו הנעלים.

בשמונה בבוקר יצאו שתי השריוניות ושני הטנדרים בדרכם להר כנען. ג'ורדן סבר שיהיה עליו להשתמש בכלי הרכב כדי להעמיס עליהם את הנשק המוסתר. אל הצוות צורף מתורגמן ששלט בעברית.

העגלון חיכה להם מתחת לעץ תאנה ענף בשערו של מנזר "האם

הקדושה". הוא היה מתוח ואחוז פחד שמישהו יהיה עד לפגישתו
הסודית, אבל פרט לחיילים הבריטים לא נראה איש בשטח. הנזירים
שהו בתוך הבניין, וברחבי הגן הדהד רק ציוצן העליז של הציפורים.
תומאס ג'ורדן פקד על אנשיו להישאר במרחק מה, צירף אליו את
המתורגמן, ניגש אל האיש ושאל אם היה זה הוא שטלפן אתמול.
העגלון השיב בחיוב.

"ספר לי כל מה שאתה יודע," ביקש הבריטי והמתורגמן תרגם את
דבריו.

"אני יודע את מקום המחבוא של נשק בלתי חוקי שנמצא בשימוש
ההגנה'," אמר העגלון.

"תן לנו תיאור מדויק של המקום שבו נמצא הנשק."

"באורווה שנמצאת בחצר הבית שלי יש רצפת בטון, בפינה
הימנית תמצאו טבעת ברזל על מכסה אבן. תרימו את המכסה ותמצאו
את הנשק."

"למה הרשית להגנה להחביא שם נשק?"

"אשתי לחצה עליי."

"איפה אשתך?"

"מתה."

"אתה מכיר חברים בהגנה?"

"אני מכיר רק את המפקד, איתן. לפעמים אני רואה אותו כשהוא
מוציא או מכניס נשק למחבוא."

"מה שם משפחתו?"

"לא יודע."

"איפה הוא גר?"

"לא יודע."

"אתה חבר בהגנה?"

"לא."

"כמה זמן נמצא שם המחבוא?"

"הרבה זמן."

"חכה לנו כאן. אם נמצא את הנשק – אחזור ואשלם לך."

העגלון הסתתר בחצר המנזר שעה שג'ורדן ואנשיו יצאו לביתו. הם הלכו אל האורווה, חשפו את פתח הסליק והעלו מתוכו עשרות רובים, אקדחים, רימוני יד ותחמושת בארגזי עץ ובתפזורת.

הנשק הועמס על כלי הרכב. תומאס ג'ורדן חזר אל המנזר.

העגלון המתין בקוצר רוח בין עצי הגן. ג'ורדן שלף מכיסו את חבילת השטרות ומסר אותה לידיו. העגלון מנה את הכסף וחתם על קבלה. הכסף חימם את כיסו כששב לביתו שמח וטוב לב.

.6

המהלומה הייתה כבדה מנשוא. כאילו לא די היה בחיי הסכנה, בחשש המתמיד מפני מעצר ומשפט, בתחושה שההרוגים, יהיה מספרם אשר יהיה, לא יכריעו את גורל המלחמה – נחת לפתע האסון הבלתי צפוי, נשללה בבת אחת היכולת לפעול, ומאמץ עקשני ארוך ומייגע בא אל קצו. איתן לא הבין איך זה קרה, האם היה זה מקרה מצער או מזימה מתוכננת, האם נמצא בקרב אנשיו בוגד מתועב, שתמורת בצע כסף או טובות הנאה אחרות גרם לחיסולו של הסליק המוסתר היטב באורוותו של העגלון?

דבר החיסול של הסליק נודע לו מפי שכנים, שהיו עדים לפשיטת יחידתו של קפטן ג׳ורדן ולאיסוף הנשק הבלתי חוקי. תחושתו הראשונה הייתה שעליו לחוש אל המקום ולראות את הסליק הריק, לנסות לברר מה הניע את הבריטים לפשוט על האורווה ולגלות את המחבוא, כאילו הייתה להם מפה מדויקת של המקום. במחשבה שניה הוא החליט שלא לצאת לשם, מחשש שהבריטים הציבו מארב שינסה ללכוד את חברי ההגנה.

הוא הסתגר עם סגנו ועם שניים מבחירי אנשיו בדירה הקטנה, ששימשה למגוריו בעת שנמצא בצפת. בעברו של איש מהנוכחים לא היה כל רבב. הם היו לוחמים אמיצים, חדורי מוטיבציה, חיים בצניעות. הם השתתפו עם איתן בפעולות נועזות, לא פחדו מפני המוות, לא פגעו מעולם בחפים מפשע ולא בזזו רכוש. הם ידעו שאיש מהם לא מסר את המידע לבריטים.

עם זאת, ברור היה לנאספים שהפשיטה לא הייתה פרי המקרה. במשך שנים שימש אותם הסליק ללא כל תקלות. הבריטים לא הסתובבו בשטח, הנשק נשמר היטב ושימש לציוד חברי ההגנה בנסיבות שבהן היה לו תפקיד חיוני. עתה, בהיעדר הנשק, הם חשו חסרי אונים.

״חייבים למצוא את המלשין,״ אמר איתן בטון נמרץ, ״כל עוד הוא מסתובב בינינו הוא עלול לגרום נזקים נוראים נוספים.״ גם מבלי שאמר זאת הרגישו חבריו כאילו הייתה חרב חדה מונחת על צוואריהם. היום חוסל הסליק, מחר יחוסלו גם הם עצמם. בלי שריון המגן של ההגנה חיי היהודים בגליל יעמדו בסכנה שקשה לשער את ממדיה.

"עלינו למצוא תשובה לשאלה החשובה מכול," הוסיף איתן, "מי ידע על הסליק חוץ מאיתנו?"

"מה עם השכנים?" שאל מישהו לאחר הרהור, "יכול להיות שאחד מהם הבחין בפעילות שלנו בסליק."

"כמה שכנים נמצאים שם?"

"בדקנו את זה. בסמוך לבית גרות ארבע משפחות, אחת משפחה של רב, השנייה משפחה של מורה, השלישית והרביעית — משפחות של פועלים."

"בהחלט אפשרי שמישהו מהם הוא המלשין," אמר איתן, "אבל יש עוד חשוד אחד שלא דיברנו עליו. העגלון. אולי הוא זקוק לכסף. כמה פעמים רצה שנשלם לו תמורת השימוש בסליק. דחיתי אותו בתירוצים שונים. אני מציע שנחקור אותו ראשון."

למחרת בבוקר שוב יצא העגלון להטעין ולפרוק חומרי בניין. כשעבר בסמטה שקטה, חסמה מכונית קטנה את דרכו של הסוס ושלושה רעולי פנים התנפלו על האיש ההמום, כפתו את ידיו, תחבו אותו למכוניתם ופתחו בנסיעה מהירה אל מחוץ לעיר. הם עצרו בחורשת אורנים דלילה בדרך עפר, לא הרחק מהכביש הראשי לחיפה והוציאו את העגלון מהמכונית.

הוא צרח באימה והשתתק רק אחרי שתחבו מטלית בד לפיו.

"אנחנו יודעים מה עשית," אמר איתן כקובע עובדה, "יש לך שתי אפשרויות: להודות או להכחיש. אל תנסה לשקר. הבריטים הדליפו לנו את הסיפור המלא."

העגלון רעד מפחד ומתדהמה. לא היה לו הסכם סודיות עם הבריטים, אבל הם הרי הבטיחו לא לגלות על אודותיו לאיש.

"תתחיל לדבר," האיץ בו איתן שהוציא מפי האיש את פיסת הבד.

רוח צוננת חלפה בין ענפי העצים, אבל העגלון הזיע.

"לא עשיתי כלום," ניסה להתעקש.

"גילית לבריטים איפה נמצא הסליק."

"אני לא גיליתי לאף אחד שום דבר."

איתן שלף מכיסו את אקדחו האישי, הצמיד את הקנה אל רקתו של העגלון ודרך את כלי הנשק.

"יש לך עשר שניות להגיד לנו את האמת," איים, "אם תוסיף להכחיש, אתה מת."

"רחמו עליי," התחנן החשוד, "הבריטים הכריחו אותי לגלות."

"עד שגילית להם את מקום הסליק הם לא ידעו עליו דבר. איך הם הגיעו בכלל אליך?"

"הם חשדו... היה להם מידע... לא הייתה לי ברירה."

"אתה מודה שהלשנת?"

"אני מודה..."

איתן הסיט את האקדח מרקתו של העגלון.

הוא נפנה אל אנשיו והתלחש איתם. הם הנהנו בהסכמה.

"עשית מעשה שלא ייעשה," אמר איתן בקול רם, "פגעת קשה בארגון ההגנה. השארת אותנו בלי נשק מול הכנופיות הערביות."

"אני מבקש סליחה", התייפח העגלון, "זה לא היה בכוונה..."

איתן כיוון את אקדחו אל פניו של האיש וירה פעמיים.

7.

אמא, אבא ושושנה היקרים,

ודאי לא תאמינו למה שאני רוצה לספר לכם: עזבתי את העיר ועברתי
לקיבוץ. הגעתי לכאן ביזמתו של איתן, בחור שהכרתי לא מזמן. אני גרה
אצל הוריו של איתן בבית קטן מוקף פרחים ודשאים, עובדת במטבח
של הקיבוץ ונהנית מכל רגע, במידה רבה בזכות האיש הנפלא הזה. אני
מרגישה שאני נקשרת אליו כל יום יותר. כלומר, אני מאוהבת בו ולא יכולה
לחיות בלעדיו.

תוכלו לשלוח אליי מכתבים לפי הכתובת: שירי קושמרו, קיבוץ
אפיקים. ספרו לי על עצמכם, איך הבריאות, איך מתנהלת המסעדה ואיך
מתקדמים הלימודים של שושנה.

מתגעגעת אליכם מאוד,
שירי

שירי היקרה,

אני צובטת את עצמי כדי להאמין שאחותי המפונקת שאהבה בגדים
יפים, לא יצאה מהבית בלי איפור ובלי בושם, ולא פסחה על שום מקום
בילוי־ עשתה מהפך כל כך גדול ועברה לגור בקיבוץ. אני משתוקקת
כבר לפגוש את איתן ולהבין מה מצאת בו. מהמכתב שלך מתברר
שהוא אהבת חייך. אני מקווה שהוא אוהב אותך לא פחות. אהבה גדולה
מתאימה לך, אחותי.

256

אצלי מתנהלים הלימודים בסדר גמור. סיימתי בהצטיינות עוד שנת לימודים, והמרצים שלי מנסים לשכנע אותי לעשות קריירה בהוראה או במחקר אבל אני מעוניינת לפתוח משרד, לשקוע בעבודה משפטית אמיתית, בהגנה על חפים מפשע ובמאבקים בבית המשפט. אני רוצה להיות עורכת דין לוחמת, עקשנית ומנצחת.

שמרי על עצמך!

שלך באהבה,
שושנה

.8

"בעת הארוחה יש לשבת על הכיסא כולו ולא על חלק ממנו, יש לשבת זקופים ולהרכין קלות את הראש. כשמעלים את המזלג לפה אין מקרבים את הפנים לצלחת. כשאוכלים מנות הזקוקות רק ליד ימין (כמו מרק) מותר להשעין את כף יד שמאל על קצה השולחן. המרפקים צריכים להיות קרובים לגוף ואסור שייגעו בשולחן, הרגליים צריכות להיות קרובות זו לזו ובזווית ישרה, כשכף הרגל נשענת במלואה על הרצפה."

המורה לנימוסים הייתה אישה קשישה, דקת גזרה, לבושה בחליפה אלגנטית ומאופרת בקפידה. היה לה מבטא צרפתי וקול צפצפני. היא לימדה את בנות הפנימייה עשרות ומאות כללים, שחייבים להיות לחם חוקה של כל משפחה עשירה ומכובדת. היא גם תרגלה איתן

עריכת שולחן לארוחה מפוארת, שימוש נכון בסכו"ם והנחיות לניהול שיחה תוך כדי אכילה.

הקורס לנימוסים היה חלק חשוב מתוכנית הלימודים בפנימיית הבנות בשכונת אל אשרפייה בביירות. בצד תוכנית הלימודים המקובלת, הן למדו גם לבחור את השמלה הנכונה ואת הבושם המתאים, לעשות סקי, לשחות ולשמור על גזרתן. לא לימדו אותן לטפל בילדים, לקנות במכולת, או לארוז מזוודות. את זה עשו תמיד המשרתים.

באשירה עלאמי הייתה אחת משלושים ושתיים תלמידות הפנימייה. היא נשלחה לשם בגיל תשע, התיידדה עם בנות עשירים מכל חלקי המזרח התיכון, חלקה חדר עם שתי בנות מכווית ומלבנון ולא סיפרה אף לאחת מהן מה מכין לה העתיד. היא הדחיקה כל מחשבה על הנסיך הסעודי האמור לשאת אותה לאישה, על החיים הצפויים לה בהרמונו בצד נשים אחרות ועל החשש שתהיה כלואה שם לתמיד.

הפנימייה שכנה בבניין יפהפה שנבנה בראשית המאה לשימושה של משפחת אצולה ערבית שהיגרה משם בשנות השלושים. מאז נמכר הבית הוא עבר שיפוץ יסודי, חדרים צורפו זה לזה והפכו לכיתות לימוד, הריהוט הוחלף, קירות נצבעו וצוות של גננים טיפח בקפידה את גני הנוי שהקיפו את הבניין. המשטר בפנימייה היה קפדני ונוקשה: השכמה בשש בבוקר, כיבוי אורות בעשר בלילה. אסור לצאת העירה ללא היתר של המנהלת וליווי של מדריכה, אסור לקיים קשרים עם בני המין האחר. אסור להרים קול, לריב, להתחצף למורות. עונשים על עבירות משמעת כללו איסורים על השתתפות בטיולים, על האזנה לרדיו, על איפור ועל שימוש בבושם.

את חופשות הקיץ בילו הבנות בדרך כלל עם הוריהן, נסעו איתם למסעות קניות באירופה או לנופש על גדות האגמים בשווייץ. באשירה נסעה בכל קיץ עם אימה לפאריז, שם הקדישו את רוב הזמן להעשרת המלתחה של הבת המתבגרת. הן לא דיברו כלל על החתונה שמועדה ממשמש ובא. פארידה חשה שלב בתה אינו שלם עם רעיון הנישואין, אבל נראה היה לה שאין כל סיכוי שדעתה של הנערה תתקבל. מוסטפה עלאמי והנסיך הסעודי הסכימו בתקיעת כף על החתונה. זה היה הרבה יותר מהסכם חתום. זו הייתה התחייבות שאסור להפר.

באחר צהריים אחד, בתום הלימודים, נקראה באשירה לחדרה של המנהלת. בשלוש שנות שהותה בפנימייה היא לא נקראה מעולם לפגוש את האישה שעמדה בראש המוסד. היא החליפה איתה רק כמה מילים כאשר בא איתה אביה לרשום אותה ללימודים.

המנהלת הביטה בבאשירה בחיבה.

"קיבלתי מכתב מאבא שלך," אמרה, "הוא כתב שיבוא לקחת אותך הביתה ביום שלישי הבא."

באשירה החווירה.

"הוא כתב לך למה הוא בא?"

"לא, הוא רק ביקש שכאשר יגיע כל חפצייך יהיו כבר ארוזים."

"תודה," אמרה הנערה בחצי קול, "בהזדמנות זאת אני רוצה שתדעי כי נהניתי מאוד ללמוד כאן. בשבילי זו הייתה תקופה נהדרת."

המנהלת חייכה.

"אני מאחלת לך הצלחה בכל אשר תפני," אמרה.

באשירה נכנסה לחדרה. הוא היה ריק. היא השתרעה על המיטה

וחשבה על השיבה הביתה. צמרמורת חלפה בגופה כשעלה במוחה רעיון החתונה.

.9

ה"קדילאק" של מוסטפה עלאמי עצרה ליד שער הפנימייה בביירות. הנהג פתח את דלת המכונית. מוסטפה נכנס לבניין ועשה דרכו לחדר המנהלת. באשירה כבר חיכתה לו שם, שלוש מזוודות העור שלה ניצבו בצד.

באותו בוקר נפרדה באשירה מחברותיה. הן ביקשו לדעת מדוע היא חוזרת הביתה באמצע שנת הלימודים. היא אמרה שאין לה מושג והזילה דמעות של צער.

בחדר המנהלת הוחלפו כמה מילות ברכה והאב קיבל מכתב הערכה על הישגיה של בתו בפנימייה. הנהג העמיס את המזוודות בתא המטען והמכונית יצאה לדרך.

הם נסעו דרומה לאורך שפת הים. השמיים היו כחולים וספינות דייגים שייטו לא הרחק מהחוף.

"לאן אנחנו נוסעים?" שאלה באשירה.

"הביתה."

"למה?"

"קיבלנו הודעה מהנסיך, שמועד החתונה נקבע לתחילת אפריל. הטקס ייערך בארמונו בג'דה. לא נשאר לנו הרבה זמן. אנחנו צריכים להתכונן לאירוע ולהזמין את האנשים הקרובים לנו."

באשירה הביטה מבעד לחלון על הנופים החולפים במהירות.

"אני לא רוצה להתחתן איתו," אמרה.

מוסטפה עלאמי קפא במקומו.

"מה זאת אומרת?" שאל בפנים חמוצות. בקולו נזרע כעס.

"אני לא אוהבת אותו," אמרה.

זעמו של האב גבר. נבצר ממנו להשלים עם הרעיון שבתו לא תציית לו באופן מוחלט.

"קלקלו אותך בפנימייה," רתח, "החדירו לך לראש רעיונות מסולפים."

"לא נכון, אבא. הם לא התערבו בחיים הפרטיים של אף אחת מאיתנו. חוץ מזה, היו שם עוד בנות, שהוריהן תכננו שיתחתנו עם גברים קשישים ועשירים. אף אחת מהן לא רוצה את זה."

"יש הבדל בין קשקושים של ילדות לבין מה שמקובל. נערות נישאות בגיל צעיר כדי שיוכלו להביא הרבה ילדים לעולם."

"אבל הוא כל כך זקן..."

"טיפשה," קרא, "את לא מבינה שהנסיך הוא הבעל האידיאלי בשבילך? הוא אדם חשוב מאוד, עשיר גדול, והעובדה שהוא רוצה אותך עושה למשפחה שלנו הרבה כבוד."

"איזה מין כבוד הוא זה, כשהבת שלך תושלך להרמון שלו ולא תוכל לצאת משם לעולם?"

"הנסיך יתייחס אלייך יפה. אני גם בטוח שהנשים שלו יקבלו אותך בשמחה."

"לא מעניין אותי. אני רוצה להתחתן רק עם מי שאני אוהבת."

"אהבה תבוא עם הזמן, באשירה. גם אני התחתנתי כי ההורים שלי ושל אמא שלך הסכימו מראש על הנישואין. אמא הייתה בת ארבע

261

עשרה כשהתחתנה איתי, ושנינו למדנו לאהוב זה את זה."

הם נעטפו בשתיקה. באשירה חשה שהעולם סוגר עליה כמו כלא שמור היטב. היא כבר פרשה לפני אביה את מיטב נימוקיה – היעדר האהבה, גילו המבוגר של החתן – אבל זה לא הועיל להפיס את דעתו של מוסטפה עלאמי. הוא רצה בחתונה הזאת, הוא לא היה מוכן לוותר.

"אדבר על זה עם אמא," אמרה.

"לא יעזור לך. גם היא רוצה את החתונה הזאת."

"אני אמות בסעודיה," ניסתה שוב, "אני אנבול כמו צמח בלי מים. זה מה שאתה רוצה?"

"אני רוצה שיהיה לך טוב. הנסיך אוהב אותך, הוא ישכן אותך בארמון, הוא ייתן לך כל מה שתרצי."

"חוץ מחופש."

"מה זה חופש?" התרעם מוסטפה, "חופש בשבילך הוא לקיים יחסים עם גברים אחרים? ללכת למועדוני לילה? לאבד את שמך הטוב? לפגוע במשפחה שכל כך אוהבת אותך?"

"חופש בשבילי הוא כיבוד הרצון שלי, אנשים חופשיים רשאים לקבוע לעצמם את מסלול חייהם. אני כבר ילדה גדולה, אני לא רוצה שתהרסו לי את החיים."

מוסטפה עלאמי לא ציפה שבתו תתמרד לפתע ותנסה לשים לאל את תוכניתו. הדברים שאמרה ננעצו בלבו כמדקרות חרב. עם זאת כפה על עצמו להתעשת. רצונה של באשירה לא יעלה ולא יוריד דבר. במוקדם או במאוחר היא תבין שאין לה ברירה.

262

.10

שוב ושוב נקרע דני בין מה שלמד בבית הרופא הערבי לבין מה
שלימדו אותו עכשיו במוסד החינוכי של הקיבוץ. הסיפור שסיפרו
לו מוריו היה שונה לחלוטין ממה שסיפר לו מחמוד. הם ציטטו את
התנ"ך, הסבירו שהיהודים ישבו בארץ ישראל זמן רב לפני שהערבים
הגיעו לשם, הם טענו שאף אחד לא השתלט על אדמות לא לו. כל
הקרקעות, אמרו, נקנו על ידי היהודים בכסף מלא מבעליהן, וכל מה
שטוענים הערבים הוא חסר כל שחר. טענות השווא שלהם מלבות את
אש השנאה בין העמים, גורמות להתנקשויות דמים ולאי סדר חמור.
במידה מסוימת, מנסים השליטים הבריטים להשכין שלום ולמנוע
פעולות איבה, אבל ההסתה מערערת את היציבות שביקשו להשיג
והיא תלך ותגבר אחרי שהבריטים יעזבו את הארץ. מלחמה של ממש
תהיה בלתי נמנעת.

בצד לימודיהם התכוננו תלמידי הכיתות הגבוהות של המוסד
החינוכי לימים גרועים יותר. הם עברו אימונים מפרכים, שימוש
בנשק ותחבולות לחימה וחלמו על הצטרפות להגנה. דני לא רצה
עדיין להשתתף בכל אלה. עם זאת חש שאסור לו להיות יוצא דופן.
סירוב לצאת לאימונים עלול רק לבודד אותו מחבריו. בלית ברירה
הלך לאימונים והשתדל שלא להצטיין יתר על המידה. הוא החטיא
את המטרה באימוני הירי וכשעמדו לצאת למסע אלונקות מפרך טען
שאינו חש בטוב.

מצבי רוחו המשתנים לא נעלמו מעיניו של איתן. הוא קרא לו
לשיחה.

263

הם ישבו על הדשא ליד בית הוריו של איתן.

"מה קורה לך?" שאל איתן בדאגה.

"אני מבולבל," השיב דני בגילוי לב, "קשה לי לשכוח שעד שהגעתי לכאן הייתי ערבי, חונכתי כערבי, ספגתי את הערכים שהחדירו לי שם. כאן הכול מתהפך. כל מה שהרגשתי, דברים שהייתי בטוח בהם, השתנו פתאום לגמרי."

"אני מבין," אמר איתן. הוא חיבב את הנער וקיווה שיעבור בשלום את תקופת המעבר. זה לא קרה.

"אני לא יודע מה לעשות," אמר דני, "החברים שלי כאן חושבים אחרת ממני, הם בטוחים שהיהודים צודקים. אני עדיין לא בטוח כל כך."

"למה אתה לא בטוח?"

"כי אמרו לי פעמים רבות, שאני צריך להבין שפלשתינה היא חלק מהאומה הערבית הגדולה, כי היהודים הם נטע זר במזרח התיכון, כי הם רוצים להפוך את פלשתינה לארץ יהודית, לימדו אותי שהערבים נלחמים למטרה צודקת."

"תן לי להסביר לך כמה דברים," אמר איתן בשלווה, "ארץ ישראל הובטחה לעם ישראל על ידי אלוהים. יהודים הובאו לכאן כבר על ידי משה רבנו ומספרם גדל מאוד במאה השלוש עשרה. יהודים רבים הגיעו לארץ אחרי שברחו מגילויי האנטישמיות באירופה. אפילו הצהרת בלפור מ־1917 תמכה בהקמת בית יהודי בארץ ישראל. הערבים נלחמים בנו כי הם לא רוצים להשלים עם העובדות. הם גם גרמו לכך שהבריטים צמצמו את ממדי העלייה היהודית לארץ, ומרבית היהודים שהגיעו לכאן בשנים האחרונות באו באופן לא חוקי."

"כלומר, לדעתך הערבים טועים?"

"הם מסרבים להשלים עם קיומנו, כי בשבילם פלשתינה היא עניין של כבוד ושל עיקרון חשוב. הם חוששים לגורלם כשתקום פה מדינה יהודית, והם רוצים למנוע את הקמתה."

דני פכר בעצבנות את כפות ידיו. הוא שלח מבטו אל בתי הקיבוץ הרגועים, אל השלווה שעלתה מהגינות המטופחות ואל השדות שלבלבו לא הרחק.

"תגיד לי, איתן, מה עליי לעשות?" נשבר קולו.

"אתה רוצה לחזור אל הערבים?"

"לא. טוב לי כאן."

"שכחת את העיקר. אתה יהודי, דני. אם אתה חי איתנו, אתה חייב להיות בצד שלנו, להאמין שאנחנו צודקים. בלי אמונה כזאת, אין לך זכות להישאר כאן."

"תודה, איתן. תודה שדיברת איתי."

.11

בערך בשמונה בערב, בתום המשמרת שלה במטבח של הקיבוץ, שטפה שירי את ידיה, הסירה את סינרה ויצאה החוצה. עמודי תאורה שפכו אור על השבילים שהתפתלו בין הבתים. סביב הפנסים ריחפו פרפרי לילה למכביר, ובעופאי העצים התכוננו הציפורים לשנת הלילה.

היא הלכה אל צריף המקלחת המשותפת ורחצה את גופה. אחר כך פסעה לעבר החדר שלה, וכשהגיעה לשם הבחינה בדמות השרועה על

כיסא ליד ערוגת הרקפות. תחילה חשבה שזהו דני. הוא הרבה לבקר אותה ואת איתן, בעיקר בשעות הערב לאחר שסיים את המטלות שלו במוסד החינוכי.

אבל זה לא היה דני. זה היה איתן.

היא התפלאה לראותו שם בשעה כל כך מוקדמת. לרוב היה מגיע אחרי חצות, או לא מגיע כלל. לא פעם התעוררה משנתה כשנשכב לצדה, תמיד עייף, תמיד מתוח.

"שירי," קרא בשמה.

היא קרבה אליו וחיבקה אותו. שפתותיהם נצמדו בשקיקה.

"מה קרה? התגעגעת אליי?" שאלה בחיוך כשזרועותיה אינן סרות ממנו.

"התגעגעתי מאוד," אמר, "אבל זו לא הסיבה שהקדמתי לבוא הערב."

"רוצה לספר לי?"

"כן. בואי נלך קצת לטייל."

הם יצאו מהקיבוץ, ידו חבקה את מותניה והיא נצמדה אל גופו. היא התפללה בלבה שזה לא ייגמר לעולם.

"קרה לי אסון," אמר. בראשית היכרותם הסתיר מפניה כל מה שעשה, אבל כשהתלקחה אהבתם ידע שיוכל לסמוך עליה שלא תגלה לאיש את מה שהוא מספר לה.

הוא שיתף אותה בידיעה על גילוי הסליק.

"כל הנשק שהיה לנו, הנשק שאספנו במשך שנים במאמץ עצום," אמר, "הוחרם על ידי הבריטים."

"איך הם הגיעו אליו?"

"עגלון מצפת שאצלו החבאנו את הנשק הלשין עלינו. עשינו לו

משפט שדה והרגנו אותו. השארנו על הגופה דף שעליו כתבנו: 'ככה ייעשה לבוגדים'. חתמנו: ההגנה..."

היא לא הזדעזעה. כל מה שעשה איתן זכה לתמיכתה המלאה. לא היה לה ספק שהוא ידע בדיוק מה הוא עושה כשחרץ את דינו של המלשין.

"האנשים שלי שבורים," הוסיף איתן, "אף פעם לא ראיתי אותם במצב כזה."

"תצטרכו להשיג נשק חדש בהקדם," אמרה.

"אני יודע, אבל זה לא פשוט. פניתי למפקדת ההגנה בתל אביב וביקשתי נשק. הם אמרו לי שגם אצלם חסר."

מצוקתו נגעה ללבה. פניו העייפים ועיניו האדומות העידו על נדודי שינה. מאז הכירה אותו התפעלה מחוסנו הנפשי והגופני. עכשיו הוא נראה לה קרוב להתמוטטות.

היא השתתפה בצערו על החרמת הנשק. היא הבינה שהוא שוקד רובו ככולו על עבודת קודש, על מלחמה בלתי מתפשרת להישרדות, הוא ניצב בפני קשיים רבים כל כך. אסור היה שיקרה משהו שישבש את חתירתו אל המטרה.

בעצם, חשבה, היו זמנים שבהם גם היא עשתה הכול כדי להזיק לו. למען בצע כסף אספה עבור מחמוד אל באדר מידע על פעילותה של ההגנה. היא סחטה סודות מתומאס ג'ורדן, מיעקב גוטליב, ממאהבים אחרים שהיו לה. לא עלה בדעתה שיום אחד תחוש חרטה כה עמוקה על מה שעשתה.

היא ואיתן הלכו בשביל עפר שחצץ בין המטעים לבין השדות. רוח צוננת נשבה מן ההרים, אבל הם לא חשו בה. בקרבם בערו להבות של אהבה שהפיחו חום באבריהם. איתן צעד שחוח, שירי לא הצליחה

להיישיר אליו מבט. בינה לבינה נשבעה שלא תספר לו לעולם על הקשר בינה לבין מחמוד.

לפתע חיבק אותה איתן, בחן את פניה ושאל: "מה קרה, שירי?"

"שום דבר," ניסתה להתחמק.

"ספרי לי... אני יודע שמשהו מציק לך..."

"שטויות, איתן. זה היה סתם מצב רוח חולף. תפסיק לחשוב על זה. אני אוהבת אותך..."

"את בוודאי עייפה," אמר, "בואי נחזור."

"רק רגע," עצרה בתנועה נחושה, "לא סיימנו לדבר על הנושא."

"על הנשק?"

"כן. לא ייתכן שאין שום דרך להשיג רובים ותחמושת. אל תגיד לי שאין לכם שום אפשרות."

"למה זה כל כך מטריד אותך?" שאל בתמיהה.

"מה שמטריד אותך מטריד גם אותי."

"טוב," אמר, "יש עוד אפשרות אחת, אבל היא ממש לא מעשית. סרג'נט בריטי

מושחת מוכן לספק לנו את כל הנשק שאנחנו רוצים, בתנאי שנשלם לו."

"הוא לא עלול להסגיר אתכם?"

"האנשים שלי מכירים אותו. הם אומרים שאם יקבל את הכסף, יספק את הסחורה וישתוק."

"כמה הוא רוצה?"

"הון תועפות. שלושת אלפים לירות."

"זה באמת המון כסף."

268

הם שבו לחדרם. איתן התפשט ונכנס למיטה. שירי התמהמהה מעט ואחר כך, כשקרבה אל המיטה אמרה: "יש לי הפתעה בשבילך, אהובי."

הוא נשא אליה עיניים מוכות הלם, כשהגישה לו המחאה על סך שלושת אלפים לירות.

"יש לי חסכונות," אמרה במאור פנים, "אין לי ממילא מה לעשות עכשיו בכסף. תתייחס אל ההמחאה כאל מתנה ממני."

היא חשה שעשתה את המעשה הנכון, שהעבירה להגנה את עיקר הכסף שקיבלה ממחמוד. זה לא הרגיע את מצפונה, אבל היא שמחה שהכסף יוכל להועיל.

"אבל..." מלמל איתן, "אני לא יכול לקחת ממך כסף."

"למה?"

"כי אינני יודע אם אוכל להחזיר לך אי פעם."

"לא הבנת," אמרה, "הסברתי לך כבר שזוהי מתנה, לא הלוואה."

הוא עמד כבר באי אלו מבחנים קשים בחייו, אבל מימיו לא נקלע למצב כה מביך. מצד אחד, לא חשב שיהיה זה הוגן לרוקן את חסכונותיה של שירי. היא הייתה זכאית לכל הכסף שצברה. מצד שני הכסף היה דרוש לו כאוויר לנשימה. הכסף הזה יוכל להבטיח את המשך פעילותה של ההגנה בצפון ואת ביטחונם של אלפי יהודים.

היא התפשטה והתחככה בגופו.

"בוא," אמרה, "יש לנו עכשיו דברים הרבה יותר נעימים לעשות מאשר לדבר על כסף."

.12

תחילה שמעה באשירה אוושה קלה, כמו טפיפות רגליים של חתול העולות מן המדרגות המוליכות אל חדרה. היא פקחה את עיניה המבוהלות אל תוך אפלת הלילה. האוושה הפכה לצעדים כבדים שהדהדו כתופים רחוקים. הדלת נפתחה לאיטה. לאורה של הנורה שהאירה את המסדרון נראתה דמות מגושמת. הנסיך.

באשירה ניסתה לצעוק, אבל קולה לא נשמע לה. עיניה נצמדו באימה לידיו של הנסיך. הוא נשא מגלב ארוך וחבט בו קלות על ירכיו.

"ילדה רעה," חרק קולו, "סיפרו לי שאת לא רוצה להתחתן איתי."

היא חשה שהוא לא יסתפק בתירוצים. הוא בא להעניש אותה, ללמד אותה לקח. הוא רצה להבהיר, שאסור לה להפר את החלטתו.

ידו הימנית הניפה את המגלב. ידו השמאלית נשלחה אליה וקרעה מעליה את כתונת הלילה שלה. היא סבה לאחור כדי שלא יביט בשדיה. הוא פלט מפיו צחוק מרושע והנחית את המגלב על גבה. כאב חד פילח את גופה. היא פרצה בבכי כשספגה צליפת מגלב נוספת. מדוע אין איש חש לעזרתה? לאן נעלמו הוריה, האומנת והמשרתים?

היא פלטה צעקה קורעת לב וצנחה על הרצפה.

יד רכה טלטלה אותה.

"תירגעי, באשירה," אמרה האומנת שלה, "חלמת חלום רע. תישני עכשיו, אני אשאר איתך עד הבוקר."

באשירה ישנה שינה טרופה עד שהאיר היום. האומנת ישבה ליד מיטתה.

"הוא זקן אכזר," מלמלה הנערה כשפקחה את עיניה, "הוא היכה אותי."

"מי זה היה?" שאלה האומנת.

"הנסיך."

טקס הנישואין נועד להיערך ארבעה חודשים לאחר מכן, וצוות של משרתי הנסיך כבר שקד על ההכנות. הוזמנו שרשראות זהב שנועדו לקישוט אולם האירועים המרכזי של הארמון, הוכנה רשימת המוזמנים, הורכב תפריט עשיר. טבחים, אומנים בעלי שם ותזמורות רבות משתתפים שריינו את התאריך.

באחוזת עלאמי שררה התרגשות גדולה. הנסיך דיווח במכתב למחותנו המיועד על ההכנות וגילה כי הקצה לבני משפחת הכלה ולאורחיהם אגף בארמונו. מוסטפה עלאמי קיבל בשמחה את הברכות שהומטרו עליו בכל אשר הלך. היה רק דבר אחד שטרד את מנוחתו, דבר אחד שפגם באושרו: עקשנותה של בתו.

באשירה עמדה בתוקף על דעתה: יהיה אשר יהיה, היא לא תקשור את חייה עם חיי הנסיך. מחברותיה בפנימייה שמעה סיפורים מסמרי שיער על נערות שנישאו לגברים קשישים ועשירים. חלק מן הבנות שמע את הסיפורים האלה בחוגי משפחותיהן. הן דיברו תמיד על אהבה גדולה שליבן נכסף אליה. הן אמרו שיתנגדו כמיטב יכולתן לנישואים כפויים.

פארידה ומוסטפה עלאמי ניסו לדבר על לבה של בתם פעמים אחדות. הם הבטיחו לה חיי עושר מפנקים, טענו שאין בנמצא נערה ערבייה אחת שאינה מקנאה בה. שום דבר לא הועיל.

באשירה פרצה בבכי לעתים תכופות. היא איבדה את תיאבונה

והרבתה להתבודד בגן האחוזה. גופה השיל ממשקלו ולילותיה היו רוויי סיוטים. בכולם כיכב הנסיך בתפקיד האיש הרע.

"אין לך ברירה, באשירה," אמר לה אביה בקול עייף שהעיד כי נלאה מלדבר על לבה, "אנחנו ניקח אותך לג'דה אם תרצי ואם לא תרצי."

"לא תוכלו להכריח אותי," מחתה.

מוסטפה עלאמי קפץ את שפתיו בכעס. הוא הוציא סכומי עתק על חינוכה של באשירה בפנימייה יוקרתית בביירות, וציפה שיחדירו בה משמעת וילמדו אותה שאין משהו חשוב יותר מכיבוד רצונם של הוריה. למרבה צערו, היא חזרה משם נחושה וסרבנית משהייתה.

ימים חלפו ועמדתה של באשירה רק התחזקה. הוריה היו אובדי עצות. הם גמרו אומר לכפות עליה את הנסיעה לסעודיה, גם אם ייאלצו להשתמש בכוח, אך לא היה ברור להם כיצד יעשו זאת לעיני המשרתים. תהיה זו, חשב עלאמי, השפלה שאין דומה לה.

ואז התקבל לפתע מברק מארמון הנסיך. מזכירו הודיע בצער, כי האיש רם המעלה ייאלץ ככל הנראה לדחות את מועד הנישואין לבאשירה.

"הוד מעלתו," כתב במברק, "קיבל התקף לב, והוא נמצא עתה בטיפול רפואי."

.13

לא היה קל להיפטר מאנשי הבולשת הבריטית שעקבו אחריהם ללא
הרף. רינה ויוסי הבחינו באלמונים לבושים בבגדים אזרחיים ששוטטו
ליד ביתם בלילות, באנשים שעלו בתחנות האוטובוס בעקבותיהם
וירדו בתחנות שבהן ירדו אף הם. העוקבים לא הרפו. לפעמים הם היו
שניים, לפעמים שלושה.

"הם לא ייעלמו כל עוד לא נתפס השודד," אמר יוסי לרינה. הוא
תכנן איתה נתיבי מילוט שונים, אך ללא הועיל. הם הלכו לקולנוע,
יצאו באמצע הסרט, אבל גילו עד מהרה זוג גברים שעוקב אחריהם.
הם נסעו לשוק בעיר התחתית, נבלעו בהמוני המוכרים והקונים, אבל
גם שם נשמרו צעדיהם. גם כשהחליטו להתפצל ולבחור בדרכים
שבהן יפעל כל אחד מהם בנפרד, הם גילו שהמעקב נמשך. במצב
עניינים כזה, לא היה כל סיכוי שרינה ויוסי יוכלו לעקוב ביעילות
אחרי תומאס ג'ורדן. הם גם חששו, שאם יתברר לעוקבים אחריהם כי
עלו על עקבותיו של הקצין הבריטי, אחד מהם כבר יזהיר את ג'ורדן
מפניהם, או יגרום למעצרם באשמת הטרדה.

מדי בוקר הם תכננו בקפידה את סדר היום שלהם. הזמן חלף ללא
שינוי. ג'ורדן היה עדיין חופשי וכל יום חדש עלול היה לטמון בחובו
מכשול נוסף בדרך אליו. היה עליהם, קודם כול, למצוא דרך לנער
מעליהם את עוקביהם. רינה העלתה רעיון, יוסי תמך בה ושניהם נסעו
לצפת, שם עמלו במשך יומיים על מכירת ביתו של גוטליב. המקדמה
שקיבלו הבטיחה לא רק מקור הכנסה, אלא גם את כל הזמן שיידרש
כדי למצוא את נקודת התורפה שתביא למעצרו של תומאס ג'ורדן.

שני אלמונים עקבו אחריהם גם בצפת. הם לבשו בגדים אזרחיים פשוטים ואחד מהם עישן מקטרת. רינה ויוסי הלכו לבית הכנסת ונכנסו פנימה. העוקבים נשארו בחוץ.

בבית הכנסת התפללו כמה תושבים. רינה עלתה לעזרת הנשים, יוסי נשאר באולם המרכזי.

ליד ארון הקודש התפלל רב בית הכנסת, איש קשיש, עטור זקן שיבה הדור. יוסי המתין עד שסיים את תפילתו.

"כבוד הרב," פנה אליו, "אני חתנו של יעקב גוטליב, עליו השלום. אשתי נמצאת בעזרת הנשים. בלשים בריטים עוקבים אחרינו כבר כמה ימים. הם מחפשים סיבות להשליך אותנו למעצר ללא עוול בכפינו. שניים מהם נמצאים כרגע ליד פתח בית הכנסת, מחכים שנצא. אנא, עזור לנו."

הרב נשא אליו עיניים שואלות.

"איך אוכל לעזור?"

"אשתי ואני קיווינו, שנוכל למצוא כאן בגדים מסורתיים שיאפשרו לנו להתחמק מהמעקב."

הרב חכך קצרות בדעתו, קרא לשמש של בית הכנסת והורה לו למצוא בגדים מתאימים כרצון האורחים.

שני חסידים, לבושים בגלימות ארוכות, יצאו אל הרחוב. הם ראו את הבלשים ממתינים ליד חנות סמוכה ועברו על פניהם בצעד מהיר. הבלשים לא שתו לבם אליהם.

סוף סוף הם היו לבדם, חופשיים לעשות ככל שיעלה על ליבם. הם נסעו לחיפה ושכרו חדר במלון קטן מול שערו של בסיס הצבא הבריטי. מרבית המתאכסנים במלון היו אנשי צבא מבסיסים מרוחקים,

274

שבאו לחיפה להסדיר עניינים כאלה ואחרים. רינה ויוסי ביקשו חדר הפונה אל הבסיס. הם קיבלו מפתח לחדר בקומה השנייה. מהחלון נשקפה פעילות צבאית כמעט בלתי פוסקת: תרגילי סדר, אימונים, משאיות שפרקו נשק ליד מחסנים גדולים.

במהלך השעות הקרובות הם לא משו מהחלון. הם חיפשו את הקצין הבריטי בין האנשים שנכנסו ויצאו מהמחנה, בין אלה שנהגו בכלי רכב צבאיים או במכוניות אספקה. הם לא ידעו מה יעשו אחרי שיגלו את האיש, איך ימשיכו את המעקב, איך ימצאו עקבות שיוליכו אליו? אבל כל זה נדחק ממוחם ברגע שהבחינו בשני הנגמשים והטנדרים של יחידת הסיור הנכנסים בשער המחנה. באחד הטנדרים ישב ליד הנהג האיש שאותו חיפשו.

למחרת השכימו קום והמשיכו לצפות מבעד לחלון. הם ראו את השיירה הקטנה של תומאס ג'ורדן יוצאת משער המחנה ופונה צפונה. בערב, לאחר שעות תצפית ארוכות ומשמימות, חזרה השיירה אל הבסיס. רינה ויוסי הודיעו לפקיד הקבלה, שברצונם להאריך את שהותם במלון בעוד ימים אחדים.

14.

מוסטפה עלאמי חרק שיניים, כשסיפר לו מחמוד על בריחתו של הנער היהודי, שאותו ייעד מנהיג ההתנגדות הערבית להיות לוחם בשורות ארגונו. בבת אחת עלה בעשן רעיון גדול, שאמור היה להעניק לעלאמי ולארגונו יחסי ציבור מצוינים. הוא הפך את מחמוד לשעיר לעזאזל.

"היית צריך לשמור יותר על הנער," נזף בו עלאמי, "אסור היה לך לגרוע ממנו עין."

"הבחור לא נתן לי שום סיבה לחשוש שהוא עומד לעשות מעשה טיפשי כל כך," הצטדק מחמוד, "הוא יחזור בסופו של דבר. לאן כבר יש לו לברוח?"

"מישהו בוודאי עזר לו להימלט. יש לך מושג מי זה היה יכול להיות?"

"אולי ההורים שלי. אבל הם לא מוכנים לדבר על כך."

היה עוד עניין אחד שהשתבש. רקדנית העירום ממועדון "ספלנדיד" חדלה להעביר מידע לשולחיה. במשך שבועות פעלה אמנם השיטה לשביעות רצונם של כל הנוגעים בדבר. עלאמי קיבל מה שרצה, שירי קיבלה מה שרצתה ומחמוד, השליח, חש שהוא ממלא כהלכה את תפקידו. כל זה עד ששירי נעלמה לפתע. מחמוד ניסה לשווא לברר לאן נעלמה הרקדנית. הוא נתקף בבהלה. שירי ידעה יותר מדי. היא עלולה להסגיר אותו, לגלות פרטים שיובילו למוסטפה עלאמי. היא הייתה סיכון שאין להשלים עם קיומו.

הוא שלח למוסטפה עלאמי הודעה על היעלמה של שירי. ראש תנועת ההתנגדות הערבית הגיב בזעם. הוא קיווה ששירי תסכור את פיה ותשכח שהיה לה בכלל קשר כלשהו איתו. אבל הוא לא היה בטוח, וכשעלאמי לא היה בטוח הוא לא היה מוכן להסתכן. "תמצא אותה ותיפטר ממנה," הורה למחמוד.

זו הייתה משימה כמעט בלתי אפשרית. למחמוד לא היו כל עקבות שניתן היה ללכת אחריהן. הוא ניסה לדובב את עובדי מועדון הלילה ואת שכניה בבניין, אבל לא הצליח לגלות עקבות. היה עליו לאתרה בכל מחיר, וזה נראה לו כנשיאת אבן ריחיים כבדה.

האפשרות היחידה הייתה לחפש את שירי בעיר שאליה הייתה קשורה יותר מכול ולקוות שתצוץ יום אחד ותשוב לדירתה. הוא ידע שיהיה עליו להצטייד בסבלנות לא מעטה עד שזה יקרה, אם זה יקרה בכלל.

מחמוד נסע לטבריה ושוטט ברחובותיה בניסיון למצוא את שירי. הוא סייר בשווקים ובחנויות, נכנס לבתי המלון, פקד את המרחצאות החמים ואת חופי הרחצה והתדפק שוב ושוב על דלת דירתה בתקווה שחזרה לשם. ימים חלפו ללא כל תוצאה, אבל הוא לא אמר נואש. פקודתו של מוסטפה עלאמי הייתה חד משמעית, הוא לא היה מסוג האנשים שיתגמשו בגלל תירוץ זה או אחר. הוא ציפה לחיסולה של שירי, ומחמוד הבין שהבוס שלו לא יסתפק בפחות מזה.

בעיצומו של יום חם התיישב מחמוד על שפת המדרכה במרכז המסחרי של העיר ופיצח גרעיני חמניות. מבטו שוטט על פני הקונים, שנכנסו לחנויות ויצאו עם שקיות עמוסות בחפצים. הוא בחן את הנשים שפקדו את המספרה ברחוב הראשי, ואת אלו ששתו קפה ואכלו עוגות בבתי המאפה שהוציאו אל המדרכה שולחנות וכיסאות.

ואז הוא ראה אותה, תמירה וחטובה ויפה כתמיד, עושה את דרכה במרכז המסחרי, נכנסת לחנות של סיטונאי מזון ויוצאת משם כעבור זמן קצר. כשנכנס אל החנות כדי לברר מה עשתה שם, התברר לו שבאה לקנות תבלינים עבור קיבוץ אפיקים. זה היה מוזר. מה היא עושה בכלל בקיבוץ, שאל את עצמו, ומה גרם לה לפתע לקנות תבלינים?

הוא גירש את המחשבות ממוחו ועקב אחריה עד שהלכה לעבר התחנה המרכזית של העיר. בחשאי התגנב לאוטובוס גדוש הנוסעים

שנסע לבית שאן, וירד בעקבותיה בתחנה של קיבוץ אפיקים. הוא המתין זמן מה עד שהתרחקה ממנו, ואחר כך הלך אחריה עד שנכנסה לאחד הבתים. מחמוד אל באדר חרט בזיכרונו את המקום וחזר לעין מג'דל.

גורלה של שירי נחרץ. כשיגיע בפעם הבאה לאפיקים יהיו עמו כמה מחבריו. הם יבואו לשם מזוינים בנשק ויחסלו את האישה שמוסטפה עלאמי לא רצה שתחיה.

15.

בהתרוממות רוח סיים דני את יום הלימודים העמוס במוסד החינוכי של אפיקים. זה היה אחד הימים הטובים שלו. המורה להיסטוריה שיבח אותו על הישגיו בבחינה והביע את הערכתו על התעניינותו הרבה בהיסטוריה של עם ישראל. המורה ללשון עברית החמיא לו על שליטתו בשפה, וחבריו טפחו על שכמו באהבה. הוא אכל איתם את ארוחת הצהריים, שכמו תמיד הייתה צנועה מאוד: קציצות שהכילו יותר לחם מבשר, תפודים מבושלים ומרק ירקות. אחר כך הכין את שיעוריו ועשה דרכו אל בית הוריו של איתן כדי לספר לשירי בגאווה על הישגיו בלימודים.

השמש כבר שקעה, ואפלולית הערב עטפה את הקיבוץ כשפסע בשביל המוליך אל הבית.

באותה שעה סיימה שירי את עבודתה במטבח ועשתה דרכה אל חדרה. איתן הבטיח להקדים לבוא הערב, והיא ציפתה לו בכיליון

עיניים. חברי קיבוץ שפגשה בדרכה בירכו אותה לשלום. היא כבר הייתה אחת מהם, חלק בלתי נפרד מהחיים החדשים שהסתגלה אליהם.

החשכה היורדת טשטשה את תוואי השביל המוליך לביתה וצבעה אותו בגוון אפור כהה. שירי פסעה בו בבטחה, מכירה כל פיתול וכל מהמורה. איתן יגיע בעוד זמן קצר. איתן שלה, מושא אהבתה, סיבת הסיבות להנאה ששאבה מכל יום חולף, שבו אפילו עבודתה הקשה נעשתה ברצון, במסירות וללא טענות.

דני המתין לה בפתח חדרה. הוא אהב את השעות האלה שאחרי שקיעת השמש, את השלווה שנמהלה באוויר, את ציוציהן המתמעטים של ציפורים שהתכנסו לשנת לילה. שירי עמדה להגיע בכל רגע. הוא שש לספר לה על הישגיו.

אוושה קלה נשמעה מסבך שיחים סמוך. דני נשא לשם את עיניו והבחין לחרדתו בשלושה רעולי פנים, המתקרבים אל הבית בחסות הצמחייה העבותה. הוא אימץ את עיניו וראה כלי נשק נישאים בידיהם.

לא היה לו ספק, שאיש מן השלושה אינו חבר קיבוץ. סביר יותר היה להניח, שאלה הם ערבים שהגיעו מבחוץ כדי לבצע פיגוע רצחני.

בהחלטה מהירה נכנס לחדר. הוא ידע שאיתן מחביא את נשקו בתחתית ארון הבגדים. הוא פתח את הארון. היה שם אקדח טעון ודני לקח אותו בידיו. המתכת הקרה צيננה את כף ידו החמה. הוא יצא החוצה.

הוא עקף את צבור השיחים ובא אל השלושה מאחור. לא הרחק, על השביל המוליך אל הבית, התקרבה שירי בצעדים מהירים.

באין רואים קרב דני אל רעולי הפנים והרים את אקדחו. כהבזק

מהיר חלפה במוחו המחשבה כי אם ילחץ על ההדק מישהו מהם עלול
למות. בלבו לא היה כל פחד. הוא רק ידע שעליו להחליט במהירות,
לפני ששירי תיכנס לטווח האש של החבורה האלמונית.

לראשונה חש דני בדיוק באיזה צד של המתרס בחר לעמוד. הוא
היה יהודי וזה חייב אותו לפעול.

הוא ירה. מתוך השיח נשמעה זעקת כאב. כלי הנשק של האורבים
החזירו אש מבוהלת. דני רכן וירה שוב. שניים מהם החלו להימלט,
אחד התמוטט ללא רוח חיים. דני רדף אחרי הנותרים ולא חדל
מללחוץ על ההדק עד שהתרוקנה המחסנית. הם נמלטו אל מחוץ
לקיבוץ, נכנסו למכונית והסתלקו משם במהירות. מחמוד גידף בכעס.

היריות החרידו את שלוות הקיבוץ. אנשים יצאו מבתיהם בחרדה,
נושאים כלי נשק, תרים אחרי תוקפים נוספים. דני פגש אותם בדרכו
חזרה לחדר וסיפר להם מה קרה. הם איתרו את גווייתו של אחד
מרעולי הפנים והסירו את המסכה מעל פניו. ברור היה להם שהאיש
היה ערבי. הם וידאו שהאיש מת, והרגיעו את שירי שנתקפה בבהלה.

איש לא ידע מה הייתה מטרתם המוגדרת של רעולי הפנים, אבל
הם ידעו שהגיעו במטרה לפגוע במישהו מהם. דני הפך לגיבור היום.
אנשים חיבקו אותו בחום והחמיאו לו על התושייה שגילה. בקור רוח
החזיר את האקדח הלוהט אל הארון ופנה לשירי.

"את בסדר?" שאל בדאגה.

"כן" מלמלה, "תודה, דני. אני לא מעזה לחשוב מה היה קורה לי
בלעדיך."

.16

איתן הגיע הביתה זמן קצר לאחר מכן. בפנים חיוורות, שרויה עדיין בפחד, סיפרה לו שירי מה קרה בהיעדרו. הוא טרח שעה ארוכה להרגיע אותה, הבטיח שהשמירה על הקיבוץ תוגבר כדי למנוע חדירות נוספות וסרק את סביבות הבית, בחפשו מטעני חבלה שאולי הוטמנו שם. גופת התוקף הערבי כבר פונתה מהשטח.

בצעדים מהירים הלך אל המוסד החינוכי וחיפש את דני. כשאיתר אותו, לחץ את ידו באהבה. "עשית בדיוק מה שצריך," אמר לו, "גילית תושייה וכושר החלטה. אני גאה בך."

לבו של דני התרחב משמחה. הדברים שאמר לו איתן היו המחמאה הגדולה ביותר שהיה יכול לצפות לה.

"תודה," אמר. הוא התנצל על שלא יוכל להאריך בדיבור. "החברים שלי עורכים לי מסיבה לכבוד מה שעשיתי היום," אמר, "עליי למהר לשם."

איתן חזר לחדר.

"אני כל כך שמחה שהקדמת לבוא הערב," אמרה שירי, "כשאתה איננו אני פשוט לא מצליחה לתפקד כמו שצריך."

הוא אסף אותה בזרועותיו ונשק לה.

"גם לי קשה בלעדייך," התוודה, "הזמן שאני שוהה מחוץ לבית נראה לי כמו ימים שלא נגמרים."

"אתה לא יכול לבקש שייתנו לך יותר ימי חופשה?"

"ממי לבקש? שכחת שאני המפקד?" הגיב, "אני היחיד שקובע מתי אני נמצא בתפקיד ומתי בבית."

"אם כך, קח אותי איתך," אמרה לפתע, "גם אני יכולה להיות בהגנה. למד אותי מה שצריך לעשות. תרשה לי להחזיק בנשק, לצאת איתך לפעולות. אהיה מאושרת אם תגיד לי כן."

הוא חייך במבוכה. מכל הדברים שחשב עליהם, דווקא מה שהציעה לא עלה קודם לכן על דעתו. שאלות שלא היו לו תשובות להן מילאו את מוחו: מה לשירי ולפעולות של המחתרת? איך היא תרגיש בחברת גברים שיבחנו אותה ללא הרף? בארגון ההגנה בצפון שירתו נשים בתפקידי עזר בלבד. הן הכינו מזון ליוצאים לפעולה, הן קידמו את פניהם בקפה חם כשחזרו מלילה רווי סכנות, הן חבשו את פצעיהם. אף אחת מהן לא יצאה לפעולה של ממש, ולפתע, צצה אישה אחת שרצתה לעשות הרבה יותר מהן. מה ישיב לה? האם ידחה את הצעתה או יאמץ אותה? האם יקבל על עצמו את המשימה יוצאת הדופן הזאת? כמו קרונותיה המסתחררים של רכבת הרים מהירה דהרו המחשבות במוחו. ובעצם, למה לא? אולי תהיה שירי בכל זאת מסוגלת לגלות את הנחישות הדרושה, את היכולת ללחום כתף אל כתף עם אנשיו, לציית לפקודותיו, להעניק לו את ההרגשה שכמו כל לוחם מן השורה גם היא אינה מבקשת דבר, לא התייחסות אישית, לא חמלה, לא גילויים של חיבה. אולי דווקא קרבתה אליו תעניק ממד נוסף לפעילותו המחתרתית ותחזק את תחושת הביחד שלהם.

"בסדר," אמר, "אשמח אם תצטרפי אלינו, אבל זה לא יהיה קל, תזכרי שלא אוכל לתת לך יחס מיוחד, הביאי בחשבון שאדרוש ממך בדיוק את מה שאני דורש מהאנשים שלי."

"לא ביקשתי שום דבר מיוחד," עלצה, "כל מה שאני רוצה הוא להיות איתך, להרגיש קרובה אליך."

"מה יהיה על העבודה שלך בקיבוץ?"

"אל תדאג. אחזיר להם את השעות שאהיה איתך." לא היה לה
ספק שהקיבוץ ילך לקראתה. היא ידעה שיעריכו את התנדבותה
למילוי תפקידים חיוניים הרבה יותר מהכנת ארוחות לחברי הקיבוץ.

ליל האהבה שלהם היה סוער מתמיד. איתן התכרבל בתוכה, היא
נמסה בתוך גופו, הוא לא חדל מללחוש באוזניה את דברי אהבתו. ירח
בהיר שפך אור רך מבעד החלון. השקט חזר אל הקיבוץ.

.17

השעות המתות נמתחו אל מעבר לגבולות הסבלנות שלהם. במידה
רבה הן נסכו אפילו מידה של ייאוש בלבותיהם של רינה ויוסי. חלפו
כבר ימים אחדים מאז החלו לעקוב מבעד לחלון חדרם אחרי תומאס
ג'ורדן. הוא הפגין דבקות בסדר יום שגרתי מאין כמוהו. מדי בוקר הם
ראו את שער הבסיס נפתח ואת יחידת הסיור של קפטן ג'ורדן יוצאת
לדרכה, ערב ערב הם ראו אותם שבים לשם, ג'ורדן יושב זקוף ליד
נהג הטנדר הראשון, בעוד שבארגז המטען הפתוח הצטופפו חיילים
מיוזעים. חיילים נוספים איישו את הטנדר הנוסף ואת שתי השריוניות
שנסעו בסוף השיירה הקטנה. או אז היה הערב פולש מההרים, החשכה
אופפת את הבסיס כרעלה ענקית, והעיר מפזרת סביבה ים של אורות.

בבוקרו של היום הרביעי לא הצטרף ג'ורדן ליחידת הסיור שלו.
היחידה יצאה לשטח בלעדיו, ואילו הוא עבר בשער בגפו ושם פעמיו
אל העיר. רינה ויוסי זינקו מחדרם, דהרו במורד המדרגות והלכו

בעקבות הקצין. ג'ורדן עלה לאוטובוס והם אחריו. הוא ירד בהדר הכרמל ולא הבחין שהזוג הצעיר ממהר לרדת שם אף הוא.

רינה ויוסי פסעו כברת דרך בעקבות הקצין הבריטי, עד שנבלע בפתחו של משרד לתיווך דירות. הוא יצא משם כעבור זמן קצר וטייל ברחובותיו של מרכז העיר.

"מה הוא עשה במשרד תיווך?" שאלה רינה את בעלה, "הרי יש לו ודאי דירה בבסיס הצבאי. לשם מה לו דירה נוספת?"

"גם לי זה נראה מוזר," השיב יוסי, "נצטרך להשיג עוד פרטים."

הוא ביקש מרינה לעקוב אחרי ג'ורדן לבדה, ואילו הוא ינסה לברר מה ביקש הקצין במשרד התיווך שבו ביקר.

יוסי נכנס למשרד. היה שם איש עב כרס בעל שיער שיבה, ולידו ישבה פקידה צעירה. האיש שאל אותו לרצונו.

"באתי בשליחות של ההגנה," אמר יוסי, "אנחנו רוצים לדעת מה עשה כאן הקצין הבריטי."

ההגנה הייתה מילת קסם. מנהל משרד התיווך לא היסס לשתף פעולה.

"הקצין רצה לקנות דירה בחמשת אלפים לירות."

"תודה," אמר יוסי, "זה כל מה שרצינו לדעת."

יוסי נסע באוטובוס אל בית המלון. רינה הגיעה כעבור שעה.

"ג'ורדן החליט כנראה לפנק את עצמו," דיווחה, "הוא התיישב בבית קפה, שתה תה ואכל עוגה. רק עכשיו חזר אל הבסיס. מה גילית?"

"המעגל נסגר, רינה," השיב, "ג'ורדן רוצה לקנות דירה בחמשת אלפים לירות. זהו בדיוק סכום הכסף ששדד מהבנק."

284

"מצוין," קראה בשמחה, "במשטרה ישמחו לקבל את המידע
הזה."

.18

סיום הלימודים של תלמידי כיתה י"ב במוסד החינוכי היה, כרגיל,
אחד האירועים המרכזיים בהווי חייו של קיבוץ אפיקים. הבוגרים
סיימו פרק חשוב בחייהם, שלב מכריע בתהליך ההתבגרות שלהם.
בבת אחת הם חדלו להיות ילדים שנשענו על המוסד החינוכי והפכו
לחברים שווי זכויות בקיבוץ.

חדר האוכל הגדול שבו התכנסו כל חברי הקיבוץ, בני משפחותיהם
ומוריהם של הבוגרים, קושט בשרשראות נייר צבעוניות ובזרקורי
תאורה בשלל גוונים. אל האולם הגדול נכנסו התלמידים כשעל פניהם
ארשת של חשיבות, של הכרה במעמדם החדש. מזכיר הקיבוץ עלה
על הבמה, ציין לשבח את המאמצים שעשו הבוגרים במוסד החינוכי
ואיחל להם הצלחה. נציג הבוגרים הודה ואיחל לעצמו ולחבריו עמידה
באתגרים הצפויים להם. איש לא דיבר על כך במפורש, אבל לכולם
היה ברור שהשלב הבא בדרכם של הבוגרים לא יהיה רק בחינות
הסיום, אלא בעיקר הפעילות הביטחונית שבה הם אמורים להשתתף.

סיום הלימודים חל בתקופה הרת סכנות ליהודי ארץ ישראל.
מלחמת העולם נכנסה לשלביה האחרונים אבל הסכנות עדיין לא
נמוגו. גם בארץ ישראל לא שככו הקרבות בין יהודים לערבים. ההווה
היה מתוח, העתיד בלתי בטוח, החששות גברו מיום ליום.

בנסיבות אלה היה זה אך טבעי שכוח המגן היהודי בארץ שיווע לכוחות חדשים. כמו, למשל, בוגרי המוסד החינוכי של אפיקים.

אימוני הנשק והלחימה נערכו בתנאים קשים. התלמידים יצאו אל השדות הרחוקים כדי להשתתף במטווחים, השתתפו במסעות מפרכים כדי להתאמן בנשיאת משאות כבדים וזחלו בתוך ציבורי קוצים כדי לחשל את גופם. דני התייחס לאימונים בלב חדש, נלהב ומתמסר. כמו פעל בקרבו מדחף רב עוצמה, הוא נע בקלות בשדה האימונים, היטיב לירות למטרה וזכה לשבחים ממפקדיו. בתוך זמן קצר מאז סיום לימודיו, הוא כבר היה החניך הבולט מכולם, מועמד טבעי לקורס מפקדים.

חבריו נשאו אותו על כפיים. הוא לא גילה רק יכולת לחימה מובהקת וסגידה למשמעת, הוא גם היה ישר ואמין, חבר בעת צרה, מקור של עידוד, מישהו שאפשר לסמוך עליו. העברית שלו כבר הייתה שוטפת לחלוטין, המבטא הערבי נעלם, כוח הסבל שלו היה נדיר ואהבתו לקיבוץ לא הייתה טעונה כל הוכחה. שוב לא חש שונה מכל חבריו. הוא היה יהודי בכל רמ"ח אבריו, הוא חשב ופעל כיהודי.

דני שכח כמעט לחלוטין את הפרק הקודם בחייו, אבל כשחשב על כך לעתים הוא לא חש כל שנאה כלפי האנשים שסבבו אותו בילדותו. הוא העריך והוקיר את טיפולם של הרופא ואשתו, שהכניסו אותו לביתם כילד פצוע וריפאו אותו לחלוטין. הוא לא שנא ערבים שדבקו באמת שלהם. הוא רק חשב שהם טועים.

נערות חיזרו אחריו ללא הרף. הן הציפו אותו במתנות, בשירים שכתבו ובמכתבים לוהטים, שבהם הביעו נכונות לעשות למענו הכול, ובלבד שיפגין כלפיהן מידה כלשהי של רגשות. הן הזכירו לו את

המקלחת המשותפת שבה, עד לפני כמה שנים, התרחצו יחד בנים ובנות. הן גילו לו שהתחרו ביניהן על הזכות להתרחץ בעירום יחד איתו. ואילו הוא, אף שגל החיזורים החניף לו, דחה את כל ההצעות שזרמו אליו, כי אף אחת מהבנות לא שבתה את לבו. כקנה מידה להשוואה התייחס לאהבתם הלוהטת של איתן ושל שירי. הוא חלם שיום אחד תידפק גם על דלתו אהבה שכזאת.

.19

היה יום סגריר בצפת. אנשים סבבו ברחובות מכורבלים במעילים, נאבקים ברוח הסתיו הקרה. זרזיף של גשם ריסס את ההרים המקיפים את העיר וכיסה במעטה רטוב את הבתים הישנים, את הסמטאות ואת בתי הכנסת, שנשאו על פתחיהן גילופי אבן של מנורות קנים ומגיני דוד.

הייתה זו הפעם השנייה ששירי ביקרה בעיר הזאת. שלא כמו טבריה שהשרתה עליה דכדוך, צפת נראתה לה קסומה ומסקרנת, אולי בזכות העובדה ששימשה כמרכז פעילותו של איתן. לרגעים תהתה היכן עמד ביתו של יעקב גוטליב המנוח, אולם מיהרה לסלק את המחשבה ממוחה.

איתן התגורר בבית חד־קומתי בשיפולי העיר, מול גיא סלעי שעשבים שוטים פשטו בו. כפי שצפתה שירי, הקיבוץ לא הערים בפניה בעיות כשביקשה חופשה. היא הייתה עובדת מסורה שלא יצאה לחופשה במשך שנים. למזכירות הקיבוץ אמרה שהיא מבקשת לעקור לזמן מה לביתו של איתן בצפת.

איתן פתח לפניה שער ברזל רעוע שממנו נמתח שביל אל הבית. הם חצו חצר קטנה ולא מטופחת, שבמרכזה צמחו שני עצי לימון עמוסי פרי צהבהב. כשנכנסו אל הבית הבחינה מיד בגילויים של הזנחה ששיוועו ליד מסדרת. הרהיטים המעטים העלו אבק, ציפוי הספה היה מרופט, בכיור נערמו כלים עם שרידים של ארוחות חפוזות. היא לא מצאה שם כלי ניקוי.

לבקשתה של שירי, שלח אותה איתן אל חנות מכולת סמוכה. היא קנתה מטאטא, יעה וחומרי ניקוי.

"את חדשה אצלנו?" שאל המוכר הקשיש, ושירי השיבה בחיוך מבויש.

"איפה את עובדת?" הוסיף לשאול.

"בינתיים אני לא עובדת, אני גרה עם הארוס שלי."

האיש שאל לשמו.

"הו," פלט קריאת התפעלות כשאמרה לו, "הוא בחור נהדר. יש לך מזל גדול. אל תשכחי להזמין אותי לחתונה."

חתונה. היא רצתה בכך כל כך, אבל איתן מעולם לא הזכיר נישואין. בכל לבה השתוקקה לעמוד לצדו מתחת לחופה, ללדת לו ילדים. ארבעה, אם זה יהיה תלוי בה.

כשחזרה אל הבית הפשילה שרוולים והחלה להשליט סדר. איתן ניסה לעצור בעדה, הוא טען שלא מפריע לו לחיות ככה, אבל היא היסתה אותו.

"שכחת ששנינו נגור כאן מעכשיו," אמרה, "אני רוצה שהבית יהיה נקי, לפחות בשבילי."

היא קרצפה את הרצפה, הסירה את האבק, שטפה את הכלים

וניקתה עד ברק את הכיור ואת חדר השירותים. אנשיו של איתן, שהתכנסו שם זמן מה אחר כך, החמיאו לו על בחירתו באישה יפה ומושכת כל כך, שהפכה את הדירה לקן חמים ונעים. זו הייתה הפעם הראשונה שמפקדם הביא אישה אל ביתו. הם הניחו שרצה להציגה בפניהם כבת זוגו, והופתעו לשמוע מפיו שהחליט לצרף אותה לאימונים.

זו הייתה חבורה גברית, שחלקה הווי משותף ומאמץ משותף. גם אם לא אמרו זאת, ניכר היה בהם שרעיון צירופה של שירי לא נראה להם. איתן חש שעליו להסביר:

"שירי היא אישה מיוחדת, מלאת מוטיבציה וכישורים שיכולים להתחרות עם כל לוחם. אני מבטיח לכם, שלא ירחק היום והיא תוכיח שהיא מיומנת בשימוש בנשק ומסוגלת לצאת לכל פעולה. בעיקר כדאי לזכור שהיא תהיה שוות זכויות וחובות בקבוצה שלנו. היא לא תקבל ממני שום יחס מיוחד."

אחר הצהריים לקח אותה ברגל אל מטווח מאולתר בין ההרים. ההליכה בין הסלעים הייתה מפרכת ואגלי זיעה ניגרו ממנה, אבל היא לא התלוננה. בשבילה זה היה מבחן ראשון לכוח הסבל שלה והיא הייתה נחושה לעבור אותו בהצלחה.

כשהגיעו נתן איתן בידיה אקדח טעון. האקדח היה כבד וידה לפתה אותו במאמץ ניכר.

איתן פקד עליה לירות למטרה: לוח עץ שעליו צויר מעגל. היא הרימה את האקדח וירתה לעבר המטרה, אבל גם לאחר שרוקנה את כל המחסנית לא ניכרה כל פגיעה בלוח.

"אתה מאוכזב?" שאלה בצער.

הוא צחק.

"לא נורא," אמר בקול מרגיע, "בפעם הראשונה כולם מחטיאים."

.20

למחרת חזרו שירי ואיתן למטווח. היא לבשה בגדי חאקי גבריים שאיתן השיג עבורה, וחבשה כובע טמבל שהגן על פניה מפני השמש הקופחת.

האקדח הכביד עליה הפעם פחות. היא כיוונה היטב אל המטרה וירתה שוב. הפעם פגעו שלושה מקליעי האקדח במטרה. היא קפצה משמחה כילד שקיבל מתנה שאליה השתוקק יותר מכול.

"עשית את זה!" חיבק אותה איתן. הוא בישר לה שהחליט לצרף אותה לאנשיו כשיצאו למחרת להתאמן בנשק. "תהיה לך הזדמנות להראות להם מה את יודעת," אמר.

הם ניעורו משנתם בטרם עלה השחר, יצאו מהבית והצטרפו לאנשים שכבר חיכו להם. החבורה נסעה בשתי מכוניות לאורך הכביש הראשי, עד שפגשו בשביל עפר צר. הם ירדו מהמכוניות והלכו ברגל לשטח האימונים.

שירי לא השתתפה עדיין בתרגילי ההסתערות והאימון הגופני. הם נראו לה קשים מדי, אבל היא היטיבה לירות וכולם החמיאו לה.

בשעת אחר צהריים מאוחרת כשהשמש כבר נטתה לשקוע, הם עזבו את שטח האימונים והלכו בשורה עורפית לעבר המכוניות, שהמתינו

להם בחסותם של כמה עצי זית. השקט העמוק הופר רק ברחש מנועים עמום של מכוניות שחלפו בכביש הראשי. אבל לפתע נוסף משהו שהעיד על סכנה מתקרבת. שאון מנועים ניסר בחלל וקרב אליהם במהירות. "תברחו אל ההרים!" פקד איתן למראה יחידת הסיור של קפטן תומאס ג'ורדן שהקיפה אותם. הבחורים אימצו את כלי הנשק אל גופם ונשאו את רגליהם. איתן תפס בידיה של שירי ומשך אותה אחריו. היא מעדה ונפלה. "עצרו! או שאני יורה," שמעו את קולו הרם של ג'ורדן.

הקצין הבריטי התקרב אל השניים בנשק שלוף. עיניו נפערו בתדהמה כשהבחין בשירי. היא שכבה על הקרקע, גופה מסתיר את האקדח. איתן הרים ידיים.

ג'ורדן החזיק בשירי והרים אותה מהקרקע. הוא התעלם מקיומו של איתן.

"ובכן," אמר, "עכשיו אני יודע לאן נעלמת."

הוא כפת אותה באזיקים וגרר אותה אל טנדר סמוך. אנשיו הקיפו את איתן.

"הניחו לו," קרא ג'ורדן. לא היה עכשיו כל עניין באיש מלוחמי המחתרת. כל מעייניו התרכזו בשירי.

הוא העלה אותה אל הטנדר והתיישב מולה.

"סע לבסיס," קרא אל הנהג, "מהר!"

עיניו קדחו את עורה של שירי, ליטפו את פניה, התעכבו על חזה. היא הייתה חיוורת וחסרת אונים, מודעת לכך שקרה הגרוע מכול. ג'ורדן איתר אותה סוף סוף והיא נתונה בידיו לטוב ולרע. אילו יכלה הייתה קופצת מהטנדר ומנסה להימלט אל השדות, אבל ידיה היו כבולות והיא התקשתה לזוז.

הקצין הבריטי השתעשע באקדח שלה.

"מה לך ולאקדח?" שאל.

היא לא השיבה.

"השתגעת?" הלמו דבריו באוזניה, "ברחת ממני כדי להתעסק עם
טרוריסטים? את יודעת מה העונש על החזקת נשק לא חוקי? עשר
שנות מאסר. עשר!"

היא התקשתה להיישיר אליו את מבטה. עיניה טיילו על קרקעית
הפח המזוהמת של הטנדר הצבאי.

"לא יכולת להשאיר לי כתובת?" קולו התרכך לפתע, "חיפשתי
אחרייך בלי סוף. אף אחד לא ידע לאן הלכת. דאגתי לך."

עיניו בחנו את בטנה.

"מה קרה לתינוק שלך?" שאל באירוניה, "ילדת או הפלת?"

"איבדתי את הילד בגללך, בגלל המכות," קולה לבש גוון של
כעס, והיא הוסיפה: "מצאתי חיים חדשים, תומאס. שחרר אותי. תן
לי ללכת."

"חיים חדשים?" צחק במרירות, "ומה איתי? חשבת מה יקרה לי
בלעדייך?"

"אתה לא ילד, תומאס. ידעתי שתתגבר."

"את לא מבינה," הוסיף, "אני אוהב אותך עד שיגעון. אני מצטער
שנהגתי בך באלימות בטבריה. הייתי נסער מדי, לא שלטתי בעצמי.
אף פעם לא אחזור על הטעות הזאת."

"אתה לא תשתנה לעולם, תומאס. אתה איש אכזר ואלים."

"אני אשתנה, שירי, מבטיח לך שאשתנה."

השיחה לא נעמה לה.

"שמעתי," אמרה בקוצר רוח, "מה יקרה לי עכשיו?"

292

״אכניס אותך למעצר,״ השיב, ״אני יכול כמובן למסור אותך לידי אנשים שיעמידו אותך לדין, אבל לכך יש עוד זמן. אני רוצה שקודם כול תחשבי היטב היכן טעית. אני רוצה שתחליטי לחזור אליי. למענך אני מוכן אפילו להישאר בארץ. אאריך את חוזה השירות שלי, אקנה לנו דירה. אני מבטיח שלא תתחרטי.״

״מה שהיה בינינו, תומאס. נגמר אחת ולתמיד. אין לי שום כוונה לחזור אליך.״

הוא שלח אליה חיוך בוטח.

״תא המעצר שלנו לא מיועד לנשים מפונקות כמוך. הוא צר וקר והאוכל נורא. יש לי סבלנות, שירי. אני בטוח שאחרי כמה ימים מאחורי הסורגים, תשני לגמרי את דעתך.״

.21

תומאס ג׳ורדן ליווה את שירי לתא המעצר, וחיכה עד שיוסרו האזיקים מידיה והיא תלבש מדי אסיר. הקצין חזר לחדרו לאחר שווידא שהדלת המסורגת ננעלת על בריח מאחוריה. אפלה סמיכה שררה בתא ועיניה סומאו מהחושך. הצחנה, תמהיל של ריחות צואה ונוזלי ניקוי חריפים, פלשה אל נחיריה במלוא עוצמתה. היא מיששה סביבה, וגילתה על הרצפה מזרן ועביט מתכת שבו היה עליה לעשות את צרכיה.

מהתאים הסמוכים שמעה קולות בכי ומלמולים בלתי ברורים כמו רחש של אבני חצץ מידרדרות. המחשבות על איתן שימשו לה מפלט. היא שמחה שהוא ואנשיו לא נעצרו בידי חיילי יחידת הסיור,

ושנשקם החדש, הנשק שנרכש בסכום עתק, לא הוחרם. לא היה לה
ספק שאיתן מודאג מאוד ממעצרה וקרוב לוודאי שיעשה כל מאמץ
כדי לשחרר אותה, אולי אפילו ייזום פשיטה על תא המעצר. יותר מאי
פעם הרגישה עתה בחסרונו. היא חשה את מגע שפתיו על שפתיה, את
חום גופו הנצמד אליה, את לחישות האהבה שלו. היא שיוועה להיות
איתו שוב.

שירי השתרעה על המזרן ולא עצמה עין. פרעושים טיילו על גופה
ועקיצותיהם הטריפו את דעתה. היא שמעה צעדים במסדרון ואלומת
פנס טיילה מדי פעם להרף עין בתאה. מהלומות כאב היכו בראשה.
ציפורניה גירדו ללא הרף את גופה ופצעו אותו. הפצעים צרבו את
עורה. גרונה ניחר מצמא.

היא ידעה שג'ורדן יגיע במוקדם או במאוחר. הוא לא הסתיר ממנה
את העובדה שעצר אותה כאמצעי לחץ. הוא ינצל את סבלה כדי לרכך
אותה. היא גם ניחשה מה יאמר לה, ותשובותיה כבר היו מוכנות.
תומאס ג'ורדן היה עקשן ונחוש להשיג ממנה את אשר רצה, אבל יהיה
אשר יהיה היא לא תניח לו לשבור את רוחה.

הוא לא הגיע אבל שלח סוהר להביאה למשרדו. ברגליים רועדות
נכנסה לחדר. פרט לשולחן, שני כיסאות וארון תיקים גדול לא היה
שם דבר. תומאס ג'ורדן ישב אל השולחן. הוא מזג לה כוס מים והיא
גמעה אותם בשקיקה.

"עוד כוס?" שאל.

"כן, בבקשה."

הוא בחן אותה ארוכות. היא ידעה שלא נראתה במיטבה. שערה היה
פרוע, מדי האסיר שלה ישנים ומקומטים, אבל לג'ורדן זה לא הפריע.

"את נראית נפלא," אמר.

היא לא השיבה.

"רוצה ללכת הביתה?" זרק אליה שאלה מפתיעה.

"כן."

"אשחרר אותך מיד, אם תגידי לי את מה שאני רוצה לשמוע."

"אין לי מה להגיד."

"אני לא מבין למה את מתעקשת? אני מציע לך עולם ומלואו, חופש, חיים נוחים ואת דוחה את כל אלה."

"אמרתי לך כבר מה אני חושבת, תומאס. תן לי ללכת, תחזיר לי את החופש שלי."

"אני עומד לקנות דירה, שירי," הפתיע אותה, "דירה בחיפה. בשביל שנינו."

"זה לא מעניין אותי."

"אקח אותך לראות את הדירה," אמר, כאילו לא שמע את דבריה.

"חבל על זמנך."

"תחשבי היטב לפני שאני מסיר ממך כל אחריות. מי שיטפל בך מעכשיו לא ירחם עלייך."

"תעשה מה שאתה רוצה. אני את דעתי לא אשנה."

הוא נאנח.

"חבל, שירי. את לא משאירה לי ברירה."

היא שתקה. כל גופה גירד, פצעיה כאבו, אבל לבה היה נתון לאחר.

תומאס ג'ורדן קרא לסוהר ופקד עליו להחזירה לתאה.

אחרי זמן מה עלה לפתע האור בתאה. נורת החשמל המוגנת על ידי סבכת ברזל האירה את סביבותיה. לראשונה ראתה שירי את התא שאליו הושלכה. הקירות המזוהמים נשאו שמות בעברית, בערבית

ובאנגלית, שנחרטו מן הסתם במזלג. הרצפה הייתה מלוכלכת, המזרן בלוי. סרג'נט ערבי נכנס אל התא אחרי זמן מה. הוא לקח ממנה טביעת אצבעות ומיהר לצאת. האור כבה.

האפלה והצחנה מילאו שוב את התא. מישהו הכניס פנימה צלחת פח עם תבשיל דלוח. שירי לא נגעה בו.

הזמן עמד מלכת. היא לא ידעה מה השעה כי שעונה נלקח ממנה. לבה היה כבד. היא ידעה שתשלם מחיר יקר על שהשיבה ריקם את פניו של תומאס ג'ורדן. גורלה היה נתון בידיו. במו פיה דחתה את ניסיונו לדבר על לבה. תם עידן ההבטחות והפיתויים. מה שציפה לה עתה יהיה גרוע יותר מתא הכלא המצחין, מדכא יותר מהאפלה ומתחושת האסון שמילאה את לבה.

.22

רינה אברך ישבה מול שני חוקרי משטרה בכירים בחיפה. הם היו מבוגרים ממנה, קצינים במדים מגוהצים. אחד מהם זכר שדחה את עדותה על האלמוני שנמלט מהבנק אחרי השוד וביקר בטבריה בנסיבות שלא ידעה.

"אני מקווה שבאת אלינו הפעם עם סיפור אמין קצת יותר," אמר בלגלוג.

היא שלחה אליו מבט נוקשה.

"חבל שלא האמנתם לי קודם," אמרה, "עכשיו אין לי ספק שתאמינו."

הם שמעו את דבריה ברוב קשב.

"זיהיתי את השודד," הודיעה בחיוך רחב, "זהו קפטן תומאס ג'ורדן, מפקד יחידת סיור בצבא הבריטי. אתמול הוא נכנס למשרד לתיווך דירות בחיפה וביקש לקנות דירה בחמשת אלפים לירות. אתם ודאי זוכרים שזהו בדיוק הסכום שנשדד מהבנק."

"את בטוחה?" שאל אחד החוקרים בטון נוקשה, "אם המידע שלך לא מדויק, תהיה לנו בעיה לא פשוטה עם הקפטן ג'ורדן."

"אני בטוחה במאה אחוז. זהו האיש שאתם מחפשים."

הם הציגו לה כמה שאלות על עצמה, על בעלה ועל משרד התיווך שאליו פנה ג'ורדן, רשמו הכול והחתימו אותה על עדותה.

"אל תדברי על זה עם איש," הורה החוקר, "כל מילה מיותרת עלולה לשבש לנו את החקירה."

בעקבות ההתפתחות המרעישה תגברה המשטרה הבריטית את צוות החוקרים. מצוידים בצו חיפוש הגיעו החוקרים לחדרו של קפטן ג'ורדן במגורי הקצינים של הבסיס החיפאי. באותה שעה שהה הקצין עם יחידתו בסיור בשטח. החוקרים התגברו על המנעול הפשוט וערכו חיפוש יסודי בחדר. בידיים מיומנות, מנוסות בחיפושים, פתחו את הארון, חיטטו בין החפצים ודפדפו בספרים המעטים שהיו מוצבים על מדף מעל מיטתו של הקצין. את התרמיל שלו גילו מתחת למיטתו. הם פתחו אותו, ושם, בחמש חבילות של 100 שטרות בנות עשר לירות כל אחת, היה מונח סכום זהה לזה שנשדד מהבנק.

הם חיכו בחדר עד לשובו של ג'ורדן. למראה צוות החוקרים קפא דמו בעורקיו, ורעד בלתי נשלט חלף בגופו.

"מה אתם עושים כאן?" תבע לדעת, מתאמץ לשוות לקולו צליל בוטח.

במקום תשובה, הושיט לו מפקד הצוות את צו החיפוש.

עיניו של ג'ורדן חלפו על פני האותיות שריצדו מולו כעדת נמלים מבוהלת.

החוקר הבכיר הצביע על הכסף שנמצא בתרמיל.

"מה יש לך להגיד על זה?" שאל בקול שקט.

קפטן תומאס ג'ורדן נלקח מיד לחקירה. הוא הכחיש מכול וכול את החשד ששדד את הבנק. באשר למקור הכסף, הסביר שקיבל אותו בירושה. הוא הסתבך בתשובותיו ואיבד את שלוות רוחו כשנדרש למסור פרטים מלאים על המוריש. קשה היה לו להשלים עם המתרחש. הוא לא הבין כיצד עלו על עקבותיו. פניו החווירו כשנאמר לו שמצויה בידי החוקרים עדות מפורטת של אישה, שזיהתה אותו כמי ששדד את הבנק.

הוא נשלח לתא המעצר, שם נדרש לפשוט את מדיו ולהחליפם בבגדי אסיר שהדיפו ריח כבד של זיעה.

בתא המעצר נמצאו שני סרג'נטים חשודים במכירת נשק בריטי לערבים. הם שאלו את ג'ורדן לסיבת מעצרו, והוא התבייש לספר להם את האמת. כשלחצו עליו אמר שהוכנס למאסר באשמת אי ציות למפקדיו.

הוא השתרע על המיטה העליונה מתוך שלוש המיטות שנצמדו אל הקיר, ותחושה של שנאה עמוקה החלה לפעפע בקרבו. הוא חשב על שירי במונחים של תיעוב. אהבתו אליה פינתה את מקומה לחרטה עמוקה על שמצא לנכון לחזר אחריה.

"לכל הרוחות," גידף.

.23

בירכתי חדר מואר היטב עמדו חמישה גברים. על פני שניים מהם עלו זיפי זקן. הם לבשו בגדים אזרחיים, הביטו נכחם בעיניים חסרות הבעה ופנו לימין ולשמאל כפי שהורה להם קצין חקירות שניצב מולם.

רינה אברך נכנסה לחדר.

"מתוך חמשת הגברים העומדים לפנייך," אמר לה הקצין, "ארבעה מהם חפים מכל פשע. האחד שנותר הוא החשוד בשוד בנק אנגלו־פלשתינה. האם האיש שראית בורח מהבנק אחרי השוד נמצא כאן?" שאל.

מבטה של רינה חלף על פני חמשת הגברים במסדר הזיהוי.

"קחי את הזמן שלך," אמר הקצין, "הביטי בהם היטב. אם לא תזהי אף אחד, פשוט תגידי לי."

היא לא בזבזה זמן.

"זה האיש," פסקה בקול רם, בהצביעה על תומאס ג'ורדן.

ג'ורדן הביט בה כלא מבין. הוא לא ידע מי היא, הוא לא זכר שראה אותה אי פעם. לא ייתכן, חשב, שראתה אותו בבנק. משהו כאן לא מריח כשורה.

הוא הוחזר לחדר החקירות.

"עדת הראייה זיהתה אותך," אמר לו החוקר, "אין לך ברירה אלא להודות."

"זו מלכודת," ניסה לעמוד על שלו, "אני לא מכיר אותה."

"אל תבלבל את המוח, ג'ורדן. אתה יודע היטב שזו לא מלכודת. האישה ראתה אותך בבירור כשברחת מהבנק עם הכסף. אפילו מצאנו

אצלך את הסכום המדויק ששדדת. יש לנו גם עדות של המתווך שממנו ביקשת להשיג לך דירה תמורת הכסף ששדדת. אתה יכול כמובן להקשות עלינו, לגרור את החקירה הזאת עוד יום או יומיים, אבל זה לא יועיל לך. אנחנו נשיג הרשעה בבית משפט. זה בטוח."

תומאס ג'ורדן שתק.

החוקר הזמין עבורו כוס תה. ג'ורדן גמע את הנוזל החם לאיטו ומוחו סער ממחשבות. הוא הבין שאם יוסיף להכחיש זה יעלה לו ביוקר. הכחשה תסרבל את המשפט ותניע את השופטים להטיל עליו עונש כבד יותר. ממילא אין כבר טעם לכך. נראה שבידי החוקרים מצויות כל ההוכחות הדרושות כדי להרשיעו.

הוא היה אדם שבור. ימים אחדים בתא המעצר, מורחק מעמדת הפיקוד שלו, שרוי בזוהמה, בחברתם של פושעים — הפכו אותו לצל אדם. עיניו שקעו בחוריהן. הוא התעטף בשתיקה וחשש מפני מה שעוד מצפה לו.

החוקרים השלימו בנקל את התיק שלו. הם איתרו עדים שידעו על יחסיו עם שירי, הצטיידו ברישומי בית החולים שבו היא אושפזה לאחר שהיכה אותה ולא התרשמו מהאליבי הבדוי שהציג להם. הוא הזעיק לעזרתו פרקליט שהרבה להופיע בבתי-דין צבאיים וביקש לברר את סיכוייו. הפרקליט נד בראשו בצער. "יש יותר מדי הוכחות נגדך," אמר, "לדעתי, לא יהיה מנוס מהרשעה." תומאס ג'ורדן חזר אל חוקריו ומסר הודאה מפורטת.

המשפט נמשך זמן קצר בלבד. שלושת השופטים קיבלו את הודאתו באשמה והקדישו פחות משעה לניסוח פסק הדין.

"הנאשם," קרא אחד השופטים את הנוסח שעליו סמכו ידיהם גם

חבריו, "הוא קצין שהמיט חרפה על הצבא הבריטי. בקור רוח ביצע תומאס ג'ורדן פשע מתועב ומיד לאחר מכן חזר למלא את תפקידו הצבאי ללא כל נקיפות מצפון. הנאשם הודה במעשה המיוחס לו ועל כן אנו מרשיעים אותו בעבירת שוד ומטילים עליו את העונשים הבאים: הורדה לדרגת טוראי, גירוש מהצבא, שלילת זכויותיו ומאסר של שתים עשרה שנים."

תומאס ג'ורדן כבש את עיניו ברצפה והניח למלוויו להחזיק בחזקה בזרועותיו בדרכם למכונית האסירים. נסיעה קצרה, חריקת בלמים, בית כלא קודר ותא צפוף שבו אמור היה לרצות את עונשו.

הוא נכנס פנימה והדלת הכבדה נטרקה אחריו. כל חלומותיו ותקוותיו היו כלא היו.

.24

לאחר מעצרה של שירי נסע איתן אל הקיבוץ, תמה על שלא הוא ואף לא מישהו מאנשיו נעצר על ידי יחידת הסיור הבריטית. הוא לא הבין על שום מה בחרו לעצור דווקא את שירי, אבל השאלה הזאת נותרה ללא מענה. לא היה לו ספק שהיא תועמד בהקדם למשפט.

הוא סיפר להוריו את אשר אירע. הם ניסו לעודד אותו, הביעו תקווה ששירי תשוחרר, משום שעד כה הבריטים לא העמידו לדין נשים שפעלו בשירות ההגנה.

"אצל שירי מצאו נשק," טען איתן, "הם תמיד החמירו בדין עם אנשים שנמצא אצלם נשק לא חוקי."

הוא לא ניסה אפילו ללכת לישון, כי ידע שלא יוכל לעצום עין. תחת זאת, יצא לשוטט בקיבוץ, מתגעגע נואשות לאהובתו, חושש לגורלה. בעודו צועד ללא מטרה בשבילי הקיבוץ ראה אותה בדמיונו פוסעת הלוך ושוב בתא כלא קודר, משוועת כמו אוויר לנשימה לתמיכה ולעידוד. הוא קיווה שלא נקטו כלפיה יד קשה כפי שפעלו הבריטים כלפי נחקרים יהודים אחרים.

במוחו צצה מחשבה חדשה, נועזת ביותר. הוא חשב שיוכל לקבץ את חבריו, לתקוף את תא המעצר ולשחרר את שירי, אבל מהר מאוד זנח את הרעיון. הוא ידע שהבסיס מוקף בגדרות ובמגדלי שמירה שבהם ניצבו שומרים חמושים. תאי המעצר שכנו במרתף, והשמירה עליהם הייתה קפדנית מאוד. כל ניסיון לחדור אל המחנה ואל אגף המעצרים עלול להסתיים במותם של רבים מהתוקפים.

מחיקת התוכנית ממוחו לא הקלה עליו. הוא חש שעליו לעשות כל מאמץ כדי להיחלץ לעזרתה של שירי. היא ודאי מצפה שימצא את הדרך לסייע לה ולמנוע את העמדתה לדין. הוא עשה את הדבר היחיד שהיה יכול לעשות בשלב זה. הוא הלך לבקר במשרד קטן של עורך־דין בעיר התחתית של חיפה.

עורך־הדין שרגא מנור היה מבוגר מאיתן בעשרים שנה לפחות וגילו המתקדם ניכר בו. הוא הרכיב משקפיים, כיסה את הקרחת שלו בפאה נכרית, וניסה לשווא להפחית ממשקלו העודף. תחום המומחיות שלו היה הגנה על אנשי מחתרת שהועמדו לדין. במהלך שנות עבודתו הוא ייצג עשרות לוחמים, שנתפסו בעיצומה של תקיפה, או הואשמו בהחזקת נשק שלא כחוק. השופטים הבריטים לא הקלו בדרך כלל על נאשמים שהואשמו בחתירה נגד אושיות החוק ובעשיית דין לעצמם.

בספר החוקים הבריטי החזקת נשק שלא כחוק נחשבה לפשע חמור ביותר.

שרגע מנור למד לדעת שבתי המשפט אינם זירה שבה יוכל לעשות כרצונו. הוא התרגל זה מכבר למבטיהם העוינים של השופטים, להערותיהם המעליבות ולקוצר רוחם. תמיד נראה היה לו שעוד בטרם התייצב בפניהם, הם כבר החליטו לגזור על הנאשמים עונשים כבדים. הוא אמנם לא הצליח להביא לזיכויים של האנשים שייצג, אבל השקיע את כל מרצו וידיעותיו בטיעונים שנועדו להפחית מחומרת העונש.

איתן נעל מאחוריו את הדלת וסיפר לפרקליט על יחסיו עם שירי, על שיבוצה ביחידת הלוחמים שלו, על האימונים שעברה ועל אותו יום מר ונמהר שבו נעצרה על ידי יחידת הסיור הבריטית.

"כשעצרו אותה," אמר, "היא החזיקה באקדח."

"היו עוד אנשים שהחזיקו נשק באותו מקום?"

"כן, אבל הבריטים עצרו רק אותה."

"למה?"

"לא ברור לי."

"היא הודתה בהחזקת נשק?"

"לא יודע."

"זו נקודה חשובה. התביעה תעשה כל מאמץ כדי לחזק את האשמה שהייתה חברה במחתרת."

הפרקליט הסכים לטפל בתיק ואיתן פלט אנחת הקלה. בשלב זה חשוב היה מכול ששירי תרגיש שאין מפקירים אותה. עורך־הדין יהיה החוט המחבר בינה לבין איתן.

.25

חדר החקירות שכן במרתף, סמוך לתאי המעצר. היו בו רק שולחן ושני כיסאות. חוקר במדי קצין ישב על אחד הכיסאות. מולו ישבה שירי.

הוא שאל לשמה והיא השיבה.

"איפה את גרה?"

"בקיבוץ אפיקים."

"את נשואה?"

"אני רווקה."

"מה תפקידך בקיבוץ?"

"אני עובדת במטבח ובחדר האוכל."

"מה את עושה שם?"

"מבשלת ומגישה."

"שכחת משהו."

"מה?"

"שכחת להגיד לי מה עשית בהגנה."

"אין לי שום קשר להגנה," אמרה בהחלטיות. היא לא ידעה מה בדיוק עליה לומר, אבל חושיה הנחו אותה להכחיש. יהיה עליהם להוכיח שהחזיקה באקדח לא חוקי. בשלב זה, היא לא הייתה מוכנה למסור כל הודאה.

"טביעות האצבעות שלך היו על האקדח," אמר לה בקול יבש.

"אין לי מושג על מה אתה מדבר."

"זה היה אקדח טעון, מה התכוונת לעשות בו?"

"לא החזקתי בשום אקדח."

הוא רטן בכעס.

"אני לא מצליח להבין למה את מתעלמת מהעובדות."

היא לא השיבה. החקירה עייפה אותה. היא תהתה אם אכן היה תומאס ג'ורדן מסוגל לשחרר אותה ממעצר ללא משפט, אבל שמחה על שלא נענתה לו.

"תפסו אותך רחוק מהקיבוץ. מה עשית שם?" החליף החוקר את הנושא.

"הלכתי לטייל."

"את חושבת שאני טיפש? את מנסה לשכנע אותי שהלכת סתם ככה לטייל במקום נידח כזה? לא הגיוני שעזבת את המטבח בקיבוץ באמצע היום פשוט כי התחשק לך לטייל."

"אני מטיילת הרבה. זה לא היה מקרה יוצא דופן."

"את משקרת," קבע החוקר.

"אני אומרת את האמת."

"תרשי לי להעמיד אותך על חומרת המעשה שעשית. אם תשתפי פעולה ותודי בהחזקת נשק, יהיה מצבך קל הרבה יותר בבית המשפט. נאשמים שמודים באשמה מקבלים בדרך כלל עונשים קלים."

"אתם לא רשאים להעמיד אותי לדין. לא ביצעתי שום פשע."

"אני לא מסכים איתך. במוקדם או במאוחר תביני שאין שום טעם להתעקש. אשלח אותך בחזרה למעצר, ושם תוכלי לחשוב על הכול. כשתחליטי לדבר, תבקשי שיקראו לי."

הוא שלח אותה חזרה לתא המעצר. שוב אפפו אותה האפלה, הצחנה ותחושת הבדידות.

היא הייתה רעבה וצמאה, לעסה לאיטה את פרוסת הלחם היבש

שהוכנסה לתאה עם כוס תה. התה, נוזל מר ומימי, הספיק להצטנן
והיא גמעה אותו באחת. איבריה תלו ברפיון, גופה נחלש, אבל היא
פקדה על עצמה להחזיק מעמד, משום שידעה שאיתן מצפה ממנה
לא להישבר.

מאוחר יותר בא סוהר, הוציא אותה מתאה וליווה אותה לתא ביקורים
קטן.

"עורך־הדין שלך מחכה לך," אמר, "יש לכם עשר דקות להיות
יחד."

שרגא מנור כבר המתין מעברה של מחיצת זכוכית.

"שלחו אותי לייצג אותך," אמר, "יש לך דרישת שלום חמה
מאיתן."

היא שיגרה אליו חיוך קלוש.

"תודה. מה שלומו?"

"הוא רוצה שתדעי שהוא עומד לצדך."

"תאמר לו בבקשה שאני בסדר."

"איך את מרגישה?"

"רע."

"חקרו אותך?"

"כן. טוענים שהחזקתי נשק שלא כחוק."

"הודית?"

"הכחשתי."

"טוב מאוד. אגיש בקשה לשחרר אותך. אטען שאת חפה מפשע."

"זה יעזור?" שביב של תקווה ניעור בקרבה.

"לא נראה לי שזה יעזור, אבל אין לנו מה להפסיד."

"אתה חושב שיגישו נגדי כתב אישום?"

"קרוב לוודאי שכן."

"ומה יקרה אז?"

"אין לדעת. אנהל את המשפט כמיטב יכולתי ואני מקווה שגזר הדין לא יהיה חמור."

הוא לא הניח לה לשגות באשליות. היא תועמד לדין אם ישלח בקשת שחרור לשופטים ואם לאו. הכלא לא הפחיד אותה, הפחידה אותה רק המחשבה, שמאסר ירחיק אותה מאיתן, מהחום שבו אפף אותה, מגילויי אהבתו.

26.

בוגרי המוסד החינוכי של אפיקים לבשו ארשת של בוגרים וסיגלו לעצמם כללי התנהגות חדשים. הם חדלו לאכול בחדר האוכל של המוסד והורשו לסעוד בחברת חברי הקיבוץ בחדר האוכל הכללי. פרט לדני שובצו כולם במקומות עבודה במשק. לדני ציפה עיסוק אחר.

הוא נקרא לוועדת קבלה של ההגנה, שהתכנסה ביזמת איתן. היו בה כמה מפקדים בארגון, לוחמים בכירים ועתירי ניסיון, שחיפשו מועמדים לתפקידי פיקוד.

הם בחנו את גיליון הציונים של דני והתרשמו מהישגיו ומחוות הדעת החיוביות של מוריו. המלצתו של איתן הייתה החשובה מכולן. הוא שיבח את כישרונו של דני, את יחסיו ההדוקים עם חבריו, את

כושרו הגופני ואת נחישותו שבאה לידי ביטוי באימוני הקיץ של
כיתתו.

לא נערך כל דיון. המועמד נראה לחברי ועדת הקבלה כבעל
תכונות מתאימות לחניך בקורס מפקדים. הם הודיעו לו בשמחה, כי
החליטו לצרפו לקורס העומד להיפתח בעוד ימים אחדים.

הקורס נפתח בקיבוץ על הר הכרמל. סביב הקיבוץ השתרעו שדות
ושטחים סלעיים נרחבים, מתאימים מאין כמותם לאימוני לחימה
קשים. משתתפי הקורס היו בני גילו של דני, צעירים נחושים, בעלי
כושר הנהגה מובהק. הם השתכנו בצריפים של הקיבוץ, וידעו כי
מצפה להם תקופת אימונים מפרכת ומאתגרת.

הערב הראשון של הקורס הוקדש להרצאות על מורשת ההגנה
ועל מצב היישוב היהודי בארץ. בלילה הספיקו לישון רק כמה שעות,
הרבה פחות מכפי שהיו מורגלים. עם שחר העירו אותם מדריכיהם.
הם אכלו ארוחת בוקר חפוזה ויצאו לשטח. אחרי מסע ארוך בדרכים
לא דרכים, הגיעו לאזורי האימונים והציבו שמירה ותצפיות, שנועדו
למנוע ביקורים לא צפויים של יחידת הסיור הבריטית.

הם קיבלו רובים צ'כיים ישנים, תת מקלעים מדגם "סטן" שהורכבו
במחתרת ומעט תחמושת. חלקו הראשון של היום הוקדש להכרת
הנשק ולאימוני ירי. אחר כך עברו אימונים של כושר גופני, דילגו
מעל משוכות, זחלו בתעלות בוץ ונשאו אלונקות שעליהן שכבו
חבריהם. את הארוחות הדלות הכינו במו ידיהם ממצרכים שהעניק
להם הקיבוץ. כשחזרו עם ערב לקיבוץ נאלצו לשמוע פרטים על סדר
היום הבא ולהאזין להרצאה ארוכה על תכונותיו של מפקד ראוי. רק
מעטים מהם הצליחו להישאר ערים עד לסיום ההרצאה.

308

היום הבא היה קשה לא פחות. חניכי הקורס למדו להילחם בשטח בנוי, להציב מארבים, להגיש עזרה ראשונה ולבוא בעת הצורך לעזרתם של עמיתיהם. הם גם הועמדו במבחן חשוב לא פחות – יכולתם לתפקד במישור החברתי. דני קשר בנקל קשרים הדוקים עם חבריו, זכה לשבחים על כושרו הגופני והסתגל במהירות למצב תדיר של חוסר שינה. הוא הופתע כשבסיום הקורס נבחר לחניך המצטיין.

בתום הקורס שבו החניכים לבתיהם ליומיים של מנוחה. דני בילה אותם בעיקר בשינה ובפגישות עם איתן ועם חבריו. היעדרה של שירי העיק גם עליו. הוא ראה בה חברה של ממש שהעניקה לו חום ותשומת לב. הוא קיווה שתשוחרר בקרוב ממאסרה.

אחרי החופשה יצא דני לפעילות סדירה. הוא התוודע לכיתת ההגנה שהועמדה תחת פיקודו ולמד להכיר כל אחד מחניכיו. רובם היו מבוגרים ממנו, אבל זה לא הפריע לו ולהם. הם למדו להכירו כמפקד אמיתי, כמי שידרוש מחניכיו לא פחות מכפי שהוא דורש מעצמו. הוא ישן איתם בשדה, אכל את המזון שהכינו בצוותא והלך איתם למסעות ארוכים שבהם התנדב לשאת מטען כבד משלהם. הם התייחסו אליו כאל אח אהוב וידעו שילך אחריהם באש ובמים.

איתן עקב אחריו מקרוב והתפעל מהישגיו. הוריו אפו למענו עוגות והוא חילק אותן לפקודיו. דני חש שמימיו לא הייתה לו תקופה קשה ומאתגרת כל כך.

.27

עורך־הדין שרגא מנור תכנן ביסודיות את מערך ההגנה, שיפרוש בבית המשפט כשיחל משפטה של שירי. השעה הייתה סמוכה לחצות. מנורת השולחן הציפה באור בוהק את המסמכים שנפרשו לפניו, דפים עמוסי משפטים במכונת כתיבה, אישורי מעבדה על טביעות אצבעות, תמליל החקירה. בעיפרון מחודד היטב רשם מנור הערות לעצמו בפנקס גדול. הוא שתה שני ספלים של קפה סמיך אך הם לא הפיגו את עייפותו. כל היום שהה בבית הדין הצבאי, שם הגן על שני נערים מההגנה שנעצרו בעת אימונים בקליעה למטרה בשדה נידח בגליל. השופטים לא הרבו לעיין בתיק שלפניהם. שני הנערים הודו באשמה ודי היה בכך. עורך־הדין מנור טען להגנתם, שמדובר בתלמידי בית ספר שחיפשו הרפתקאות ונקלעו שלא מרצונם לשורות ההגנה. הוא ביקש להטיל עליהם מאסר על תנאי בלבד, והבטיח שהוריהם ידאגו לכך שלא יחזרו לסורם. אבל טיעוניו של הפרקליט נפלו על אוזניים ערלות. לעת ערב הסתיים הכול והשניים נשלחו לשלוש שנות מאסר. הוריהם שנכחו באולם הזילו דמעה. תם ונשלם.

שרגא מנור התרווח בכיסאו ומתח את זרועותיו. גופו כאב עדיין מהישיבה הממושכת על ספסל העץ בקדמת אולם בית המשפט בעת משפטם של שני הנערים. עיניו צרבו. הוא סגר את התיק של שירי והלך לישון. מחר צפוי לו עוד יום קשה, מתמשך, גדוש התפתחויות לא נעימות.

השעון המעורר העיר אותו משנתו. אשתו הכינה לו ארוחת בוקר מהירה. היה עליו להיות בבית הדין כמה דקות לפני שמונה. מניסיונו

ידע כי השופטים הבריטים מקפידים לדייק. המשפט אמור היה
להתחיל בשמונה.

כשנכנס לאולם ראה את שירי יושבת על ספסל הנאשמים. משני
צדדיה שמרו עליה חיילים בריטים. פניה היו חיוורות, בגדי האסיר
שלה תלו עליה ברפיון, גדולים ממידותיה. עיניה היו כבושות ברצפה.
הן ניעורו לחיים והצבע שב ללחייה כאשר ראתה חבורה קטנה נכנסת
לאולם, מהססים, מסגירים חשש, כאילו פלשו לשטח לא להם. איתן,
הוריו ודני התיישבו לא הרחק משירי, מנופפים אליה בידיהם, נושאים
מבטי עידוד. שירי נדהמה למראה האנשים שפסעו בעקבותיהם:
הוריה ואחותה שושנה. אמה מחתה דמעות בממחטה לבנה, אחותה
שלחה אליה נשיקה מרחוק. שירי לא הבינה איך הגיעו לשם. עורך
הדין מנור שוחח איתם קצרות, ואחר כך סיפר לשירי שאיתן איתר את
הוריה ואת אחותה, גילה להם מה אירע לה והסיע אותם מתל אביב
לבית הדין בחיפה בטנדר של הקיבוץ.

כשנכנסו השופטים קמו הנאשמת והקהל על רגליהם. השופטים
תפסו את מקומותיהם. שרגא מנור התיישב אף הוא. המשפט התחיל.

"הנאשמת תעמוד על רגליה," הורה אחד השופטים באנגלית,
"עכשיו יקראו בפנייך את כתב האישום. בסיומו יהיה עלייך לומר אם
את מודה באשמה או לא."

היא הבינה אנגלית די הצורך כדי שלא להזדקק למתורגמן.

"הבנת מה שאמרתי?" שאל השופט.

"הבנתי.".

בא כוח התביעה לקח לידיו את כתב האישום.

עורך־הדין מנור פתח את תיק המסמכים שלו בתנועה איטית.

הוא היה תשוש ועיניו צרבו מהיעדר שינה מספקת. לפתע חש שמוחו מתערפל וידיו אינן נשמעות לו. כהרף עין לאחר מכן צנח גופו הגדול על הרצפה. מהומה קמה בבית הדין. שני חיילים ניסו להרים את הפרקליט, אבל הוא היה כבד מדי ונטול הכרה. מישהו הזעיק רופא.

השופטים הודיעו על הפסקה ופרשו לחדרם. הרופא רכן אל עורך־ הדין והורה להזמין אמבולנס. בתוך זמן קצר נלקח הפרקליט לבית החולים והובהל לניתוח לב בחדר הניתוחים. היה כבר מאוחר מדי להחזירו לחיים.

28.

בהפסקה ביקשה שירי לשוחח עם אורחיה, אבל החיילים לא הניחו לה לעזוב את ספסל הנאשמים. דמעות עמדו בעיניה, כשהביטה אין אונים באיתן ובהוריו, בהוריה ובאחותה, שניצבו בלית ברירה רחוקים ממנה, מייחלים לדבר איתה, לגעת בה אך מנועים מלהתקרב.

שלושת השופטים שבו לאולם הדיונים, התיישבו בכיסאותיהם ומבע של כעס עמד בעיניהם. ניכר היה שהפסקת הדיון לא הייתה לרוחם.

אב בית הדין פנה לשירי.

"לצערנו, עורך־הדין שלך כבר לא ישוב," אמר, "תצטרכי למנות עורך־דין אחר. ניתן לך יומיים לעשות את זה."

היא לא ידעה מה להשיב. לא היה לה מושג היכן תמצא פרקליט

חדש. איתן ודאי ינסה לעזור, אבל היא לא ידעה אם יעלה בידו לעשות זאת גם הפעם.

השופטים קמו ממקומותיהם וביקשו לפרוש לחדריהם.

אישה קרבה בצעדים מהירים אל במת השופטים. "רק רגע, בבקשה," בקעה קריאה מפיה. השופטים קפאו במקומם ונשאו מבטיהם לעבר מי שפנה אליהם. שירי לכסנה מבט אף היא, וצמרמורת עברה בגופה כשראתה את אחותה ניצבת מול השופטים, תמירה ובוטחת.

"אני מוכנה להגן על הנאשמת," אמרה שושנה באנגלית.

"מי את?" שאל אחד השופטים.

"כבר כמה שנים אני עורכת דין מן המניין."

היא הושיטה להם את רישיונה. הם עיינו בו והנהנו.

"יש לך קשר כלשהו עם הנאשמת?" שאל אחד השופטים.

"היא אחותי."

השופטים החליפו חרש כמה מילים.

"בסדר גמור," אמר אב בית הדין, "גברת שושנה קושמרו מתמנית בזה לסנגורית של הנאשמת. המשפט יתחדש מחר בשמונה בבוקר."

שירי לא ידעה את נפשה מרוב הפתעה. עד לרגע זה לא ידעה כלל שאחותה סיימה את לימודי המשפטים שלה והוסמכה לעסוק כעורכת דין.

"אני צריכה להיפגש עם הנאשמת," אמרה שושנה למזכיר בית הדין. הוא קבע לה פגישה עם שירי לאותו יום בתא המבקרים של אגף המעצרים.

שתי האחיות נפגשו, ובאוויר עמדה התרגשות עזה.

313

"זה יהיה המשפט הראשון שלי מסוג זה," אמרה שושנה בחיוך קל, "אני מקווה שאצליח."

שירי איחלה לה הצלחה, אף שבקרבה נזרע ספק. היא ידעה שלא יהיה זה משפט פשוט. היא רצתה להאמין שאחותה, חרף היותה חסרת ניסיון ומיומנות שהביא עמו עורך-הדין שרגא מנור, תוכל למלא כהלכה את מקומו של הפרקליט הוותיק, שלא היה עוד בין החיים.

"עכשיו נדבר על מה שקרה," שלפה שושנה פנקס ועיפרון, "אני מקשיבה."

שירי מסרה לה את הגרסה שפרשה לפני החוקרים.

"את אומרת שיצאת לטיול," חזרה אחריה אחותה, "הנשק לא היה שלך. את יודעת מי עצר אותך?"

"אני יודעת," אמרה שירי וגוללה בפניה את פרשת יחסיה עם תומאס ג'ורדן. היא סיפרה על פגישותיהם במועדון הלילה ובדירתה, על הטרדותיו החוזרות ונשנות, על המכות שספגה ממנו ועל הבטחתו לשחרר אותה ממעצר אם תסכים להינשא לו.

"אנסה לאסוף עוד כמה פרטים על הקצין הזה," אמרה שושנה, "בינתיים, תנסי להירגע. תתפללי בשבילי שאנהל את ההגנה עלייך כמו שצריך."

"עוד רגע," ביקשה שירי, "ספרי לי קצת על עצמך, על ההורים."

"על עצמי אין הרבה מה לספר. לפני כמה שנים סיימתי בהצטיינות את הלימודים. נשאר לי קצת כסף ממה ששלחת לי. השתמשתי בו כדי לשכור משרד. את יכולה לתאר לעצמך שההורים ואני קיבלנו קשה את הידיעה שאת במעצר. זה לא סוד, שבתי המשפט הבריטיים מחמירים בעונשים... חוץ מזה, מצבם של ההורים השתפר. המסעדה שלהם מצליחה לא רע. הם אפילו הרחיבו אותה. המכתבים שלך

הפחיתו מעט מהדאגה שלהם לך. עכשיו הם דואגים שוב, אבל הם סומכים עליי שאעשה עבודה טובה."

הסוהר דחק בהם לסיים.

"שמרי על עצמך," ביקשה שושנה, "תאמיני שהכול יהיה בסדר."

.29

בית הדין התכנס שוב במועד שנקבע. שושנה תפסה את מקומה על ספסל עורכי הדין, במקומו של עורך-הדין מנור. בא כוח התביעה קרא את כתב האישום: החזקת נשק שלא כחוק, עבירה על סעיפי החוק הפלילי. העונש המקסימלי: עשר שנות מאסר."

"את מודה באשמה?" שאל ראש חבר השופטים.

"מרשתי אינה מודה," השיבה שושנה בקול נחרץ.

השופטים דרשו להתחיל במצעד העדים.

ראש וראשון היה החוקר שניסה להוציא משירי הודאה מפורשת. הוא ניצב על דוכן העדים חמור סבר, לבוש במדים, וגולל את החשדות נגד הנאשמת. הוא הדגיש כי טביעות האצבעות שלה נמצאו על האקדח.

"היו שם טביעות אצבעות נוספות?" שאלה שושנה.

"כן," הודה החוקר.

"של מי?"

"היו על האקדח גם טביעות האצבעות של הקצין שעצר את

הנאשמת, אבל בנסיבות כאלה זה היה בלתי נמנע. הוא הרי לקח
מידיה את האקדח כשעצר אותה."

"האם ייתכן שהאקדח היה בעצם שייך לו? האם ייתכן שהיה לו
אינטרס לטמון מלכודת לנאשמת?"

"שטויות," מחה החוקר, "איזו סיבה הייתה למישהו לטמון לאישה
הזאת מלכודת?"

"אנחנו טוענים," התעקשה שושנה, "שהאקדח הזה לא היה בכלל
של הנאשמת."

אחד השופטים התערב במורת רוח.

"אני מציע שהפרקליטה תנהל את המשפט הזה בהיגיון, ולא
תפריח הצהרות שאין להן כל בסיס."

"תודה," אמרה שושנה, והתיישבה, "אני סיימתי לחקור את העד
הזה."

העד הבא היה קפטן תומאס ג'ורדן. הוא הובא מן הכלא לבוש בבגדי
אסיר, מלווה במשמר מזוין.

ג'ורדן עלה על הדוכן זקוף קומה ונמרץ. הוא לא העיף אפילו מבט
אחד לעברה של שירי.

"תומאס ג'ורדן," אמר בא כוח התביעה, "אתה מכיר את הנאשמת?"

"כן. אני עצרתי אותה, כשברשותה אקדח לא חוקי."

"היא סיפרה לך איך היא השיגה את אקדח?"

"היא לא הייתה מוכנה לדבר על זה. מניסיוני אני יודע, שמי
שנתפס עם נשק לא חוקי, מעדיף בדרך כלל לשתוק."

תור השאלות עבר לשושנה.

"קפטן תומאס," פתחה, "מה היה תפקידך כשעצרת את הנאשמת?"

"הייתי מפקד יחידת הסיור הצבאית בצפון."

"והיום, כך נראה לי, אתה כבר לא ממלא אותו תפקיד."

"כבר לא," מלמל ג'ורדן. סדק ראשון הסתמן בחומת הביטחון שבה אפף את עצמו. קולו היה בוטח הרבה פחות.

"למה אינך ממלא את תפקידך?"

"כי עכשיו אני בכלא."

"בכלא?" קראה שושנה, כמו לא ידעה על כך. ביומיים שחלפו היא אספה שלל פרטים על ג'ורדן, על משפטו ועל המאסר שנגזר עליו.

"אני מרצה עכשיו עונש מאסר," הודה.

"באיזו אשמה?"

"האם זה רלוונטי למשפט הזה?" פנה ג'ורדן לשופטים.

"כן," הייתה התשובה.

"האם זה נכון שדנו אותך לשתים עשרה שנות מאסר על שוד בנק?" המשיכה שושנה לשאול, שואבת ביטחון מתשובת השופטים.

"נכון."

"מתברר שהכרת היטב את הנאשמת כשעצרת אותה."

"לא בדיוק. פגשתי אותה בסך הכול פעמים אחדות."

"באיזה נסיבות?"

"באתי לבקר אותה בדירתה בטבריה."

"מה עשיתם בפגישות האלה?"

"לימדתי אותה קצת אנגלית."

"וזה הכול?"

"כן."

"יש לי עדים שיוכלו להעיד שאתה משקר. יש עדויות שהייתה

לכם מערכת יחסים אינטימית, ולא רק זה, אתה הטרדת אותה בכל
הזדמנות, היכית אותה עד זוב דם כשהייתה בהיריון, גרמת לה להפיל
את הילד שנשאה בבטנה...״

״לא היה ולא נברא.״

״האם ייתכן שעצרת אותה כאמצעי לחץ עליה? האם נכון
שהבטחת לשחרר אותה אם תתחתן איתך?״

״לא נכון.״

״האם זה נכון שביקשת לקנות לשניכם דירה בחיפה בכספים
ששדדת מהבנק?״

״רציתי לקנות דירה לעצמי.״

״כבוד השופטים,״ קראה שושנה בסערת רגשות, ״אני מבקשת
לפסול את העד הזה. לא ייתכן שהתביעה תנסה להסתמך על עדותו
של פושע, שחיזר אחרי הנאשמת והתנהג אליה באכזריות. אני מאמינה
גם, שהוא היה זה ששתל את האקדח בידיה כאמצעי של לחץ.״

השופטים הכריזו על הפסקה ויצאו להתייעצות.

כשחזרו הייתה נסוכה על פניהם ארשת עגומה.

״פרקליטת ההגנה,״ קרא אחד מהם ממסמך שניסחו יחדיו, ״עוררה
בנו ספקות גדולים בדבר אשמתה של הנאשמת. קשה לנו לתת אמון
בדבריו של פושע, שמניעיו מעלים שאלה אם אכן התרחשו הדברים
שנאמרו בכתב האישום. אשר על כן, החלטנו פה אחד לזכות את
הנאשמת מחמת הספק ולשחרר אותה מיד.״

שירי פרצה בבכי ללא מעצור. היא זינקה ממקומה והתרפקה על
איתן ועל הוריה. דני נשק לה ושושנה חיבקה אותה.

״הסיוט שלך נגמר,״ אמרה שושנה.

״תודה, אחותי, תודה, תודה...״

30.

חיי הכלא של תומאס ג'ורדן עברו עליו כחלום בלהות. הוא נאלץ
להצטופף עם שלושה אסירים בתא צר, שבאחד מכתליו נקרע אשנב
קטן ומסורג שפנה אל חצר הכלא. סדר היום נשמר בקפידה על ידי
סוהרים נוקשים, ממעטים לדבר: השכמה עם שחר, ארוחת בוקר,
עבודה באחד ממתקני הכלא, ארוחת צהריים, טיול בחצר, ארוחת
ערב וכיבוי אורות בשעה מוקדמת. האסירים בתא היו בעלי דרגות
לשעבר שהפכו לטוראים כחלק מהעונש שהוטל עליהם. כולם נדונו
לתקופות מאסר ארוכות על רצח או על גניבת נשק ומכירתו ליהודים
או לערבים. הם לא עניינו את ג'ורדן, אבל הוא למד לחיות במחיצתם,
לשוחח איתם ולהאזין בעל כורחו לצרותיהם.

תומאס ג'ורדן עבד במכבסת הכלא וקיבל שכר זעום שהספיק
בקושי לקניית סיגריות. כשעלה על משכבו נהג תומאס ג'ורדן להצית
סיגריה ולהסתגר בתוך מחשבותיו. הוא הרבה לשחזר את ביקוריו
ב"ספלנדיד" ואת פגישותיו עם שירי, אבל כל אלה נדמו עתה בעיניו
כתמונות חולפות שלא הותירו כל משקע. רחוק כל כך ממנה, כבול
לתא כלא מדכא, דעכה אהבתו אליה כלא הייתה. עתה נראה היה
לו שהגורל נטע בלבו אהבה אל האישה הלא נכונה. הוא ראה עצמו
כאיש תמים, שנקלע למצב עניינים סבוך ונהג כשוטה גמור. שירי,
הבין עתה, לא רצתה בו מעולם והוא לא הבין זאת. היא דחתה את
הצעת הנישואין שלו בטענה שהיא מחפשת אדם עשיר, הדגישה
את פער הגילים ביניהם, סירבה לנסוע איתו לאנגליה. זה אמור היה
להספיק לו כדי לוותר עליה, אבל הוא נאחז בה כבעוגן שנועד להצילו

משממת חייו. הידרדרותו הייתה בלתי נמנעת. המעצר והעונש שבית
המשפט הטיל עליו היו המחיר ששילם תמורת טעויותיו.

מן הכלא ישתחרר רק בעוד יותר מעשר שנים. הוא יהיה אז כבר
בן למעלה מחמישים. היכן ימצא עבודה ומי ירצה להעסיק אסיר
משוחרר? הוא רצה למחוק את שירי כליל מזיכרונו, אבל לא הצליח.
שוב ושוב פקדה את מחשבותיו, שוב ושוב רתח מכעס כל אימת שנזכר
מה עוללה לו. לילה אחד אף חלם שהוא חונק אותה למוות.

הידיעות החדשות הסתננו גם אל הכלא. מפה לאוזן סיפרו אסירים,
כי השלטון הבריטי בארץ ישראל עומד להגיע לקצו בעקבות החלטת
האו"ם על הכרה בזכות קיומה של מדינה יהודית. השמועות סיפרו, כי
בסיס חיפה יהיה הראשון שיפונה. מישהו אמר כי נודע לו, שהאסירים
יפוזרו במחנות צבא בריטיים במזרח הרחוק. אחרים דבקו בידיעות
שלפיהן יישלחו האסירים לאנגליה, ושם ירצו את יתרת מאסרם.

בתא הכלא של תומאס ג'ורדן הפך הפינוי לנושא השיחה המרכזי.
אחד האסירים הציע לנצל את המהומה הכרוכה בחיסול הבסיס כדי
להימלט מהכלא. "נוכל להישאר בינתיים בארץ ישראל," אמר, "נמצא
מקום לגור ולעבוד, ואחרי שנחסוך קצת כסף, ניסע למדינה כלשהי
באירופה ונחיה שם כאנשים חופשיים." ההצעה נראתה דמיונית מדי,
חסרת סיכוי, אבל ככל שהפכו בה הגיעו הארבעה למסקנה שעליהם
לעשות הכול כדי להימלט. הבריחה מהכלא הייתה ההזדמנות הגדולה
שלהם.

ג'ורדן תמך בהצעה. האפשרות לחסוך מעצמו שנים ארוכות של
ישיבה בכלא ולהיות שוב לאדם חופשי קסמה לו. לא היה לו מה
להפסיד.

פינוי הבסיס בחיפה החל כעבור שבועות אחדים. משאיות העמיסו את תכולת המחסנים והעבירוה לאניות משא שעגנו בנמל. כל חיילי הבסיס גויסו למשימות פירוק והעמסה. גם חלק מהסוהרים צורף אליהם. השמירה על הכלא התרופפה באורח משמעותי.

ארבעת האסירים שקדו על תכנון הבריחה. הם עקבו בקפידה אחרי סדרי השמירה החדשים, למדו ביסודיות את מבנה הכלא והחליטו לנסות להימלט בראש השנה האזרחית הקרובה. ההנחה הייתה שכל חיילי הבסיס, ובהם גם רוב הסוהרים, ישתתפו בארוחה החגיגית של ראש השנה, וממילא תפחת אז מידת ערנותם של השומרים.

כצפוי, בערב ראש השנה היו מגדלי השמירה מאוישים רק בחלקם. עצי אשוח הוצבו במשרדים ובכניסה אל הכלא. במטבח שקדו על הכנתה של ארוחת החג. תזמורת הבסיס ערכה חזרות לקראת הופעתה בחדר האוכל המרכזי.

בשעות הערב, כשהשמחה בחדר האוכל המקושט הייתה בעיצומה, התחזה אחד מארבעת האסירים לחולה וחבריו הזעיקו את הסוהר שישב במסדרון. כשנכנס לתא השתלטו עליו בנקל, לקחו ממנו את צרור המפתחות שלו, חמקו מן הכלא אל החצר, טיפסו בזריזות על הגדר מבלי שאיש הרגיש בהם וקפצו אל החופש.

הם הגיעו לחיפה בהליכה מהירה בחסות החשכה. ברחוב צדדי פרצו לחנות בגדים והחליפו את מדי האסיר בבגדים אזרחיים. הם בילו את הלילה בגן ציבורי, לא הצליחו לעצום עין, ושברו את רעבונם באכילת כמה כיכרות לחם שהמתינו על פתחה של חנות מכולת סגורה.

הבוקר עלה ואיש מהארבעה לא ידע לאן מועדות פניהם. לא היו

להם מסמכי זיהוי ולא היה להם כסף, אך הם לא חששו שהבריטים יטרחו לחפש אחריהם בעיצומו של הפינוי הגדול. למי ששאל, השיבו כי הם עריקים מהצבא הבריטי שבחרו להישאר בארץ בגלל אהבתם ליהודים. תשובותיהם נשאו חן בעיני מעסיקים יהודים שאליהם פנו. עריקים מהצבא הבריטי שהצהירו על אהבתם ליהודים ועל רצונם לבנות את עתידם בארץ – היו תופעה נדירה שהקלה עליהם למצוא עבודה.

בשוק של חיפה נשכרו שניים מהם לפריקת ארגזי ירקות ופירות. שני האחרים, וג׳ורדן ביניהם, מצאו עבודה כשומרי לילה במפעלים גדולים. הארבעה שכרו דירה זעירה בת שני חדרים קטנים שברובע הערבי.

כשירד הערב יצא תומאס לליל העבודה הראשון שלו. הוא נדרש לסייר סביב המפעל שהתרוקן מעובדיו. הובטח לו שיצויד באקדח אם ימלא את תפקידו כהלכה.

הלילה זימן לו די והותר זמן להעצמת השנאה כלפי מי שאמורה הייתה להיות אהבת חייו. האהבה פינתה עכשיו את מקומה לתחושת נקם בוערת. ג׳ורדן היה נחוש ללמד את שירי לקח, לאלץ אותה לשלם ביוקר על כל מה שעוללה לו.

הוא חשב על האקדח שיינתן לו, ובדמיונו ראה גופת אישה שהאקדח הזה ישים קץ לחייה.

זו הייתה גופתה של שירי.

.31

בכ"ט בנובמבר 1947, היום שבו הכירה עצרת האו"ם בזכות קיומה של מדינה יהודית בארץ ישראל, סבבו מעגלי ריקודים סוערים על הדשא המרכזי של קיבוץ אפיקים. חברי הקיבוץ צהלו, שרו והניפו את דגלי הלאום. הייתה להם סיבה נוספת לשמחה: שירי ואיתן נישאו באותו ערב בחדר האוכל שהיה מוצף באור יקרות.

מסיבת החתונה נמהלה בפרצי השמחה שאפפו את הקיבוץ כולו. שירי, בשמלה פשוטה ובמאור פנים גדול, קידמה בחיבוקים ובנשיקות את בני משפחתה ואת הוריו של איתן. דני לא מש ממנה. הוא ראה בה כל מה שהיה זקוק לו: אם ואחות, מקור עידוד ומשענת, מעיין בלתי נדלה של אהבה גדולה.

הסכנות שארבו באותו לילה היו רבות ומאיימות מתמיד. ההכרה במדינה יהודית הייתה כצנינים בעיני הערבים, שהחליטו להגביר את התנגדותם האלימה. ההגנה נדרשה לעמוד על המשמר, ודני נאלץ להצטרף ליחידתו מיד לאחר טקס החתונה. איתן נשאר בחדר האוכל עד שהתפזרו האורחים, ועם עלות השחר יצא לצפת יחד עם שירי.

בקיבוץ היו חייה נוחים יותר, נטולי דאגות, אבל היא רצתה להקים בית במקום שבו שהה איתן בתוקף תפקידו, וללדת שם ילדים. הם נסעו לדירתו הקטנה בצפת ואכלו ארוחת בוקר חפוזה. בטרם יצא איתן מהבית נתן לשירי אקדח ותחמושת להגנה עצמית. שירי נשקה לו בחום וביקשה שייזהר – למענו ולמענה.

מערכת ההגנה ענפה התפרשה ברובע היהודי כמגן מפני ההתקפות שמשמשו ובאו. רבים מתושבי הרובע אחזו בנשק. הבריטים, שקועים

בהכנות לעזיבתם את הארץ, נעלמו מן השטח. לא היה חשש שיפריעו הפעם לפעולות ההגנה.

מצויד במכשיר קשר פיקד איתן על מגיני הרובע. העמדה שבה התמקם שכנה על אחד הגגות הגבוהים במרומיו של בית מגורים יהודי. על גגות אחרים התמקמו עשרות בחורים נושאי נשק. דני והמפקדים הזוטרים מילאו את הוראותיו של איתן. עיני המגינים נצמדו לכוונות רוביהם ומתח סמיך עמד באוויר.

לכאורה הוסיף הרובע היהודי להתנהל כמדי יום ביומו. אנשים קנו בחנויות, משאיות פרקו סחורות, מתפללים באו ויצאו מבתי הכנסת, ילדים הלכו ושבו מבתי הספר, אבל איש לא השלה את עצמו שהשקט יימשך לאורך זמן. היו יותר מדי משקעים, יותר מדי שנאות, יותר מדי אצבעות ששׂשו ללחוץ על ההדק.

השקט נשמר, אבל כששולי הרקיע האפירו והשמש נעלמה מיהרו אנשים לשוב לבתיהם. הרובע היהודי של צפת התכנס במהירות אל תוך דממה עמוקה מבשרת רע.

בשעות הערב קרה משהו ברובע הערבי. המולת המון עלתה מבין הבתים ומבין סמטאות הרובע, וקריאות מלחמה נשמעו בבירור. שאון צופריהן של משאיות ומוניות מילא את האוויר, שעה שכלי הרכב פרקו חבורות של צעירים שהגיעו מכפרי הסביבה. הם היו מצוידים בכלי נשק טעונים, באלות כבדות, בסכינים ובגרזנים ממורטים. אליהם הצטרפו תושבי צפת הערבים, ויחד צעדו בתהלוכה מלוכדת אל עבר הרובע היהודי, משמיעים קריאות נקם ומפריחים סיסמאות לאומניות. בעמדות ההגנה זינק מצב הכוננות לרמתו העליונה ביותר. העימות הבלתי נמנע קרב ובא.

ההמון הערבי, נסער ומוסת, הגיע לרובע היהודי, נחוש לפגוע ביושביו. איתן פקד לירות באוויר כדי לעצור את הבאים. אקדחים ותת מקלעים ירקו אש לעבר הרקיע. אמהות הגיפו את דלתות ואת חלונות בתיהן והסתתרו עם ילדיהן בחדרים הפנימיים. ותיקי צפת זכרו היטב את הפרעות בעיר שבהן נהרגו יהודים לפני פחות מעשרים שנה. הם חששו ששוב יחזרו אל הרובע מראות הזוועה, הרחובות יתמלאו בהרוגים ובפצועים ובתים יעלו באש.

ברובע היהודי שררה תחושה קשה. יריות האזהרה שנורו מעמדות ההגנה לא הרתיעו איש מהפורעים. איתן הבין שהמצב מחמיר והולך. הערבים החלו לירות אש צפופה לעבר הבתים ולעבר עמדות ההגנה. קליעים רבים הצליחו לחדור אל בתי התושבים, לנפץ חלונות ולקדוח חורים בקירות. בשלב זה עדיין לא סבלו הצדדים מאבידות, אבל היה ברור שבתוך זמן קצר יתלקחו בכל חלקי הרובע קרבות קשים, מקיזי דם.

ואכן, עימות הדמים לא איחר לבוא. צלפי ההגנה ירו עכשיו היישר אל התוקפים. כמה ערבים התמוטטו ללא רוח חיים. אחרים לפתו בכאב את איבריהם הפצועים. כל זה רק הגביר את זעמו של ההמון. בקריאות רמות פשטו מאות תוקפים על בתי היהודים, פרצו את הדלתות, פצעו והרגו גברים, נשים וילדים והעלו באש כמה בתי מגורים. אנשי ההגנה ירו ללא הרף. איתן ירד מהגג והצטרף לאנשיו שהגנו על בית מדרש גדול שבו ביקשו תושבים רבים למצוא מקלט. הוא מצא עצמו נלחם פנים אל פנים עם חבורות מאורגנות ומצוידות בנשק חם וקר. זו הייתה מלחמה לחיים או למוות.

הקרבות נמשכו כל הלילה. איש מתושבי הרובע היהודי לא עצם עין. מספר הקרבנות הלך וגדל.

שירי ראתה המון מוסת מגיע גם לרחוב מגוריה. היא הקשיבה בחלחלה לחילופי האש, לקריאות ההמון ולזעקות הנפגעים. כשהחלו הקליעים לפגוע בבתים הסמוכים, יצאה מהבית ותפסה מחסה בין עצי הגינה. חילופי האש גברו. חבורת ערבים ניסתה להיכנס לחצר הבית, אבל שירי ירתה והניסה אותם משם.

לעת בוקר שככה האש. צוותים רפואיים טיפלו בפצועים ופינו את ההרוגים לאחד מבתי הכנסת. הרחובות התרוקנו אט אט מחבורות התוקפים. הם חזרו אל הרובע שלהם, הצעירים שהגיעו מהכפרים הסמוכים שבו לבתיהם בתחושת ניצחון. הם התבשרו שכל הארץ בוערת.

שירי ניצבה בפתח הבית וציפתה לאיתן, פוכרת את אצבעותיה בחשש גדול. היא ראתה את דמותו המתקרבת של בעלה בכל עובר אורח שחלף במקום. לבסוף הגיע אליה גבר צעיר, אקדח צמוד למותניו ופניו נפולים. זה היה סגנו של איתן.

"יש לי בשורה רעה," אמר לשירי בקול לאה, "איתן נעלם. חיפשנו אותו בכל מקום ולא הצלחנו לגלות את עקבותיו. נמשיך כמובן לחפש כל היום. אני מקווה שהוא מסתתר במקום כלשהו, אני מאמין שהוא לא נפגע."

שירי החווירה. עיניה מלאו דמעות. היא חששה מפני הגרוע מכול.

.32

היעלמו של איתן ערער באחת את עולמה של שירי. היא לא יכלה להסתגל לחיים בלעדיו. מאז הכירה אותו חזר בשלום מכל פעולה.

לפעמים נפצע קלות תוך לחימה, אבל תמיד בא הביתה. היא לא העלתה בדמיונה שיום יבוא ואיתן לא ישוב. בכל כוחה נאחזה בעובדה שעל פי רשימות הרובע היהודי, הוא לא נמצא בין ההרוגים. היא ביקשה להאמין שעודנו חי.

הבית סגר עליה, השקט מרט את עצביה. היא רצתה להתרחק מהכתלים, לצאת החוצה, להשתלב בחיפושים אחר בעלה. לבסוף השאירה פתק על השולחן: "מיד אחזור" ויצאה.

בזה אחר זה פקדה שירי את בתי חבריו של איתן, וביקשה לשחזר לפרטי פרטים את יום הקרבות ואת מעשיו של איתן בעת ההתקפה הערבית. הם סיפרו לה על ההמון הערבי ששעט בחוצות הרובע היהודי העתיק, כשהוא משמיע קריאות רמות בגנות היהודים ומנופף בסכינים ובנשק חם. הם סיפרו שחילקו נשק ותחמושת לכמה משפחות שהתבצרו בבתיהן, אבל הנשק לא הספיק לכולם. אנשי ההגנה זכרו שאיתן לא פחד להתקרב אל התוקפים ולהשתמש באקדחו. הוא הצליח לעצור את התקדמותם של חלק מהם.

איש לא ידע מה קרה לו בשוך האש. הוא לא נמצא גם בנקודות איסוף הפצועים. שירי סבבה כל הלילה ברובע העתיק וחיפשה קצה חוט שיוביל אותה אל איתן. היא חלפה על פני הריסות בתים, אודים עשנים, קולות בכי של אנשים. היא לא גילתה דבר.

עם בוקר שבה אל הבית, מצפה שאיתן הגיע לשם לפניה. הפתק נשאר על השולחן במקום שהניחה אותו. איתן לא היה. היא התיישבה אל השולחן, לפתה את ראשה בזרועותיה וניסתה לחשוב על אפשרויות נוספות שטרם מיצתה. היא הייתה נחושה לא להרפות עד שתאתר את אהובה.

בשעת בוקר מאוחרת הגיע דני. עיניו היו אדומות מהיעדר שינה, בגדי החאקי שלו קרועים. הוא אמר שאף הוא הקדיש שעות רבות ביום ובלילה לחיפושים אחרי איתן.

"אין סיכוי שהוא נמצא בצפת," אמר, "ברובע היהודי אי אפשר ללכת לאיבוד. השטח קטן והתושבים יודעים בדיוק מה קורה בו. אם איתן היה כאן, באיזשהו מקום, ודאי היו כבר מוצאים אותו.".

שירי נאנחה בצער.

"יש להגנה קשר עם מלשין ערבי, שמוסר לנו בדרך כלל מידע אמין," הוסיף דני, "ביקשתי ממנו לברר בין אנשיו אם ידוע להם מה עלה בגורלו של איתן."

ניצוץ של תקווה ניצת בעיניה.

"מה הוא סיפר?" שאלה שירי.

"האיש גילה כי בקרב הערבים מסתובבות שמועות," הוסיף דני, "שבעת המהומות בצפת נתפס בחור יהודי והועבר לאחד הכפרים בגליל, אבל אף אחד לא יודע מי הבחור והיכן הוא נמצא. ייתכן שזה קרה באמת, או שזוהי סתם בדיה. הביאי בחשבון שבינתיים יש לנו רק שמועות..."

"מה נוכל לעשות כדי לדעת את האמת?"

"לצערי, אני חושש שלפי שעה לא נוכל לעשות משהו. יש ידיעות שמלחמה עומדת לפרוץ. מדברים על צבאות ערביים שמתכוננים לפלוש לארץ ממצרים, מסוריה, מירדן ומעיראק ולהצטרף לארגון ההתנגדות הערבי בארץ. זהו מצב חירום, שירי. נמסר לי שאקבל דרגת קצין ואפקד על מחלקה של חיילים. אבל לא אפסיק לחפש את איתן."

שירי פרצה בבכי. המלחמה המתקרבת טרפה לה את כל הקלפים,

והציבה חיץ בינה לבין איתן. הסיכויים למצוא אותו בריא ושלם הלכו ופחתו.

.33

פאהד אל עזיז שכב במיטתו והצטער שנאלץ לדחות את טקס החתונה. בקושי רב החלים מהתקף הלב שלו. שני רופאים ידועים משווייץ הוטסו אל ביתו בג׳דה לטפל בו. הם נאלצו לשהות במחיצתו זמן רב מכפי שתכננו. פאהד שיכן אותם באגף האורחים של ארמונו, והעניק להם מתנות כסף נדיבות, כפיצוי על שהותם המתארכת. הם התקשו לטפל באיש שמצב בריאותו היה מעורער גם קודם לכן, אבל אט אט, בעזרת תרופות חדשניות שהביאו איתם, השתפר מצבו והוא היה מסוגל סוף סוף לעמוד דקות אחדות על רגליו ולצלוע לאורך מספר צעדים. ימים אחדים לאחר מכן שיגר מברק למוסטפה עלאמי.

לשמחתי הרבה אני מחלים. החתונה תיערך ב־1 ביולי 1948. אשמח אם תבואו עם הכלה שבוע לפני כן.

המברק הגיע לביתו של מנהיג ההתנגדות הערבית בעיצומם של אירועים הרי גורל. היחידות שעמדו תחת פיקודו של עלאמי חסמו את צירי התנועה ליישובים היהודיים, הרגו נוסעי אוטובוסים ופועלים בבתי חרושת והציתו אש בבתי מגורים ובבנייני ציבור. המחאה הערבית הייתה בעיצומה.

מועד פינויים של הבריטים קרב והלך. ה־15 במאי היה המועד שבו אמור היה צבא הוד מלכותו לקפל את דגלו האחרון ולהפליג

למולדתו. ברחבי הארץ בערה אש הלחימה. היהודים הצטיידו בנשק שנקנה בחו"ל והחלו לארגן צבא לכל דבר. מוסטפה עלאמי חשב תחילה לדחות את מועד החתונה, אבל חשש להחמיץ את ההזדמנות הנדירה לחבור למשפחת הנסיך. במברק התשובה שלו לפאהד כתב רק שתי מילים: "נגיע בשמחה."

ב־14 במאי, היום שבו הכריז דוד בן גוריון על הקמת המדינה היהודית בארץ ישראל, פלשו צבאות ערב לארץ. טורי צבא מצריים, מצוידים היטב, חצו את הגבולות בדרום ועשו דרכם אל צפון הארץ. צבאות סוריה וירדן כבשו יישובים יהודיים בגליל ומטוסי אויב הפציצו מטרות בתל אביב. הדרכים לירושלים נחסמו. כוחות המגן היהודים נלחמו באומץ רב, למרות הנחיתות במספרם ובציודם. הם פרצו את הדרך לירושלים, הצליחו להדוף חלק מהכוחות התוקפים ולשחרר יישובים שנכבשו.

היום שממנו פחדה הכלה המיועדת באשירה כמפני אסון נורא – משמש ובא. היא ידעה שהוריה נחושים למלא את הבטחתם לנסיך הסעודי וניסתה שוב ושוב לדבר על לבם, להתחנן ולהזיל דמעות. שום דבר לא הועיל. לרגעים עלתה בדעתה המחשבה להימלט מהבית ולמצוא מקלט במקום אחר, אבל היא לא הכירה איש שיהיה מוכן לאסוף אותה אל ביתו ולהסתירה מעיני הוריה. בחרדה רבה ספרה את השעות ואת הימים שנותרו עד נסיעתה.

הוריה הודיעו לה שמנוי וגמור איתם שתיסע איתם לג'דה. אמה החלה לארוז בגדים וחפצים לקראת הנסיעה. היא קיפלה אל תוך מזוודותיה את שמלותיה היפות של באשירה שקנתה לה בפריז. כמה מהן היו ארוזות עדיין באריזות המקוריות של החנויות שבהן נקנו. באשירה סירבה להשתתף באריזת המזוודות. כששאלה אותה אמה אם

תרצה לקחת איתה חפצים כלשהם, הגיבה באשירה בבכי תמרורים.
ביום שקדם לנסיעה חשבה על התאבדות, אבל לא ידעה כיצד לעשות
זאת.

מוסטפה עלאמי היה נפוח מגאווה. בדרך לא דרך הגיעו אליו מפקדים
בכירים בצבא המצרי, הסורי והירדני כדי לתאם איתו את מהלכי
המלחמה. הוא הודיע שיורה לאנשיו לפעול על פי הדרישות שהציגו
לו אורחיו. הערבים בישראל אמורים היו להגיש סיוע נכבד לניצחון.
היה להם נשק משלהם, לוחמים מאומנים בהתקפות על יהודים ורצון
עז להשתתף במאבק למניעת הקמתה של המדינה היהודית.
מוסטפה עלאמי כינס את מפקדי-המשנה שלו בבית האריזה
של אחוזתו. עתה לא חשש עוד שמישהו יגלה את תפקידו האמיתי.
הבריטים כבר עזבו. היהודים עסקו ראשם ורובם בהגנה ובלחימה.
הגיע הזמן שהכול ידעו שערביי הארץ נתונים לשליטתו של עלאמי.
למפקדי-המשנה שלו אמר מוסטפה עלאמי שעליו להיעדר בקרוב
מהארץ לרגל נישואי בתו לנסיך הסעודי. הוא העביר את תפקידו
לאחד מסגניו, והודיע שישוב בתוך שבועיים. הנוכחים העטירו עליו
ברכות ואיחלו לו דרך צלחה.
עשרה ימים לפני מועד החתונה הורה מוסטפה עלאמי לנהגו
להתכונן ליציאה לדרך.
"מי נוסע?" שאל הנהג.
"אני, אשתי והבת שלנו."
"לאן?"
"לסעודיה."

.34

איתן פקח את עיניו אל תוך אפלה גדולה. כאב עז התמקד בקרקפתו. הוא ביקש לשלוח את ידיו אל מקור הכאב, אבל לא הצליח להזיזן ממקומן. הן היו כבולות לגופו בחבל גס.

במוחו התרוצצו שברי תמונות שהחיו את זיכרונו. מאורעות היום שחלף חזרו אליו בזה אחר זה: ההגנה על הרובע היהודי העתיק בצפת, קרבות פנים אל פנים עם קבוצות מתלהמות של ערבים, מטחי יריות מכל עבר, זעקות של פצועים וקריאות נואשות לעזרה, ואז לפתע החשיך עליו עולמו. הוא לא חש בזרועות החזקות שנשאו אותו אל משאית שעליה הצטופפו כשני תריסרי פורעים ערבים, הוא לא זכר את טלטולי הנסיעה ואת קריאות הניצחון שבקעו מפיות הנוסעים ולא היה לו כל מושג לאן הביאוהו.

הוא מצא עצמו שרוע על רצפה קרה, כואב ונואש, מבלי לדעת כמה זמן הוא נמצא שם. אוזניו קלטו נביחות כלבים, קרקור תרנגולות, המיית יונים, פעיית עז. אל נחיריו חדר ניחוח כבד של עשן טאבונים, והוא הבין שנכלא בתוך כפר ערבי.

הוא הניח שנשבה בעת הקרבות בצפת, אך הוא לא הבין מדוע. הערבים לא נהגו לקחת שבויים. לרוב הם תקפו ונסוגו. קרבנותיהם נותרו תמיד בשטח, פצועים או הרוגים. מה התועלת שיוכל להביא להם, תהה איתן. מה הם עומדים לעולל לו?

הזמן כמו עמד מלכת. איתן לא ידע מה השעה, אם היה זה יום או לילה. הוא עצם את עיניו וניסה לשווא להירדם. מחשבותיו נדדו אל שירי, אל הוריו, אל דני ואל צפת. לא היה לו כל מושג אם הערבים השתלטו על העיר ומה עלה בגורלם של יקיריו.

מחמוד אל באדר, מבכירי אנשיו של מוסטפה עלאמי, היה גאה בעצמו. הוא יצא לצפת לתקוף יהודים ולא שיער שיחזור משם עם מטמון כה נדיר. הפעולה עצמה הוכתרה, לדעתו, בהצלחה מרובה. בפיקודו פשטו אנשיו על בתי הרובע היהודי, ונלחמו באנשי ההגנה שניסו לגרשם משם. מחמוד זכר את הגבר הצעיר שהתייצב מולו באקדח שלוף, לחץ על ההדק, אבל נוכח לדעת רק במאוחר כי המחסנית ריקה. מחמוד הסתער עליו, חבט בראשו בקת אקדחו, וכשאיבד היהודי את הכרתו, הורה לכבול אותו ולהטילו על המשאית. עכשיו, כשהיהודי כלוא במרתף ביתו של אחד מאנשיו, יוכל לעשות בו כחפצו. הוא היה בטוח שיהיה מסוגל לדובב את השבוי ולאלץ אותו לגלות סודות כמוסים.

מחמוד נכנס אל החדר וכיוון אלומת אור של פנס כיס היישר לעיניו של איתן.

"אתה מבין ערבית?" שאל.

"מעט," השיב איתן. האור סנוור אותו.

"אשחרר אותך," אמר מחמוד, "תוכל לחזור הביתה, אם תספר לי כמה דברים שאני רוצה לדעת."

איתן שתק.

"אני רוצה שתספר לי מה התוכניות של ההגנה, באיזה מקומות מוחבא הנשק שלכם."

"אני לא יודע," אמר איתן.

מחמוד שלח בעיטה לתוך צלעותיו של השוכב. איתן חש בכאב עמום כשאחת מצלעותיו נשברה.

"אם לא תדבר, תחטוף עוד מכות."

"אמרתי לך שאני לא יודע כלום," עמד איתן על שלו.

333

בעיטה נוספת כוונה אל כתפו של השבוי. כאב עז, ואחריו איום נוסף: "אתה לא תקבל אוכל ומים עד שתחליט לדבר."

מחמוד יצא מהחדר ונעל אחריו את הדלת. החשכה חזרה. הייאוש גבר.

לפתע, דעכה כלא הייתה השמחה שמילאה את לבו של מחמוד. הוא חש שלא בנוח. מימיו לא עסק בחקירות, הוא לא ידע כיצד לדובב את השבוי בהצלחה, הוא צריך היה להיוועץ במישהו מנוסה ממנו.

לאחר ששקל את הדבר שלח להודיע למוסטפה עלאמי שהוא מבקש לפגוש אותו.

הם נפגשו למחרת לא הרחק מעין מג'דל. מוסטפה היה נינוח ושבע רצון. הוא אמר שהפעולה בצפת אורגנה כהלכה והשיגה את מטרתה, כמו פעולות נוספות שבוצעו נגד יהודים ברחבי הארץ באותו יום. "כולם יודעים עכשיו שערביי פלשתינה לא ישלימו עם הכרזת המדינה היהודית," אמר.

"אני חייב להתייעץ איתך," הוסיף מחמוד. הוא סיפר על השבוי.

"זה היה טיפשי מצדך," אמר לו המנהיג, "עכשיו יתחילו היהודים לחפש את השבוי שלך, יגיעו לכפר ויבצעו לבטח פעולת נקם."

"ניסיתי לחקור אותו," העיר מחמוד.

"תן לי לנחש. הוא לא גילה לך שום דבר."

"נכון."

"חבל על המאמץ, מחמוד," אמר מוסטפה עלאמי, "אף פעם לא לקחנו יהודים בשבי ואף פעם גם לא ניקח, כי אנחנו יודעים שאי אפשר להוציא מהם שום סודות."

"אז מה עליי לעשות?"

"יש רק דרך אחת," אמר עלאמי.

מחמוד היטה אוזן.

"תהרוג את השבוי שלך מיד ובלי שום תירוצים."

יופיע בקרוב

החלק השני של הטרילוגיה:

דני